MOTYL

Lisa GENOVA

MOTYL

Przełożył Łukasz Dunajski

FILIA
WYDAWNICTWO

Wydanie I, Termedia, Poznań 2014

Projekt okładki: Olga Reszelska
Fotografia na okładce: © Susan Fox/Trevillion Images

Redakcja: Kamila Czok, Editio
Korekta: Monika Danuta Perlak, Editio
Skład i łamanie: Jacek Bociąg, Editio

ISBN: 978-83-7988-052-2

Wydawnictwo Filia
grupa Termedia sp. z o.o.
ul. Kleeberga 8
61-615 Poznań
www.wydawnictwofilia.pl

Wszelkie pytania prosimy kierować na adres: czytelnicy@wydawnictwofilia.pl

Dołącz do nas na Facebooku!

Ku pamięci Angie
Dla Aleny

Przed rokiem neurony w jej głowie, umiejscowione nie-daleko uszu, zaczęły obumierać, lecz cały proces odbywał się zbyt cicho, by mogła go usłyszeć. Ktoś mógłby rzec, że działo się coś złego, skoro same neurony zapoczątkowały serię wydarzeń mającą na celu doprowadzenie do ich własnej destrukcji. Niezależnie od tego, czy było to mo-lekularne morderstwo, czy też komórkowe samobójstwo, jej ciało nie było w stanie jej ostrzec, że umiera.

WRZESIEŃ 2003

Alice siedziała przy biurku w sypialni. Na parterze John biegał z pokoju do pokoju, a towarzyszący temu hałas rozpraszał ją. Przed odlotem musiała skończyć recenzję artykułu dla czasopisma „Psychologia Kognitywna", ale po przeczytaniu tego samego zdania po raz trzeci zorientowała się, że nie rozumie z niego ani słowa. Według jej budzika, który, jak się domyślała, śpieszył się o jakieś dziesięć minut, była 7:30. Wiedziała, mając na uwadze przybliżoną godzinę i tempo jego kroków, że chciał już wyjść, jednak zapomniał o czymś i teraz nie mógł tego znaleźć. Dotknęła czerwonym długopisem dolnej wargi, wpatrując się w cyfry na tarczy budzika i wyczekując tego, co miało za chwilę nastąpić.

– Ali?

Położyła długopis na biurku i westchnęła. Ujrzała go, jak klęczy w salonie na dole i przetrzepuje poduszki na kanapie.

– Klucze? – zapytała.

– Okulary. Proszę, nie pouczaj mnie teraz, jestem spóźniony.

Podążyła wzrokiem za jego rozpaczliwym spojrzeniem skierowanym na gzyms kominka, na którym znajdował się ceniony głównie ze względu na swoją wartość antyczny zegar, który wskazywał godzinę 8:00. Dawno powinien nauczyć się, żeby mu nie ufać. Zegary w ich domu rzadko bywały wiarygodne. W przeszłości Alice zbyt wiele razy dała się nabrać ich czcigodnym obliczom, i dlatego nauczyła się polegać na własnym zegarku. Oczywiście, gdy weszła do kuchni, magicznie cofnęła się w czasie, ponieważ zegar na mikrofalówce upierał się, że jest dopiero 6:52.

Spojrzała na gładką powierzchnię granitowego blatu i oto były, obok miski z grzybami i nieotwartej poczty. Nie pod czymś, nie za czymś, lecz tuż na linii wzroku. Jak to możliwe, że on, ktoś tak mądry, naukowiec, nie potrafił zobaczyć tego, co znajdowało się tuż pod jego nosem?

Oczywiście i przed nią osobiste przedmioty chowały się w najróżniejszych zakątkach. Jednak nie przyznawała mu się do tego i nie angażowała go w poszukiwania. Pewnego dnia, ku błogiej nieświadomości Johna, spędziła szalony poranek, najpierw przeczesując cały dom, a potem gabinet w poszukiwaniu ładowarki do swojego BlackBerry. Zbita z tropu, poddała się, poszła do sklepu, kupiła nową, po czym wieczorem odkryła, że stara ładowarka podłączona była do gniazdka obok jej łóżka, w miejscu, które powinna wcześniej sprawdzić. Najprawdopodobniej można to było wytłumaczyć nadmiarem obowiązków i pośpiechem, a także starzeniem się.

Stał w progu, spoglądając na okulary, które trzymała w dłoni, unikając jej spojrzenia.

– Następnym razem, kiedy będziesz czegoś szukał, udawaj, że jesteś kobietą – powiedziała Alice, uśmiechając się.

– Założę jedną z twoich spódnic. Ali, proszę cię, jestem naprawdę spóźniony.

– Zegar na mikrofalówce pokazuje, że masz jeszcze mnóstwo czasu – powiedziała, podając mu okulary.

– Dzięki.

Wziął je niczym sprinter przejmujący pałeczkę i ruszył w kierunku drzwi.

– Będziesz w domu, kiedy wrócę w sobotę? – zapytała, podążając za nim do przedpokoju.

– Nie wiem, w sobotę mam mnóstwo pracy w laboratorium.

Zabrał teczkę, telefon i klucze ze stolika w przedpokoju.

– Miłej podróży, ucałuj ode mnie Lydię. I postaraj się z nią nie pokłócić – powiedział John.

Ujrzała ich odbicie w lustrze – elegancki, wysoki mężczyzna w okularach, o brązowych, gdzieniegdzie przeplatanych siwymi pasmami włosach oraz niewysoka kobieta z kręconymi włosami i założonymi rękami, gotowa do podjęcia tej samej kłótni, która nie miała końca. Zacisnęła zęby i przełknęła ślinę, postanawiając nie wdawać się w ten spór.

– Ostatnio spędzamy ze sobą niewiele czasu. Proszę, postaraj się być w domu.

– Wiem, postaram się.

Pocałował ją i chociaż bardzo się spieszył, przedłużył pocałunek. Gdyby nie znała go tak dobrze, uznałaby taki pocałunek za coś niezwykle romantycznego. Stałaby tam, pełna nadziei, wierząc, że ten pocałunek mówi: *Kocham cię, będę za tobą tęsknił.* Jednak kiedy widziała, jak spieszy się, idąc ulicą, była niemal pewna, że właśnie powiedział jej: *Kocham cię, ale proszę, nie wkurzaj się, kiedy nie będzie mnie w domu w sobotę.*

Kiedyś każdego ranka chodzili razem aż na sam plac uniwersytetu. Z wielu rzeczy, jakie podobały jej się w pracy niedaleko domu, i to w dodatku na tej samej uczelni, to ich wspólne chodzenie do pracy lubiła najbardziej. Zawsze zatrzymywali się w kawiarni u Jerry'ego – czarna kawa dla niego, herbata z cytryną dla niej, ciepła bądź mrożona, w zależności od pory roku, po czym kontynuowali spacer na Harvard, rozmawiając o swoich badaniach i wykładach, sprawach dotyczących ich wydziałów, o dzieciach lub o planach na wieczór. Gdy byli świeżo po ślubie, trzymali się nawet za ręce. Rozkoszowała się tą odprężającą intymnością porannych spacerów, zanim stali się zbyt wyczerpani i zestresowani natłokiem codziennych obowiązków i wygórowanych ambicji.

Już od jakiegoś czasu wychodzili do pracy osobno. Alice żyła na walizkach przez całe lato. Brała udział w konferencjach psychologicznych w Rzymie, Nowym Orleanie i Miami, była też członkiem komisji egzaminacyjnej podczas obrony prac studentów w Princeton. Wiosną kultury komórkowe Johna wymagały czegoś w rodzaju dokarmiania i to o nieprzyzwoicie wczesnej porze. Ponieważ nie wierzył, aby jakikolwiek z jego studentów codziennie rano meldował się w laboratorium i wypełniał ten obowiązek, sam się tym zajmował. Nie pamiętała pozostałych powodów, dlaczego tak rzadko widywali się jeszcze przed nadejściem wiosny, lecz wtedy wydawały się one rozsądne i wyłącznie tymczasowe.

Wróciła do artykułu leżącego na biurku, ale wciąż była rozkojarzona myślami o kłótni, której nie odbyła z Johnem na temat ich młodszej córki, Lydii. Umarłby, gdyby choć raz opowiedział się po stronie żony? Przeczytała resztę artykułu dość pobieżnie, a nie ze szczególną dokładnością, jak miała w zwyczaju, jednak to musiało wystarczyć, zważając na jej obecny stan umysłu i całkowity brak czasu. Gdy napisała już wszystkie komentarze i sugestie do recenzji, włożyła artykuł do koperty i zakleiła ją, świadoma tego, że mogła przeoczyć jakiś błąd dotyczący metodyki badania lub interpretacji. W duchu przeklinała Johna, że przerwał jej pracę.

Przepakowała swoją walizkę, w której znajdowało się mnóstwo rzeczy z ostatniego wyjazdu. Cieszyła się na myśl, że w nadchodzących miesiącach nie będzie musiała tak często podróżować. Podczas jesiennego semestru miała uczestniczyć w zaledwie kilku gościnnych wykładach, z czego większość z nich odbywała się w piątek, dzień, w którym nie miała zajęć ze studentami. Jutro jej wykład miał zapoczątkować jesienne sympozjum dotyczące psychologii kognitywnej na Uniwersytecie Stanforda. Potem zobaczy się z Lydią. Postara się z nią nie pokłócić, lecz nie mogła niczego obiecać.

ALICE BEZ NAJMNIEJSZEGO TRUDU znalazła wejście do głównej auli Uniwersytetu Stanforda, która mieściła się na skrzyżowaniu ulic Campus Driver West i Panama Drive. Gmach miał otynkowane na biało ściany, dach w kolorze terakoty, a okalająca go bujna roślinność nadawała mu raczej wygląd karaibskiego hotelu niż budynku akademickiego.

Przyjechała dosyć wcześnie, toteż weszła do środka z nadzieją, że będzie mogła usiąść w cichym audytorium, by przed przemówieniem przejrzeć jeszcze spokojnie notatki.

Ku swojemu zaskoczeniu, weszła do pomieszczenia pełnego ludzi. Podekscytowany tłum otaczał szwedzki stół, agresywnie nurkując po jedzenie, niczym mewy na miejskiej plaży. Zanim zdołała wycofać się niezauważona, spostrzegła Josha, byłego kolegę z Harvardu, uznanego egocentryka, który stał teraz naprzeciw niej na szeroko rozstawionych nogach, sprawiając wrażenie, jak gdyby szykował się do skoku.

– To wszystko dla mnie? – zapytała Alice, uśmiechając się figlarnie.

– Co? Nie, codziennie tutaj tak jadamy. To dla jednego z naszych psychologów rozwojowych, wczoraj otrzymał u nas etat. A jak traktują cię na Harvardzie?

– Dobrze.

– Nie mogę uwierzyć, że po tylu latach wciąż tam jesteś. Jeśli kiedykolwiek poczujesz się znudzona, pomyśl o przeniesieniu się tutaj.

– Dam ci znać. A co u ciebie?

– Fantastycznie. Po wykładzie wstąp do mojego gabinetu, to pokażę ci najnowsze modelowanie danych. Zobaczysz, powali cię na kolana.

– Przykro mi, ale nie mogę, zaraz po wykładzie muszę złapać samolot do Los Angeles – powiedziała Alice zadowolona, że miała gotową wymówkę.

– Szkoda. Ostatni raz widziałem cię chyba w ubiegłym roku na konferencji poświęconej psychologii eksperymentalnej. Niestety, nie widziałem twojej prezentacji.

– Dziś będziesz miał okazję usłyszeć większą jej część.

– Więc odgrzebujesz stare wykłady?

Zanim zdążyła odpowiedzieć, Gordon Miller, dziekan wydziału i jej nowy superbohater, podszedł do niej i wybawił z opresji, prosząc Josha, by pomógł roznosić szampana. Tak jak na Harvardzie, tak i na Wydziale Psychologii Uniwersytetu Stanforda, tradycją było wzniesienie toastu za wykładowcę, który dostąpił zaszczytu otrzymania upragnionego etatu. Tak naprawdę, dźwięki triumfalnych trąb rzadko towarzyszyły wykładowcom w czasie ich awansów, jednak stały etat na uczelni zasługiwał na donośny aplauz.

Kiedy każdy z obecnych miał już kieliszek w dłoni, Gordon stanął na mównicy, sprawdzając mikrofon.

– Proszę o uwagę.

Przesadnie głośny, przerywany śmiech Josha rozbrzmiał samotnie w audytorium tuż przed tym, jak Gordon zaczął kontynuować swoją przemowę.

– Dziś gratulujemy Markowi otrzymania stałego etatu. Jestem pewien, że jest podekscytowany tym szczególnym osiągnięciem. Jestem też pewien, że przed nim jeszcze wiele ekscytujących wyzwań. Za Marka!

– Za Marka!

Alice stuknęła się kieliszkiem z osobami stojącymi obok, po czym każdy wrócił do jedzenia, picia i prowadzenia dyskusji. Kiedy wszystkie talerze z potrawami stały się puste i wszystkie butelki szampana zostały już opróżnione do ostatniej kropli, Gordon ponownie wszedł na mównicę.

– Bardzo proszę o zajęcie miejsc, zaczynamy prezentację.

Poczekał, aż tłum liczący około siedemdziesięciu osób usadowi się na swoich miejscach i zamilknie.

– Mam zaszczyt przedstawić gościa, który rozpocznie nasze tegoroczne sympozjum. Doktor Alice Howland jest wybitnym wykładowcą psychologii na Harvardzie. Przez ponad dwadzieścia pięć lat jej błyskotliwa kariera przyczyniała się do znacznego rozwoju psycholingwistyki. Jest pionierem i wciąż wiodącym naukowcem badającym interdyscyplinarne i zintegrowane podejście do mechanizmów językowych. Jesteśmy zaszczyceni, że jest tu dzisiaj z nami, by opowiedzieć nam o konceptualnej organizacji języka, odnoszącej się do układu nerwowego.

Alice zamieniła się miejscami z Gordonem i spojrzała na zwróconą ku niej widownię. Czekając, aż ustaną oklaski, przypomniała sobie o statystykach, według których ludzie boją się publicznych wystąpień bardziej niż śmierci. Ona to uwielbiała. Uwielbiała momenty wytężonej koncentracji, kiedy przemawiała przed słuchającą widownią – lubiła uczyć, występować, opowiadać historie, prowokować dyskusję. Uwielbiała również przypływ adrenaliny. Im większa była stawka, im bardziej dystyngowana lub trudna publiczność, tym bardziej całe wydarzenie ją ekscytowało. John był wspaniałym nauczycielem, jednak publiczne przemówienia przerażały go i nie mógł się nadziwić, że Alice tak się do tego rwie. Śmierci od przemówień prawdopodobnie by nie wolał, ale towarzystwo pająków i węży na pewno.

– Dziękuję, Gordonie. Dziś opowiem o niektórych procesach zachodzących w umyśle, stanowiących podłoże do nabywania, organizacji i używania języka.

Alice opowiadała już o tym niezliczoną ilość razy, jednak wcale nie czuła, że się powtarza. Sedno tego przemówienia opierało się na głównych zasadach lingwistyki, z których dużą część odkryła sama i od wielu już lat używała tych samych slajdów. Czuła się jednak dumna, a nie rozleniwiona czy zawstydzona, że jej odkrycia wciąż pozostawały prawdziwe i oparły się upływowi czasu. Jej wkład miał znaczenie i napędzał przyszłe dokonania.

Mówiła, nie odczuwając potrzeby patrzenia w swoje notatki, zrelaksowana i ożywiona. Słowa wydobywały się z jej ust bez najmniejszego trudu. Nagle, na około dziesięć minut przed zakończeniem prezentacji, utknęła.

Po prostu nie potrafiła znaleźć odpowiedniego słowa. Miała nikłe poczucie tego, co chciała powiedzieć, jednak samo słowo umykało jej. Zniknęło. Nie wiedziała, na jaką literę się zaczynało, jak brzmiało, ile zawierało sylab. Nie miała go też na końcu języka.

Może to była wina szampana. Zwykle nie pijała alkoholu przed wygłoszeniem przemówienia. Nawet jeśli znała swoją prezentację na pamięć, nawet jeśli miała ona się odbyć w kameralnym gronie, zawsze chciała zachować jak największą jasność umysłu, szczególnie na koniec, kiedy publiczność mogła zadawać pytania. Często prowokowały one konfrontację i prowadziły do ożywionej dyskusji. Jednak dziś, podczas kolejnej rozmowy z Joshem, nie chcąc nikogo urazić, prawdopodobnie wypiła trochę więcej, niż powinna.

Może po prosu była zmęczona. Kiedy jej umysł gorączkowo poszukiwał zaginionego słowa, a także racjonalnego wytłumaczenia, dlaczego w ogóle ono przepadło, jej serce zaczęło bić mocniej, a na twarzy poczuła gorący rumieniec. Coś takiego nigdy wcześniej się jej nie przydarzyło. Nigdy też nie ogarnęła jej panika na oczach publiczności, choć wiele razy stała przed liczniejszą i bardziej onieśmielającą niż ta. Przekonała samą siebie, aby wziąć głęboki oddech, zapomnieć o tym i kontynuować przemówienie.

Zastąpiła wciąż nieznane jej słowo nieprecyzyjnym i niestosownym wyrazem „rzecz", zrezygnowała z doprowadzenia konkluzji do końca i przeszła do omawiania kolejnego slajdu. Przerwa wydawała jej się być oczywistą i krępującą wiecznością, jednak gdy spojrzała na twarze swoich słuchaczy, by sprawdzić, czy zauważyli jej drobną wpadkę, nie dostrzegła nikogo, kto mógł się wydawać zaniepokojony, zawstydzony czy też w jakiś sposób zdezorientowany. Wtedy zobaczyła, jak Josh szepcze coś do ucha kobiety siedzącej obok, unosi brwi i lekko się uśmiecha.

Siedziała już w samolocie, wreszcie pozwalając sobie na relaks, kiedy odnalazła w głowie zaginione słowo.

Leksykon.

LYDIA MIESZKAŁA w Los Angeles od trzech lat. Jeżeli poszłaby na studia od razu po skończeniu szkoły średniej, już tej wiosny zostałaby absolwentką. Alice rozpierałaby duma. Lydia prawdopodobnie była bystrzejsza od starszego rodzeństwa, a przecież jej brat ukończył medycynę, a siostra prawo. Jednak zamiast na studia, Lydia najpierw wyjechała do Europy. Alice miała nadzieję, że jej córka wróci do domu zdecydowana, co chce studiować i jaką uczelnię wybierze. Zamiast tego, po powrocie oświadczyła, że w Dublinie zainteresowało ją aktorstwo, a na dodatek zakochała się i natychmiast wyjeżdża do Los Angeles.

Alice prawie odeszła od zmysłów. Szaleńczo sfrustrowana, odkryła, że sama w dużym stopniu przyczyniła się do powstania tego problemu. Lydia, najmłodsza z trójki ich dzieci, była córką rodziców, którzy dużo pracowali i często podróżowali, a ponieważ dobrze się uczyła, Alice i John w zasadzie ignorowali ją. Pozostawiali jej dużo swobody i dali prawo do decydowania o sobie z dala od władzy rodzicielskiej, której podlegały inne dzieci w jej wieku. Kariery akademickie jej rodziców były dla niej jasnym przykładem tego, co można osiągnąć dzięki stawianiu sobie jasnych celów i dążeniu do ich realizacji przy pomocy pasji i ciężkiej pracy. Lydia rozumiała rady swojej matki na temat tego, jak ważne jest zdobycie dobrego wykształcenia, jednak miała w sobie na tyle odwagi i śmiałości, by się jej sprzeciwić.

Na dodatek nie była w tym sama. Najgwałtowniejsza kłótnia, jaką Alice kiedykolwiek odbyła z Johnem, nastąpiła wtedy, gdy wtrącił swoje trzy grosze na ten temat: – *Myślę, że to wspaniale, przecież na studia zawsze może pójść później, jeśli w ogóle będzie chciała.*

Alice sprawdziła zapisany w telefonie adres, zadzwoniła do drzwi mieszkania numer siedem i zastygła w oczekiwaniu. Już miała zadzwonić po raz drugi, kiedy Lydia otworzyła drzwi.

– Mamo, przyjechałaś wcześniej – powiedziała.

Alice spojrzała na zegarek.

– Jestem na czas.

– Powiedziałaś, że wylatujesz o ósmej.

– Powiedziałam: o piątej.

– W moim notatniku napisane jest, że o ósmej.

– Lydia, jest za piętnaście szósta, więc jestem.

Lydia wyglądała na niezdecydowaną i spanikowaną, niczym ptak, który na swojej drodze właśnie spostrzegł nadjeżdżający samochód.

– Przepraszam, wejdź, proszę.

Zanim się uściskały, obie nieco zawahały się, tak jakby miały zacząć ćwiczyć nowe kroki tańca i nie były do końca pewne, która z nich powinna prowadzić. Albo może to był jakiś dobrze znany taniec, jednak od dawna go nie wykonywały i nie były do końca pewne choreografii. Przytulając Lydię, Alice wyczuła kontury jej żeber i kręgosłupa. Wyglądała zbyt chudo, jak gdyby straciła pięć kilo od chwili, kiedy Alice widziała ją ostatni raz. Miała jednak nadzieję, że to dlatego, iż ma dużo zajęć, a nie że katuje się jakąś drakońską dietą. Z blond włosami i wysokim wzrostem Lydia wyróżniała się w Cambridge spośród niskich kobiet o azjatyckiej i włoskiej urodzie, jednak w Los Angeles poczekalnie do sali przesłuchań pełne były podobnie wyglądających dziewczyn.

– Mamy rezerwację na dziewiątą. Poczekaj tutaj, zaraz wracam.

Próbując rozluźnić nieco szyję, Alice przebiegła wzrokiem kuchnię i salon. Meble, w większości znaleziska z wyprzedaży i starocie odziedziczone po rodzicach, stanowiły interesujący widok – pomarańczowa kanapa, stolik kawowy w stylu retro oraz modny stół kuchenny z krzesłami. Na białych ścianach nie było obrazów, ale nad kanapą wisiała pocztówka z Marlonem Brando. W powietrzu wyraźnie dało się wyczuć zapach płynu do mycia okien, jak gdyby Lydia w ostatniej chwili przed przyjazdem Alice próbowała posprzątać.

Tak naprawdę było tu zbyt czysto. Żadnych płyt CD ani DVD walających się po podłodze, żadnych książek czy czasopism porozrzucanych na stoliku, żadnych zdjęć przyklejonych do lodówki. Nie widziała też osobistych akcentów, które zdradzałyby zainteresowania czy poczucie estetyki Lydii. Właściwie mógł tu mieszkać każdy. Nagle Alice zauważyła stos męskich butów leżących na podłodze obok drzwi znajdujących się za jej plecami.

– Opowiedz mi o swoich współlokatorach – powiedziała, kiedy Lydia wróciła ze swojego pokoju, trzymając w dłoni telefon komórkowy.

– Są w pracy.

– A gdzie pracują?

– Jeden pracuje za barem, a drugi dostarcza jedzenie.

– Myślałam, że obaj są aktorami.

– Bo są.

– Rozumiem. Przypomnisz mi, jak się nazywają?

– Doug i Malcolm.

Stało się to niemal niezauważalnie, jednak nie zdołało umknąć uwadze Alice – policzki Lydii zarumieniły się, gdy wypowiedziała imię Malcolma, a jej oczy nerwowo unikały spojrzenia matki.

– Może już pójdziemy? W restauracji powiedzieli, że możemy przyjść wcześniej – zaproponowała Lydia.

– Okay, ale najpierw muszę skorzystać z toalety.

Myjąc ręce, Alice spojrzała na rzeczy ustawione na półce obok umywalki – żel do mycia twarzy, pasta do zębów, męski dezodorant i pudełko tamponów. Zastanowiła się przez chwilę. Przez całe lato nie miała okresu. Ostatni raz miała go chyba w maju. Za miesiąc kończyła pięćdziesiąt lat, więc nie czuła się zaniepokojona. Nie odczuwała uderzeń gorąca ani nie pociła się w nocy, tak jak niektóre kobiety w trakcie menopauzy. To jej odpowiadało.

Kiedy wycierała ręce, zobaczyła pudełko prezerwatyw stojące obok kosmetyków do stylizacji włosów Lydii. Miała zamiar dowiedzieć się czegoś więcej na temat jej współlokatorów. W szczególności na temat Malcolma.

Usiadły przy stoliku na patio w Ivy, modnej restauracji mieszczącej się w centrum Los Angeles, i zamówiły drinki – martini dla Lydii i wino dla Alice.

– Jak idzie tacie praca nad artykułem? – zapytała Lydia.

Musiała ostatnio kontaktować się ze swoim ojcem. Alice rozmawiała z nią po raz ostatni, kiedy Lydia zadzwoniła w Dzień Matki.

– Skończył. Jest z niego bardzo dumny.

– A co u Anny i Toma?

– W porządku, są bardzo zajęci, ciężko pracują. Więc jak poznałaś Douga i Malcolma?

– Pewnego wieczoru przyszli do Starbucks, kiedy akurat byłam na zmianie.

Pojawił się kelner i obie zamówiły danie główne i kolejnego drinka. Alice miała nadzieję, że alkohol trochę złagodzi napięcie, które wyraźnie dało się wyczuć pod przykrywką lekkiej rozmowy.

– Więc jak poznałaś Douga i Malcolma? – zapytała.

– Właśnie ci powiedziałam. Dlaczego ty nigdy mnie nie słuchasz? Przyszli do Starbucks pewnego wieczoru i rozmawiali o tym, że poszukują współlokatora.

– Myślałam, że jesteś kelnerką w restauracji.

– Bo jestem. W ciągu tygodnia pracuję w Starbucks, a w sobotnie wieczory jestem kelnerką w restauracji.

– No to rzeczywiście masz mnóstwo czasu, by grać.

– Obecnie nie jestem w nic zaangażowana, ale chodzę na zajęcia i często biorę udział w przesłuchaniach.

– Na jakie zajęcia?

– Zajęcia z techniki Meisnera.

– A na jakie przesłuchania chodzisz?

– Do telewizji i gazet.

Alice przechyliła kieliszek z winem, wypiła ostatni duży łyk i oblizała usta.

– Lydio, jaki właściwie masz plan?

– Nie planuję przestać, jeśli o to pytasz.

Alkohol zaczynał już działać, ale nie w taki sposób, na jaki Alice liczyła. Wręcz przeciwnie – płytka konwersacja zaczęła się wypalać, eksponując w pełni napięcie, które było zwiastunem mającej nastąpić rozmowy.

– Przecież nie możesz żyć wiecznie w ten sposób. Czy zamierzasz pracować w Starbucks do trzydziestki?

– Przecież to dopiero za osiem lat! Ty już wiesz, co będziesz robiła w tym czasie?

– Tak, wiem. W końcu musisz stać się odpowiedzialna, pomyśleć o takich rzeczach jak ubezpieczenie zdrowotne, hipoteka, oszczędności emerytalne.

– Mam ubezpieczenie zdrowotne. I mogę na nie zarobić jako aktorka. Tak jak wielu innych ludzi, którzy zarabiają w ten sposób o wiele więcej pieniędzy, niż ty i tata razem wzięci.

– Nie chodzi wyłącznie o pieniądze.

– A o co? Że nie stałam się taka jak ty?

– Nie podnoś głosu.

– A ty nie mów mi, co mam robić.

– Lydio, nie chcę, żebyś stała się taka jak ja. Po prostu nie chcę, żebyś sama ograniczała sobie możliwość dokonywania wyborów.

– To ty chcesz dokonywać za mnie wyborów.

– To nieprawda.

– Taka jestem i to jest to, co chcę robić.

– Na przykład serwować klientom kawę? Powinnaś być teraz na studiach. Powinnaś przeżyć ten okres swojego życia, ucząc się czegoś.

– Przecież uczę się czegoś! Nie siedzę po prostu na Harvardzie i nie zabijam się tylko po to, żeby dostać najwyższą ocenę z nauk politycznych. Chodzę na poważny kurs aktorstwa przez piętnaście godzin w tygodniu. Ile godzin w tygodniu uczą się studenci na Harvardzie? Dwanaście?

– To nie to samo.

– Tato uważa inaczej. Opłaca go dla mnie.

Alice chwyciła mocno boki spódnicy i zacisnęła usta. To, co chciała powiedzieć, nie było przeznaczone dla uszu Lydii.

– Nigdy nie widziałaś nawet, jak gram.

John widział. Zeszłej zimy przyleciał, by zobaczyć, jak Lydia występuje w sztuce. Alice nie przyjechała, ponieważ miała wtedy zbyt wiele pilnych spraw do załatwienia. Kiedy jednak patrzyła w przepełnione bólem oczy Lydii, nie potrafiła sobie przypomnieć, jakie pilne sprawy ją właściwie wtedy zatrzymały. Tak naprawdę nie miała nic przeciwko samej karierze aktorskiej córki, jednak pogoń Lydii za tym celem bez jakiegokolwiek wykształcenia graniczyła z lekkomyślnością. Jeśli teraz nie pójdzie na studia, nie przyswoi podstawowej wiedzy lub nie otrzyma formalnego wykształcenia w konkretnej dziedzinie, to co ze sobą pocznie, jeśli nie uda jej się z aktorstwem?

Alice pomyślała o prezerwatywach w łazience. A co, jeśli Lydia zajdzie w ciążę? Alice bała się, że jej córka pewnego dnia odkryje, że jest niespełniona, że jej życie jest pełne rozczarowań. Spojrzała na nią i zobaczyła tak wiele marnującego się potencjału, tak wiele zmarnowanego czasu.

– Lydio, z każdym kolejnym rokiem nie stajesz się coraz młodsza. Życie mija tak szybko.

– Zgadzam się.

Kelner przyniósł jedzenie, jednak żadna z nich nie wzięła do ręki widelca. Lydia przetarła oczy ręcznie haftowaną, lnianą serwetką. Zawsze dochodziło między nimi do tej samej bitwy, a Alice wydawało się, że obie walą głową w mur. Kłótnia nigdy nie była produktywna i tylko raniła je obie, powodując trwały uraz. Pragnęła, by Lydia dostrzegła mądrość i miłość w tym, czego dla niej chciała. Pragnęła znaleźć się po przeciwnej stronie stolika i przytulić ją, jednak dzieliło je zbyt wiele talerzy, szklanek i lat.

Nagłe ożywienie kilka stolików dalej sprawiło, że skupiły uwagę na czymś innym. Błysnęły flesze, a mały tłum klientów i kelnerów zebrał się wokół kobiety, która wyglądała trochę jak Lydia.

– Kto to? – zapytała Alice.

– Mamo – powiedziała Lydia tonem wyrażającym zarówno zażenowanie, jak i wyższość, tonem, który córki, poczynając od trzynastego roku życia, doprowadzają do perfekcji. – To Jennifer Aniston.

Zjadły kolację, rozmawiając tylko na bezpieczne tematy, takie jak jedzenie czy pogoda. Alice chciała się dowiedzieć czegoś więcej o związku Lydii i Malcolma, jednak żar uczuć jej córki wciąż płonął bardzo jasno i Alice bała się sprowokować kolejną kłótnię. Zapłaciła rachunek, po czym wyszły z restauracji najedzone, ale niezadowolone.

– Przepraszam!

Kelner wybiegł za nimi na ulicę.

– Zostawiła to pani.

Alice zatrzymała się, próbując zrozumieć, jak kelner mógł wejść w posiadanie jej telefonu. Przecież nie wyjmowała go w restauracji. Sięgnęła do torby. Nie było go tam. Musiała go wyjąć, kiedy wyciągała portfel.

– Dziękuję.

Lydia patrzyła na nią zdziwiona, jak gdyby chciała powiedzieć coś na inny temat niż pogoda, jednak zdecydowała się tego nie robić. Wracały do mieszkania w milczeniu.

– John?

Alice czekała w przedpokoju, trzymając w ręku walizkę. Tuż pod jej nogami, na podłodze, na samej górze sterty nieprzeczytanej poczty, leżało pismo „Harvard Magazine". Słychać było tykanie zegara i buczenie lodówki. Na zewnątrz było ciepłe, słoneczne popołudnie, jednak w środku panował chłód, ciemność i duchota. Zupełnie jakby dom był niezamieszkany.

Podniosła pocztę i weszła do kuchni w towarzystwie walizki, która podążała za nią niczym wierny pies. Wylot był opóźniony, więc nawet według zegara na mikrofalówce wróciła do domu później, niż powinna. On zaś miał całą sobotę, żeby popracować.

Czerwone światełko automatycznej sekretarki nie migało. Spojrzała na lodówkę. Żadnej wiadomości na drzwiach. Nic.

Wciąż trzymając w dłoni uchwyt walizki, stała w ciemnej kuchni, gapiąc się na spóźniający się o kilka minut zegar mikrofalówki. Rozczarowany, lecz wyrozumiały głos w jej głowie przeszedł w szept, podczas gdy drugi, bardziej pierwotny i agresywny, przybierał na sile. Pomyślała, żeby zadzwonić do Johna, jednak narastający w niej głos od razu odrzucił tę sugestię, nie przyjmując przy tym żadnych wymówek. Pomyślała, że może po prostu nie będzie się przejmować, jednak głos, teraz ogarniający jej całe ciało, rozbrzmiewał echem w brzuchu, wibrował w każdym palcu i był zbyt potężny oraz zbyt natarczywy, by mogła go zignorować.

Dlaczego się tak martwiła? Przecież był w trakcie badań i nie mógł tak po prostu tego zostawić i wrócić do domu. Przecież wielokrotnie była w jego położeniu. To była ich praca. To było ich życie. Głos nazwał ją głupią idiotką.

Zauważyła swoje buty do biegania stojące na podłodze obok drzwi. Bieganie z pewnością dobrze by jej zrobiło. Tak, właśnie tego potrzebowała.

Najchętniej biegałaby codziennie. Od wielu lat traktowała bieganie na równi z jedzeniem lub spaniem, jako podstawową czynność życiową. Zdarzało się jej biegać nawet w środku nocy czy podczas burzy. Jednak od paru miesięcy zaniedbała ten zwyczaj. Tak bardzo była zajęta. Sznurując buty, tłumaczyła sobie, że nie zabrała ich ze sobą do Kalifornii, ponieważ wiedziała, że i tak nie będzie miała na to czasu. Ale tak naprawdę, po prostu zapomniała je zapakować.

Wyruszając ze swojego domu stojącego przy Poplar Street, zwykle podążała tą samą trasą – wzdłuż Massachusetts Avenue, przez Harvard Square do Memorial Drive, potem wzdłuż Charles River do Harvard Bridge, mijając przy tym Massachusetts Institute of Technology i z powrotem – trasa liczyła ponad osiem kilometrów, a przebycie jej zajmowało około czterdziestu pięciu minut. Już od dawna pociągała ją myśl, aby wziąć udział w maratonie bostońskim, jednak każdego roku stwierdzała, że nie ma czasu, by przygotować się do tak długiego dystansu. Może kiedyś. Mając tak świetną kondycję fizyczną, jak na kobietę w jej wieku, wyobrażała sobie, że będzie biegała co najmniej do sześćdziesiątki.

Zatłoczone chodniki oraz sporadyczne czekanie przy przejściu dla pieszych były stałym elementem pierwszego etapu trasy biegu przez Harvard Square. W soboty o tej porze dnia plac był zatłoczony i gwarny. Wszędzie wokół pełno było ludzi czekających na każdym rogu ulicy, na przejściach dla pieszych, przed restauracjami, przed kinem czy w samochodach. Pierwsze dziesięć minut biegu wymagało od niej nie lada koncentracji, by przebrnąć przez ten zgiełk, jednak kiedy dotarła przez Memorial Drive do Charles River, mogła już biec swobodnie, niczym się nie przejmując.

Piękny bezchmurny wieczór zachęcił wielu ludzi do wyjścia nad rzekę, jednak zielona strefa niedaleko rzeki była mniej zatłoczona niż ulice Cambridge. Pomimo nieustannie ciągnącego się sznura biegaczy, psów z ich właścicielami, spacerowiczów, osób jeżdżących na rolkach, rowerzystów i kobiet pchających wózki, Alice, niczym doświadczony kierowca przemierzający ruchliwą drogę, miała znikomą świadomość tego, co dzieje się wokół niej. Kiedy biegła wzdłuż rzeki, słyszała tylko dźwięk adidasów uderzających o chodnik oraz akompaniujący im rytmiczny oddech. Nie myślała o kłótni z Lydią. Nie przyjmowała do wiadomości, że burczy jej w brzuchu. Nie myślała o Johnie. Po prostu biegła.

Tak jak zawsze, zatrzymała się, kiedy dotarła do JFK Park, skrawka zieleni ze starannie wypielęgnowanymi trawnikami, przylegającego do Memorial Drive. Jej myśli odzyskały jasność, a ciało rozluźniło się i ożywiło. Zaczęła wracać do domu. Z parku można było dotrzeć do Harvard Square, idąc przyjemną trasą, a pomiędzy Charles Hotel i Kennedy School of Government znajdowały się ławki.

Na końcu drogi stanęła na skrzyżowaniu ulic Eliot Street i Brattle gotowa, by przejść, gdy nagle jakaś kobieta złapała ją za ramię z przerażającą wręcz siłą i zapytała:

– Czy myślałaś dzisiaj o królestwie niebieskim?

Jej przenikliwe i uporczywe spojrzenie sprawiło, że Alice stanęła jak wryta. Kobieta miała długie włosy, których kolor i struktura przypominały gąbkę do naczyń, a na jej piersiach znajdowała się tabliczka: AMERYKA JEST W RĘKACH SZATANA, ODWRÓĆ SIĘ OD GRZECHU. Na Harvard Square zawsze ktoś sprzedawał Boga, jednak Alice nigdy wcześniej nie została wybrana spośród tłumu w tak bezpośredni sposób.

– Przepraszam – odparła i zauważywszy wolne miejsce, uciekła na drugą stronę ulicy.

Chciała iść dalej, jednak zamiast tego zastygła w bezruchu. Nie wiedziała, gdzie była. Spojrzała na drugą stronę ulicy. Kobieta z gąbką do naczyń na głowie zaatakowała kolejnego grzesznika czekającego na skrzyżowaniu. Trasa wiodła przez park, hotel, sklepy, splątane ulice. Wiedziała, że była na Harvard Square, jednak nie wiedziała, jak ma trafić do domu.

Spróbowała znowu, tym razem używając dokładniejszych nazw. The Harvard Square Hotel, sklepy Eastern Mountain Sports, Dickinson Bros. Hardware, Mount Auburn Street. Znała to wszystko – ten plac był jej ulubionym miejscem od ponad dwudziestu pięciu lat – jednak nic nie pasowało do mapy w jej głowie, która wskazałaby, w którym kierunku od tego miejsca znajduje się jej dom. Biało-czarny, okrągły znak z literą „T" na środku oznaczał podziemne wejście do stacji kolejowej i autobusowej, jednak na Harvard Square były trzy takie wejścia, a ona nie potrafiła powiedzieć, które było tym właściwym.

Jej serce zaczęło bić szybciej. Zaczęła się pocić. Wmawiała sobie, że szybko bijące serce i pocenie się to prawidłowa reakcja ciała na bieg. Jednak gdy tak stała na chodniku, wydawało się, że to objaw paniki.

Zmusiła się, by przejść jeszcze kawałek, potem jeszcze trochę, z każdym kolejnym krokiem czując, że jej nogi za chwilę mogą się pod nią załamać. The Harvard Coop, czyli oficjalny sklep Harvardu, sklep z łakociami od Cardullo, kiosk na rogu, biuro informacji Cambridge po drugiej stronie ulicy, a za nim Harvard Yard. Nadal potrafiła czytać i rozpoznawać miejsca. Na nic się to zdało. Wszystko wydawało się wyrwane z kontekstu.

Ludzie, samochody, autobusy, mnóstwo hałasu nie do zniesienia, otaczającego ją i zacieśniającego się wokół niej. Zamknęła oczy. Wsłuchiwała się w bicie swojego serca i puls dudniący za jej uszami.

– Proszę, niech to wszystko się uciszy – wyszeptała.

Otworzyła oczy. Tak jak nagle zniknął znany krajobraz, tak teraz równie szybko powrócił na swoje miejsce. The Harvard Coop, Cardullo, Nini's Corner i Harvard Yard. Od razu wiedziała, że na rogu musi skręcić w lewo i kierować się na zachód Mass Ave. Uspokoiła się, nie czując się już dziwnie zagubiona. Jednak nie mogła zaprzeczyć, że przed chwilą właśnie tak się czuła. Szła tak szybko, jak tylko mogła, starając się nie biec.

Skręciła w swoją ulicę, cichą, otoczoną drzewami, mieszcząca się niedaleko Mass Ave. Stojąc obiema stopami na podjeździe, a przed oczami mając swój własny dom, poczuła się o wiele bezpieczniej, jednak jeszcze nie do końca. Wbiła wzrok we frontowe drzwi, z każdym krokiem zbliżając się do nich coraz bardziej, przekonując samą siebie, iż gwałtownie narastające w niej morze niepokoju wyparuje natychmiast, gdy tylko znajdzie się w przedpokoju i zobaczy Johna. O ile będzie w domu.

– John?

Pojawił się na progu kuchni, nieogolony, z okularami nałożonymi na fryzurę w stylu szalonego naukowca. Ubrany w swoją szczęśliwą szarą koszulkę, jadł loda na patyku. Nie spał przez całą noc. Tak jak przewidziała, niepokój powoli zaczął opuszczać jej ciało. Razem z nim ulotniła się jej energia i odwaga, co sprawiło, iż zapragnęła rzucić mu się w ramiona.

– Hej, zastanawiałem się, gdzie byłaś, już miałem ci zostawić wiadomość na lodówce. Jak poszło?

– Co?

– Wykład w Stanford.

– Aaa, dobrze.

– A co u Lydii?

Uczucie zdrady i żalu do córki, pretensji do niego, że nie było go w domu, kiedy wróciła, początkowo złagodzone poprzez bieg i jej przerażenie, gdy się zgubiła, teraz znów doszło do głosu.

– Ty mi powiedz – odparła.

– Kłóciłyście się.

– Płacisz za jej kurs aktorstwa? – zapytała z wyrzutem.

– Och – odpowiedział, biorąc do ust ostatni kawałek loda. – Czy możemy porozmawiać o tym później? Nie mam teraz czasu, żeby się w to zagłębiać.

– To go znajdź, John. Utrzymujesz ją tam, nawet mi o tym nie mówiąc. Kiedy wracam, nie ma cię w domu i...

– Ciebie też nie było, kiedy ja wróciłem. Jak bieganie?

Dostrzegła proste rozumowanie w jego zawoalowanym pytaniu. Gdyby na niego zaczekała, gdyby zadzwoniła, gdyby nie zrobiła dokładnie tego, co chciała, i nie wyszła pobiegać, wtedy od co najmniej godziny byłaby już z nim w domu. Musiała przyznać mu rację.

– W porządku.

– Przepraszam, czekałem tak długo, jak tylko mogłem, ale muszę już wracać do laboratorium. Miałem niezwykły dzień i wspaniałe rezultaty, jednak jeszcze nie skończyliśmy. Muszę przeanalizować liczby, zanim znów rano zaczniemy. Przyjechałem do domu tylko po to, żeby się z tobą zobaczyć.

– Muszę o tym z tobą teraz porozmawiać.

– Ali, przecież to nie jest żadna nowość. Nie zgadzamy się co do Lydii. Możemy z tym poczekać do mojego powrotu?

– Nie.

– Chcesz mnie odprowadzić i porozmawiać po drodze?

– Nie idę do pracy, muszę zostać w domu.

– Musisz teraz porozmawiać, musisz zostać w domu, nagle stałaś się bardzo potrzebująca. Czy coś się dzieje?

Słowo *potrzebująca* trafiło w czuły punkt. *Potrzebująca* oznaczało słaba, zależna, patologiczna. Określało jej ojca. Postawiła sobie za cel, żeby nigdy się taką nie stać, nie być taką jak on.

– Po prostu jestem zmęczona.

– Musisz trochę zwolnić.

– To nie tego potrzebuję.

Czekał, aż wygłosi swoją mowę, jednak nie powiedziała nic więcej.

– Posłuchaj, im szybciej wyjdę, tym szybciej wrócę. Odpocznij trochę, będę późnym wieczorem.

Ucałował jej spocone czoło i wyszedł.

Stojąc w przedpokoju, gdzie ją zostawił, nie mając nikogo, komu mogłaby się zwierzyć czy zaufać, poczuła, jak ogarnia ją emocjonalna fala tego, czego dopiero co doświadczyła na Harvard Square. Usiadła na podłodze, oparła się o chłodną ścianę, patrząc na swoje trzęsące się dłonie, jak gdyby nie należały do niej. Próbowała skupić się na opanowaniu oddechu, tak jak wtedy, kiedy biegła.

Po kilku minutach głębokich wdechów i wydechów wreszcie uspokoiła się na tyle, by spróbować znaleźć jakieś sensowne wytłumaczenie tego, co się stało. Pomyślała o słowie, którego zapomniała podczas wykładu w Stanford i o braku okresu. Wstała, włączyła laptopa i w przeglądarkę wpisała „objawy menopauzy".

Niezwykle długa lista wypełniła ekran – uderzenia gorąca, nocne poty, bezsenność, przytłaczające zmęczenie, lęki, zawroty głowy, kołatanie serca, depresja, poirytowanie, huśtawki nastroju, dezorientacja, mętlik w głowie, zaniki pamięci.

Dezorientacja, mętlik w głowie, zaniki pamięci, To było to. Oparła się o krzesło i przeczesała palcami swoje czarne kręcone włosy. Spojrzała na zdjęcia ustawione na półkach wysokiej od podłogi do sufitu biblioteczki – dzień, w którym ukończyła Harvard, ona i John tańczący na swoim ślubie, portrety rodzinne z czasów, kiedy dzieci były małe, portret rodzinny zrobiony podczas ślubu Anny. Powróciła wzrokiem do listy na ekranie monitora. To była naturalna, kolejna faza w jej życiu jako kobiety. Miliony przedstawicielek płci pięknej zmagały się z tym każdego dnia. Nic zagrażającego życiu. Nic, co odbiegałoby od normy.

Zapisała sobie, że musi umówić się na wizytę do lekarza, tak na wszelki wypadek. Może powinna przejść na hormonalną terapię zastępczą. Po raz ostatni przeczytała listę objawów. Poirytowanie. Huśtawki nastroju. Jej ostatnie spięcia z Johnem.

Wszystko się zgadzało. Zadowolona, wyłączyła komputer.

Przez chwilę siedziała w ciemności, przysłuchując się dźwiękom pustego domu i sąsiadom grillującym w ogrodzie. Wdychała zapach smażonego hamburgera. Z jakiegoś powodu przestała być głodna. Wzięła witaminy, rozpakowała torbę, przeczytała kilka artykułów w „Psychologii Kognitywnej", po czym położyła się spać.

Gdzieś po północy John wreszcie wrócił do domu. Gdy kładł się do łóżka, nieznacznie ją wybudził. Pozostała w bezruchu, udając, że śpi. Musiał być wykończony. Pracował całą noc i cały dzień. O Lydii mogą porozmawiać rano. Przeprosi go za to, że ostatnio była taka nadwrażliwa i humorzasta.

Położył ciepłą dłoń na jej biodrze i przyciągnął ją bliżej siebie. Jego oddech na jej karku dawał poczucie bezpieczeństwa i sprawił, że zapadła w głęboki sen.

PAŹDZIERNIK 2003

– To była spora porcja do przetrawienia – powiedziała Alice, otwierając drzwi do swojego gabinetu.

– Tak, to były naprawdę wielkie enchilady – dodał Dan, uśmiechając się za jej plecami.

Alice lekko klepnęła go w ramię swoim notesem. Właśnie skończyli godzinne seminarium połączone z lunchem. Dan, student czwartego roku studiów doktoranckich, wyglądał jak typowy macho – szczupły i muskularny, krótko ścięte blond włosy i szeroki, zarozumiały uśmiech. Fizycznie był przeciwieństwem Johna, jednak cechowała go pewność siebie i poczucie humoru, co sprawiało, że przypominał jej męża z czasów studenckich.

Po kilku falstartach praca Dana wreszcie ruszyła z miejsca, a on sam zaczął czerpać radość z jej pisania. Alice dostrzegła ten stan i miała nadzieję, że radość przerodzi się w utrzymującą się pasję. Każdego mogło fascynować prowadzenie badań, kiedy widziało się rezultaty. Cała sztuka polegała na tym, żeby nie tracić tej pasji, kiedy rezultatów nie było, a powody ich nieobecności były trudne do określenia.

– Kiedy wyjeżdżasz do Atlanty? – zapytała, wertując dokumenty leżące na jej biurku, w poszukiwaniu szkicu jego pracy, który już sprawdziła.

– W przyszłym tygodniu.

– Do tego czasu prawdopodobnie będziesz mógł ją już złożyć. Jest całkiem dobra.

– Nie mogę uwierzyć, że się żenię. Boże, jestem stary.

Znalazła jego pracę i podała mu ją.

– Wcale nie jesteś stary. Jesteś dopiero na początku drogi.

Usiadł, wertując strony i unosząc brwi na widok czerwonych notatek na marginesach. Wstęp i rozwinięcie były polem do popisu dla Alice, która wykorzystała swoją niezwykłą wiedzę, aby nadać pracy Dana odpowiedni kształt i wypełnić luki w jego narracji. Chciała, żeby ten nowy element naukowej twórczości wpisywał się w historyczny i współczesny rys lingwistyki, tworząc spójny obraz i satysfakcjonującą całość.

– Co tu jest napisane? – zapytał Dan, pokazując palcem jej czerwony komentarz.

– Różne następstwa ścisłej i podzielnej uwagi.

– A gdzie znajdę do tego źródło? – zapytał.

– Och, gdzie to było? – zapytała siebie, zamykając oczy i czekając, aż nazwisko autora i rok wydania wynurzą się z głębi jej umysłu. – Widzisz, tak się dzieje, kiedy jesteś stary.

– Ty nie jesteś stara. Nie ma problemu, sam mogę to sprawdzić.

Jednym z obciążeń, jakie musiała znosić pamięć każdego, kto zajmował się nauką, była znajomość roku, w którym opublikowano badania, znajomość szczegółów danego eksperymentu i nazwisko osoby, która go przeprowadziła. Alice często zadziwiała swoich studentów i kolegów tym, że żonglowała znajomością autorów i datami wydania poszczególnych publikacji, przypisując bez trudu co najmniej siedem z nich do poszczególnego zjawiska. Większość profesorów na jej wydziale miała tę umiejętność w małym palcu. Tak naprawdę, istniała między nimi niepisana rywalizacja mająca wykazać, kto ma w swojej głowie najbardziej kompletny i dostępny na zawołanie katalog publikacji, jakie ukazały się w ich dziedzinach.

– Nye, MBB, 2000! – wykrzyknęła.

– To zawsze będzie mnie zdumiewać. Szczerze, w jaki sposób przechowujesz w głowie tyle informacji?

Uśmiechnęła się, przyjmując jego podziw.

– Zobaczysz, jak już mówiłam, jesteś na początku drogi.

Przewertował resztę swojej pracy, jego twarz rozluźniła się.

– Okay, to wygląda nieźle. Zwrócę ją jutro!

Wyszedł z gabinetu. Uznawszy to zadanie za zakończone, Alice spojrzała na listę rzeczy do zrobie-

nia, którą zapisała na żółtej karteczce i przykleiła do
półki, tuż nad komputerem.

Zajęcia z psychologii kognitywnej ✓
Seminarium ✓
Praca Dana
Eric
Urodzinowa kolacja

Z satysfakcją odhaczyła pracę Dana. *Eric? A co to
oznacza?*

Eric Wellman był dziekanem Wydziału Psychologii na Harvardzie. Czy zamierzała mu o czymś
powiedzieć, zapytać go o coś? Czy miała z nim spotkanie? Sprawdziła swój kalendarz. Jedenasty października, jej urodziny. Ani słowa o Eriku. *Eric.* To
było zbyt zagadkowe. Sprawdziła swoją skrzynkę
odbiorczą. Żadnej wiadomości od Erika. Miała tylko
nadzieję, że ta dziwna sprawa nie wymagała natychmiastowego załatwienia. Poirytowana, acz pewna
tego, że w końcu przypomni sobie, czego dotyczy-
ła sprawa z Erikiem, wyrzuciła już czwartą z kolei
tego dnia listę do kosza, po czym wyjęła kolejną żółtą
kartkę.

Eric?
Zadzwonić do lekarza

Zaburzenia pamięci przydarzały się jej zbyt często i zaczęło ją to niepokoić. Odkładała wykonanie telefonu do lekarza, ponieważ zakładała, że tego typu epizody z czasem po prostu miną. Miała nadzieję, że dowie się czegoś pocieszającego na ten temat od kogoś znajomego i dzięki temu uniknie wizyty u lekarza. Jednak było to mało prawdopodobne z prostej przyczyny – wszyscy jej współpracownicy z Harvardu w wieku menopauzalnym to mężczyźni. Doszła więc do oczywistego wniosku, że to najwyższa pora, by poszukać pomocy u lekarza.

Alice i John wracali razem z uczelni, kierując się do restauracji Epulae mieszczącej się przy Inman Square. W środku Alice zobaczyła ich starszą córkę Annę, siedzącą przy barze ze swoim mężem Charliem. On miał na sobie imponujący niebieski garnitur, ona garsonkę w tym samym kolorze, przy czym jego strój przyozdobiony był złotym krawatem, a jej pojedynczym sznurem pereł. Od kilku lat pracowali w trzeciej pod względem wielkości korporacji prawniczej w Massachusetts. Anna zajmowała się prawem własności intelektualnej, a Charlie pracował w sądzie.

Po kieliszku martini, który Anna trzymała w dłoni, oraz po niezmienionym rozmiarze jej biustu Alice wywnioskowała, że jej córka nie jest w ciąży. Starała się o dziecko od sześciu miesięcy, bez żadnego rezultatu. Jak zawsze, im trudniej było coś osiągnąć, tym bardziej Anna tego pragnęła. Alice doradzała jej, by poczekała i nie spieszyła się tak bardzo z odhaczeniem kolejnego zadania na życiowej liście rzeczy do zrobienia. Anna miała zaledwie dwadzieścia siedem lat, dopiero w zeszłym roku wyszła za Charliego i pracowała od osiemdziesięciu do dziewięćdziesięciu godzin tygodniowo. Jednak Anna doszła już do wniosku, do którego dochodzi w końcu każda czynna zawodowo kobieta pragnąca mieć dzieci: odpowiedni czas na urodzenie dziecka nie nadejdzie nigdy.

Alice martwiła się, jak posiadanie rodziny wpłynie na karierę Anny. Dla Alice droga, którą przebyła, aby otrzymać stanowisko nauczyciela akademickiego na stałym etacie w Harvardzie, była uciążliwa nie dlatego, że nie radziła sobie z obowiązkami, czy też że nie przyczyniła się do rozwoju lingwistyki, lecz dlatego, że była kobietą, która miała dzieci. Wymioty, anemia, stany przedrzucawkowe, których doświadczyła podczas łącznie dwóch i pół roku ciąży, z pewnością rozpraszały ją i spowalniały. A wymagania trzech małych istotek, będących rezultatem tych ciąż, były nieustające i o wiele bardziej czasochłonne niż jakiegokolwiek zatwardziały szef czy wzorowy student, z jakim kiedykolwiek miała do czynienia.

Wielokrotnie z przerażeniem obserwowała, jak najbardziej obiecujące kariery jej aktywnych zawodowo koleżanek gwałtownie spowalniały lub całkowicie przepadały. Przyglądanie się, jak kariera Johna, który był jej męskim odpowiednikiem, nabiera rozpędu, a on zostawia ją daleko w tyle, było dla niej ciężkim przeżyciem. Często zastanawiała się nad tym, czy jego kariera przetrwałaby trzykrotne nacinanie krocza, karmienie piersią, uczenie siusiania do nocnika, dni, w które nieskończoną ilość razy śpiewała kołysanki i jeszcze więcej nocy, podczas których udało jej się przespać nieprzerwanie tylko dwie lub trzy godziny. Szczerze w to wątpiła.

Gdy wymieniali uściski, pocałunki, uprzejmości i życzenia urodzinowe, podeszła do nich kobieta z mocno rozjaśnionymi włosami, ubrana cała na czarno.

– Czy wszyscy z państwa są już obecni? – zapytała, uśmiechając się miło, lecz zbyt długo, jak na szczery uśmiech.

– Nie. Jeszcze na kogoś czekamy – odpowiedziała Anna.

– Jestem – rzucił Tom, stając za nimi. – Wszystkiego najlepszego, mamo.

Alice uściskała go i ucałowała, nagle jednak zorientowała się, że przyszedł sam.

– Czy czekamy na …?

– Jill? Nie, mamo, zerwaliśmy miesiąc temu.

– Tak szybko zmieniasz dziewczyny, że ledwo możemy zapamiętać ich imiona – powiedziała Anna. – Czy jest jakaś nowa, dla której powinniśmy zarezerwować dodatkowe miejsce?

– Jeszcze nie – odparł Tom. – Jesteśmy już wszyscy – zwrócił się do kobiety w czerni.

Okres, kiedy Tom nie miał żadnej dziewczyny, wynosił zazwyczaj od sześciu do dziewięciu miesięcy, jednak nigdy nie trwało to zbyt długo. Był bystry, uczuciowy, fizycznie przypominał swojego ojca, studiował na trzecim roku w Harvard Medical School, planując karierę kardiochirurga. Nie był też chucherkiem. Przyznawał z nutką ironii, że każdy student medycyny i chirurg jada śmieci i to wyłącznie w pośpiechu – pączki, chipsy, przekąski z automatu i ze szpitalnego bufetu. Żaden z nich nie miał czasu, aby ćwiczyć, chyba że wliczyć w to chodzenie po schodach zamiast używania windy. Żartował, że przynajmniej za parę lat będą mogli nawzajem leczyć swoje problemy z sercem.

Kiedy już wszyscy usiedli przy oddzielonym parawanem od reszty sali półokrągłym stoliku, na którym znalazły się drinki i przekąski, rozmowa zeszła na temat nieobecnego członka rodziny.

– Kiedy ostatnio Lydia zaszczyciła nas swoją obecnością na czyichś urodzinach? – zapytała Anna.

– Była, kiedy świętowałem swoje dwudzieste pierwsze – odparł Tom.

– To było prawie pięć lat temu! Czy to był ostatni raz? – zapytała Anna.

– Nie, to nie mógł być ostatni raz – powiedział John, jednak nie wtajemniczył nikogo w szczegóły.

– Moim zdaniem, to był ostatni raz – upierał się Tom.

– Nieprawda. Była z nami w pięćdziesiąte urodziny waszego ojca, trzy lata temu – powiedziała Alice.

– Jak ona się miewa, mamo? – zapytała Anna.

Anna wyrażała nieukrywane zadowolenie, że Lydia nie poszła na studia; przerwana edukacja Lydii w jakiś sposób utwierdzała pozycję Anny jako najbystrzejszej i odnoszącej największe sukcesy córki Howlandów. Anna, jako najstarsza z trójki rodzeństwa, najwcześniej zaczęła demonstrować swoją inteligencję, ku zadowoleniu rodziców, i jako pierwsza zyskała w ich oczach pochlebny status bycia błyskotliwą córką. Chociaż Tom również był bystry, Anna nigdy nie zwracała na niego większej uwagi, być może dlatego, że był chłopcem. Potem pojawiła się Lydia. Obie dziewczynki były bardzo mądre, jednak Anna wkładała sporo wysiłku, by uzyskać najlepsze stopnie, podczas gdy nieskazitelne świadectwa Lydii wymagały od niej niemal niezauważalnego nakładu pracy. Nie uszło to uwadze Anny. Obie córki rywalizowały ze sobą i były bardzo niezależne, jednak Anna nie była osobą lubiącą podejmować ryzyko. Miała tendencję do obierania sobie celów, które były bezpieczne, konwencjonalne i niosły ze sobą najwyższe uznanie.

– Dobrze – powiedziała Alice.

– Nie mogę uwierzyć, że ona wciąż tam jest. Czy w ogóle już w czymś grała? – zapytała Anna.

– Była fantastyczna w sztuce, w której występowała w zeszłym roku – odpowiedział John.

– Chodzi na kurs – dodała Alice.

Kiedy tylko wypowiedziała te słowa, przypomniała sobie, że John finansował braki w akademickim wykształceniu Lydii za jej plecami. Jak mogła zapomnieć, by z nim o tym porozmawiać? Rzuciła mu spojrzenie pełne oburzenia, lecz on tylko potrząsnął lekko głową i wymownie dotknął jej pleców. To nie był odpowiedni czas ani miejsce. Później się z nim rozprawi. Jeśli będzie pamiętać.

– Przynajmniej coś robi – rzuciła Anna, wyraźnie zadowolona, że wszyscy byli świadomi aktualnej pozycji młodszej córki Howlandów.

– Tato, jak tam twój eksperyment? – zapytał Tom.

John pochylił się i zaczął wtajemniczać go w szczegóły swoich najnowszych badań. Alice spoglądała na swojego męża i syna, biologów zaabsorbowanych analityczną rozmową, w której jeden próbował zaimponować swoją wiedzą drugiemu. Poziome zmarszczki w kącikach oczu Johna, widoczne nawet wtedy, kiedy przybierał poważny wyraz twarzy, stawały się głębokie i jeszcze bardziej wyraźne, gdy opowiadał o swoich badaniach, a jego dłonie splatały się niczym dwie pacynki w teatrze lalek.

Uwielbiała oglądać go takiego. Jej nie opowiadał o swoich badaniach tak szczegółowo i z takim entuzjazmem. Kiedyś to robił. Wciąż wiedziała wystarczająco dużo o tym, nad czym obecnie pracował, by na przyjęciu móc opowiedzieć w skrócie o jego badaniach, jednak nie wiedziała nic więcej, co wykraczałoby poza ogólny zarys. Kiedy spędzał czas w towarzystwie kolegów, swoich czy Toma, zawsze prowadził te pełne drobnych detali rozmowy, jakie kiedyś wspólnie odbywali. On mówił jej o wszystkim, a ona słuchała z żywym zainteresowaniem. Zastanawiała się, kiedy to się zmieniło i kto pierwszy stracił zainteresowanie: czy on, opowiadając, czy ona, słuchając.

Kalmary, okraszone kawałkami kraba ostrygi, sałatka z rukwi i dyniowe ravioli – wszystkie te dania były znakomite. Po kolacji głośno zaśpiewano *Sto lat*, lekko fałszując, ale też otrzymując spory aplauz ze strony klientów siedzących przy innych stolikach.

Alice zdmuchnęła świeczkę z kawałka ciepłego ciasta czekoladowego. Gdy wszyscy trzymali w dłoniach kieliszki, John uniósł swój nieco wyżej.

– Wszystkiego dobrego dla mojej pięknej i mądrej żony. Za twoje kolejne pięćdziesiąt lat!

Wszyscy stuknęli się kieliszkami i wypili szampana.

W toalecie Alice przyglądała się swojemu odbiciu w lustrze. Widniejąca w nim twarz starszej kobiety nie do końca pasowała do jej wyobrażenia o samej sobie. Pomimo iż była w pełni wypoczęta, jej złotobrązowe oczy wydawały się zmęczone, a skóra bardziej szara i wiotka. Wyraźnie było widać, że ma więcej niż czterdzieści lat, ale nie mogła powiedzieć, że wygląda staro. Nie czuła się staro, chociaż zdawała sobie sprawę z upływu czasu. Jej niedawne wejście w nowy obszar wiekowy ujawniało się ostatnio regularnie pod postacią nieproszonych menopauzalnych zaników pamięci. Pod innymi względami czuła się młoda, silna i zdrowa.

Pomyślała o swojej matce. Były do siebie podobne. W jej wspomnieniach na twarzy matki, poważnej i skupionej, z piegami pokrywającymi nos i policzki, nie było ani jednej zmarszczki. Nie żyła wystarczająco długo, by je mieć. Umarła, gdy miała czterdzieści jeden lat. Siostra Alice, Anne, miałaby teraz czterdzieści osiem lat. Alice próbowała sobie wyobrazić, jak wyglądałaby Anne, siedząc dziś z nimi przy stoliku ze swoim własnym mężem i dziećmi, ale nie potrafiła.

Kiedy usiadła na sedesie, zobaczyła krew. Okres. Oczywiście wiedziała, że menstruacja na początku menopauzy była bardzo często nieregularna i nie zawsze zanikała od razu. Jednak myśl, że to może nie być menopauza, wkradła się do jej umysłu, mocno się w nim zagnieździła i nie chciała odejść.

Jej determinacja, osłabiona przez alkohol i widok krwi, teraz zupełnie zniknęła. Zaczęła płakać, bardzo głośno. Z trudem potrafiła złapać powietrze. Miała pięćdziesiąt lat i czuła, jakby za chwilę miała odejść od zmysłów.

Ktoś zapukał do drzwi.

– Mamo? – zapytała Anna. – Czy wszystko w porządku?

LISTOPAD 2003

Gabinet doktor Tamary Moyer mieścił się na drugim piętrze biurowca, na zachód od Harvard Square, niedaleko miejsca, gdzie Alice się zgubiła. Poczekalnia i gabinety przyozdobione były oprawionymi w ramy zdjęciami wykonanymi przez Ansela Adamsa oraz przywieszonymi do szarych ścian medycznymi plakatami reklamowymi. Alice nie miała z tym miejscem żadnych negatywnych skojarzeń. Doktor Moyer była jej lekarzem od dwudziestu dwóch lat i Alice odwiedzała ją tylko w czasie rutynowych badań, takich jak kontrola ogólnego stanu zdrowia, szczepienia i ostatnio w celu wykonania mammografii.

– Co cię dziś do mnie sprowadza, Alice? – zapytała doktor Moyer.

– Ostatnio mam poważne kłopoty z pamięcią, które skojarzyłam z symptomami menopauzy. Jakieś sześć miesięcy temu przestałam miesiączkować, jednak okres powrócił w zeszłym miesiącu, więc pomyślałam, że może nie mam klimakterium, i postanowiłam przyjść do ciebie.

– A o jakich dokładnie rzeczach zapominasz? – zapytała doktor Moyer, pisząc i nie podnosząc głowy.

– Zapominam nazwisk, słów podczas rozmowy, gdzie odłożyłam swój BlackBerry, dlaczego coś jest na mojej liście rzeczy do zrobienia.

– Rozumiem.

Alice uważnie przyglądała się swojej lekarce. Doktor Moyer przyjęła te informacje niczym ksiądz, który słucha spowiedzi nastolatka o tym, że miał nieczyste myśli na temat dziewczyny. Prawdopodobnie już niezliczoną ilość razy słyszała o tego typu objawach od całkowicie zdrowych ludzi. Każdy czegoś zapominał, zwłaszcza na starość. Gdy dodać do tego menopauzę oraz wziąć pod uwagę fakt, że zawsze robiła trzy rzeczy równocześnie, a myślała o dwunastu kolejnych, takie zaniki pamięci nagle wydawały się zwyczajne, niegroźne, a nawet można się było ich spodziewać. Wszyscy są zestresowani. Wszyscy są przemęczeni. Wszyscy o czymś zapominają.

– Raz straciłam orientację na Harvard Square. Przez kilka minut nie wiedziałam, gdzie jestem.

Doktor Moyer przestała wypisywać objawy na karcie pacjenta i spojrzała wprost na Alice. To zrobiło na niej wrażenie.

– Czy czujesz ucisk w klatce piersiowej?

– Nie.

– Czy odczuwałaś mrowienie lub drętwienie kończyn?

– Nie.

– Czy bolała cię głowa lub miałaś zawroty głowy?

– Nie.

– Czy zauważyłaś jakieś palpitacje serca?

– Serce biło mi mocniej, jednak to było tuż po tym, kiedy straciłam orientację, bardziej był to przypływ adrenaliny. Pamiętam, że zanim to się stało, czułam się świetnie.

– Czy tego dnia stało się coś nietypowego?

– Nie, wróciłam z Los Angeles.

– Czy miewasz uderzenia gorąca?

– Nie. Chociaż chyba wtedy zrobiło mi się gorąco, jednak jak już powiedziałam, przestraszyłam się.

– Dobrze. A jak ze snem?

– W porządku.

– Ile godzin śpisz w nocy?

– Pięć lub sześć.

– Czy kiedyś spałaś dłużej?

– Nie.

– Jakieś problemy z zasypianiem?

– Nie.

– Ile razy zwykle budzisz się w ciągu nocy?

– Myślę, że wcale.

– Czy zawsze chodzisz spać o tej samej porze?

– Zwykle. Za wyjątkiem dni, kiedy podróżuję, co ostatnio zdarzało się dosyć często.

– Dokąd podróżowałaś?

– W ostatnich miesiącach do Kalifornii, Włoch, Nowego Orleanu, na Florydę i do New Jersey.

– Czy chorowałaś po powrocie? Miałaś gorączkę?

– Nie.

– Czy zażywasz jakieś leki, coś na alergię, witaminy czy cokolwiek, czego normalnie nie nazwałabyś lekiem?

– Tylko witaminy.

– Jakieś kłucie w sercu?

– Nie.

– Zmiany wagi?

– Nie.

– Krew w moczu lub kale?

– Nie.

Każde z tych pytań zadawała szybko, tuż po tym, jak Alice zdążyła odpowiedzieć na poprzednie, a rzeczy, o które pytała, zmieniały się tak szybko, że Alice nie potrafiła stwierdzić, jaki był między nimi związek. Jak gdyby jechała na kolejce górskiej z zamkniętymi oczyma i nie potrafiła odgadnąć, w jakim kierunku podąży za chwilę.

– Czy czujesz się bardziej zestresowana i zaniepokojona niż zwykle?

– Tylko wtedy, gdy nie mogę sobie czegoś przypomnieć. Normalnie nie.

– Czy wszystko w porządku między tobą a mężem?

– Tak.

– Czy uważasz, że jesteś w dobrym nastroju?

– Tak.

– Czy myślisz, że możesz mieć depresję?

– Nie.

Alice wiedziała, czym jest depresja. Po śmierci swojej matki i siostry, kiedy miała osiemnaście lat, straciła apetyt, potrafiła zasnąć jedynie na kilka godzin, pomimo iż była bardzo zmęczona, i nie mogła się niczym cieszyć. Trwało to trochę ponad rok i od tamtego czasu niczego podobnego nie doświadczyła. Prozak tutaj nie pomoże.

– Czy pijesz alkohol?

– Tylko towarzysko.

– Ile?

– Jedna lub dwie lampki wina do kolacji, może odrobinę więcej przy wyjątkowej okazji.

– Jakieś narkotyki?

– Nie.

Doktor Moyer spojrzała na nią, zastanawiając się. Stuknęła długopisem w notatki, które właśnie poczyniła. Alice podejrzewała, że odpowiedź nie znajduje się na tym kawałku papieru.

– Czy to menopauza? – zapytała, ściskając obiema rękami krzesło.

– Tak. Możemy zastosować hormon folikulotropowy, jednak wszystko, o czym mi powiedziałaś, wskazuje na menopauzę. Początek przekwitania następuje średnio pomiędzy czterdziestym ósmym a pięćdziesiątym drugim rokiem życia, a ty jesteś akurat w tym wieku. Przez kolejny rok możesz mieć jeszcze kilka razy miesiączkę. To zupełnie normalne.

– Czy hormonalna terapia zastępcza może pomóc w problemach z pamięcią?

– Nie stosujemy już u kobiet hormonalnej terapii zastępczej, chyba że mają problemy ze snem, naprawdę dokuczliwe uderzenia gorąca lub cierpią na osteoporozę. Nie sądzę, żeby twoje problemy z pamięcią miały jednak związek z menopauzą.

Krew odpłynęła z twarzy Alice. Bała się dokładnie takiej odpowiedzi i dopiero ostatnio zaczęła w ogóle brać ją pod uwagę. Jednak po wysłuchaniu opinii specjalisty, jej zgrabne i bezpieczne wytłumaczenie legło w gruzach. Coś było z nią nie tak i nie była pewna, czy jest gotowa, aby to usłyszeć. Walczyła z impulsywnym pragnieniem, żeby albo się położyć, albo wziąć nogi za pas i natychmiast uciec z gabinetu.

– Dlaczego nie?

– Symptomy zaburzeń pamięci i dezorientacja, które przypisuje się objawom menopauzy, mają drugorzędne znaczenie w porównaniu z zaburzeniami snu. Kobiety w okresie menopauzy mają problemy z pamięcią, ponieważ źle śpią. Być może nie śpisz tak dobrze, jak ci się wydaje. Być może twój rozkład zajęć lub zmęczenie odbijają się na twoim zdrowiu niekorzystnie, ponieważ w ciągu nocy martwisz się nimi.

Alice pomyślała o czasach, kiedy z trudem potrafiła skupić myśli na skutek braku snu. Z całą pewnością jej umysł nie był w najlepszej formie tuż przed oraz po urodzeniu dzieci, lub też kiedy musiała ukończyć zadanie w jakimś nieprzekraczalnym terminie. Jednak nawet wtedy nigdy nie zgubiła się na Harvard Square.

– Może. Czy to możliwe, że nagle mój organizm potrzebuje więcej snu z powodu mojego wieku albo menopauzy?

– Nie. Zwykle tak nie jest.

– Więc jeżeli to nie brak snu, to o czym myślisz? – zapytała Alice głosem wyrażającym zupełny brak pewności siebie.

– W szczególności martwi mnie dezorientacja. Nie sądzę, żeby miało to związek z chorobą naczyniową. Myślę, że trzeba przeprowadzić dodatkowe badania. Skieruję cię na badanie krwi, mammografię, badanie gęstości kości i badanie tomograficzne.

Guz mózgu. Nawet nie brała tego pod uwagę. Nowy drapieżnik zatoczył koło w jej wyobraźni. Znów poczuła, jak ogarnia ją panika.

– Skoro wykluczasz wylew, dlaczego kierujesz mnie na badanie tomograficzne?

– Zawsze należy wykluczyć tego typu podejrzenia. Umów się na tomograf i od razu przyjdź do mnie, sprawdzimy wszystkie wyniki.

Doktor Moyer unikała udzielenia bezpośredniej odpowiedzi, a Alice nie naciskała. Nie podzieliła się również swoją teorią na temat guza mózgu. Obie będą musiały poczekać na wyniki.

W BUDYNKU WILLIAM JAMES HALL, który znajdował się na obrzeżu Harvard Yard, na Kirkland Street, w regionie określanym przez studentów jako Syberia, mieściły się wydziały psychologii, socjologii i antropologii społecznej. Jednak to nie jego położenie było głównym czynnikiem, który alienował go od głównego kampusu. William James Hall nie mógł się równać z okazałymi, klasycznymi budowlami, będącymi ozdobą prestiżowego uniwersytetu, w budynkach którego znajdowały się akademiki studentów pierwszego roku i odbywały się wykłady z matematyki, historii i angielskiego. Mógł natomiast kojarzyć się z piętrowym parkingiem. Nie posiadał doryckich ani koryńckich kolumn, czerwonych cegieł, przyciemnianych szyb, iglic, atrium ani żadnych architektonicznych detali, które w oczywisty lub nawet subtelny sposób mogłyby sugerować przynależność do uczelni. Był to sześć-dziesięcioczterometrowy nieciekawy beżowy blok, prawdopodobnie będący inspiracją dla Klatki Skinnera[1]. Nikogo więc nie dziwiło, że nie oprowadzano po nim przyszłych studentów ani nie uwzględniano go w kalendarzu uczelnianych uroczystości.

Chociaż z zewnątrz William James Hall był niezaprzeczalnie okropny, panorama roztaczająca się z okien wielu gabinetów oraz sal konferencyjnych znajdujących się na wyższych piętrach była naprawdę wspaniała. Alice piła herbatę, siedząc przy biurku w swoim gabinecie na dziewiątym piętrze, rozkoszując się pięknem rzeki Charles River oraz widokiem Back Bay rozpościerającym się przez ogromne, wychodzące na południowy wschód okno. Scenerię tę wielu artystów i fotografów uwieczniało na płótnie i kliszy, a ich zdjęcia zdobiły ściany biur w całym Bostonie.

Alice ceniła sobie fakt, że należy do grona tych szczęśliwców, którzy mogli obserwować realną wersję tego pięknego krajobrazu. Razem ze zmianami pór dnia i roku, widok z jej okna przeobrażał się w niezwykle interesujący sposób. W ten słoneczny listopadowy poranek oczom Alice ukazywał skrzą-

---

[1] Urządzenie w formie skrzynki, którym amerykański psycholog B. Skinner badał procesy warunkowania – *przyp. tłum.*

cy się w promieniach słońca szklany budynek Johna Hancocka oraz kilka łodzi gładko sunących po powierzchni wód Charles River w kierunku Muzeum Nauki.

Widok ten dawał jej także świeże spojrzenie na życie toczące się poza Harvardem. Rzut oka na czerwono-biały neon świecący nad Fenway Park na tle ciemniejącego nieba pobudzał jej system nerwowy niczym nagły dźwięk budzika, wyrywając ją z codziennego transu ambicji, obowiązków i naglących myśli, nakazujących powrót do domu. Lata temu, zanim otrzymała pełen etat, jej gabinet mieścił się w małym pokoju bez okna. Ponieważ nie miała dostępu do tego, co działo się za ścianami betonowego, beżowego budynku, Alice nie zdając sobie z tego sprawy, regularnie zostawała w pracy do późnego wieczora. Wiele razy, gdy wychodziła już do domu, przeżywała szok, odkrywając, iż Cambridge przykrywała kilkucentymetrowa warstwa śniegu, a reszta kadry akademickiej, mniej skupiona na pracy lub mająca w swoich gabinetach okna, przezornie opuściła William James Hall w poszukiwaniu chleba, mleka, papieru toaletowego, bądź też udała się wcześniej do domu.

Jednak teraz musiała przestać gapić się przez okno. Po południu miała wylecieć do Chicago na coroczne spotkanie Stowarzyszenia Psychologicznego, a do tego czasu miała jeszcze wiele do zrobienia. Spojrzała na swoją listę.

Zrecenzować artykuł w Neurobiologii Naturalnej ✓
Spotkanie wydziału ✓
Spotkanie z asystentami ✓
Wykład z kognitywizmu
Dokończyć przygotowanie do konferencji i podróży
Bieganie
Lotnisko

Wypiła ostatni łyk mrożonej herbaty i zaczęła przeglądać swoje notatki. Dzisiejszy wykład skupiał się na semantyce, a dokładniej na znaczeniu języka. Był to trzeci z sześciu wykładów na temat lingwistyki i naturalnie była to jej ulubiona tematyka. Nawet po dwudziestu pięciu latach nauczania Alice wciąż spędzała niemal godzinę na przygotowaniach. Rzecz jasna, na tym etapie kariery mogła dokładnie przeprowadzić siedemdziesiąt pięć procent wykładu bez zastanawiania się nad tym, co chce powiedzieć. Kolejne dwadzieścia pięć procent przeznaczała na wyrażanie ciekawych spostrzeżeń, wdrażanie technik motywacyjnych, dostarczanie tematów do dyskusji o najnowszych odkryciach w tej dziedzinie. Aby uporządkować i odpowiednio zaprezentować nowszy materiał, poświęcała czas na przygotowanie się bezpośrednio przed zajęciami. Włączanie do jej wykładów ciągle ewoluujących informacji sprawiało, że wciąż czuła się zafascynowana przedmiotem, którego uczyła, a jej umysł pozostawał trzeźwy na każdych zajęciach.

Cechą, na jaką kładziono nacisk na Harvardzie, była umiejętność wyszukiwania i przekazywania coraz to nowych badań w danej dziedzinie, tak więc administracja i studenci akceptowali taki sposób nauczania. Alice bardzo przykładała się do wykładów, ponieważ wierzyła, że jest to okazja, by zmotywować i zainspirować jej dziedziną nauki kolejne pokolenie,lub przynajmniej nie być powodem, dla którego jakiś przyszły wspaniały umysł porzuciłby kognitywistykę na rzecz nauk politycznych. No i oczywiście uwielbiała swoją pracę.

Gdy przygotowała się już na zajęcia, sprawdziła swoją skrzynkę odbiorczą.

Alice,

wciąż czekamy, aż przygotujesz trzy slajdy do prezentacji Michaela: 1. wykres wydobywania słów, 2. rysunek obrazujący język, 3. slajd tekstowy. Jego prezentacja odbędzie się w czwartek o trzynastej, jednak dobrze byłoby, gdyby dołączył brakujące slajdy do prezentacji jak najszybciej, tak aby mieć pewność, że wszystko jest w porządku i że zmieści się w wyznaczonym czasie. Możesz przesłać je mnie lub Michaelowi.

Zatrzymaliśmy się w Hyatt. Do zobaczenia w Chicago.

Pozdrawiam
Eric Greenberg

Nikłe światełko zamigotało w umyśle Alice. To właśnie *Eric* było tym tajemniczym słowem, które w zeszłym miesiącu znalazło się na jej liście rzeczy do zrobienia. Nie odnosiło się ono do Erika Wellmana. Miało ono przypomnieć jej, by przesłać slajdy do Erika Greenberga, byłego kolegi z Harvardu, obecnie wykładowcy na Wydziale Psychologii w Princeton. Alice i Dan stworzyli razem trzy slajdy opisujące prowizoryczny eksperyment, który Dan przeprowadził we współpracy ze studentem Erika, Michaelem. Miały one zostać włączone do prezentacji Michaela na spotkaniu Stowarzyszenia Psychologicznego. Zanim cokolwiek innego zdążyło ją rozproszyć, Alice przesłała Erikowi slajdy, razem z najszczerszymi przeprosinami. Na szczęście otrzyma je na czas. Nikt nie ucierpiał.

Tak jak wszystko na Harvardzie, audytorium, w którym Alice przeprowadzała wykłady z kognitywistyki, było o wiele większe, niż było to konieczne. Niebieskich, obitych tkaniną krzeseł ustawionych w coraz to wyższych rzędach było kilkaset więcej niż studentów. Imponujący, nowoczesny punkt audiowizualny umieszczony był z tyłu, a wielki ekran, podobny do tego w kinie, znajdował się z przodu sali. Podczas gdy trzech mężczyzn pośpiesznie podłączało różne kable do komputera Alice i sprawdzało oświetlenie oraz nagłośnienie, w audytorium zaczęli zbierać się studenci, a ona otworzyła folder „Wykłady z lingwistyki" w swoim laptopie.

Zawierał on sześć plików: „Przyswajanie", „Składnia", „Semantyka", „Zdolność pojmowania", „Modelowanie" i „Patologie". Alice ponownie przeczytała ich nazwy. Nie pamiętała, który wykład miała dziś przeprowadzić. Ostatnią godzinę spędziła na przeglądaniu jednego z tych tematów, jednak nie pamiętała, jak brzmiał jego tytuł. Czy była to „Składnia"? Wszystkie zagadnienia wydawały jej się znajome, jednak żaden nie wybijał się na tle innych.

Odkąd Alice odwiedziła doktor Moyer, za każdym razem, gdy o czymś zapomniała, jej złe przeczucia przybierały na sile. To nie było uczucie podobne do tego, jakie towarzyszyło jej, kiedy nie wiedziała, gdzie zostawiła ładowarkę do BlackBerry, albo kiedy John zapomniał, gdzie położył okulary. To nie było normalne. Zaczęła sobie wmawiać paranoicznym i pełnym udręki głosem, że ma guza mózgu. Powiedziała sobie również, że nie powinna dać się zwariować, nie powinna martwić Johna, zanim nie usłyszy opinii doktor Moyer, co niestety miało nastąpić dopiero w przyszłym tygodniu po konferencji, w której miała wziąć udział.

Zdeterminowana by przetrwać następną godzinę, Alice wzięła głęboki oddech. Chociaż nie pamiętała tematu dzisiejszego wykładu, wiedziała doskonale, kim była jej publiczność.

– Czy ktoś może mi przypomnieć, jaki temat wykładu jest zaplanowany na dziś? – zapytała swoich studentów.

Kilku z nich odpowiedziało niepewnym głosem: „Semantyka".

Słusznie przeczuwała, że przynajmniej część jej studentów będzie chciała skorzystać z okazji, by w widoczny sposób wykazać się wiedzą i pomocą. Ani przez sekundę nie martwiła się, iż uznają za smutny lub dziwny fakt, że nie pamiętała tematu dzisiejszych zajęć. Między studentami i wykładowcami akademickimi istniała dziwna metafizyczna przepaść, jeśli chodziło o wiek, wiedzę oraz władzę.

Dodatkowo, w czasie tego semestru studenci byli świadkami jej niezwykłej kompetencji, a także byli pod wrażeniem jej imponującej znajomości najświeższej literatury przedmiotu.

Jeśli jednak któryś z nich miał jakiekolwiek wątpliwości, prawdopodobnie założył, że musiała być tak zajęta wypełnianiem obowiązków ważniejszych od prowadzenia wykładu z psychologii, że nawet nie miała czasu, by spojrzeć do planu przed zajęciami. Żaden z nich nie miał pojęcia, że zeszłą godzinę spędziła koncentrując się prawie wyłącznie na semantyce.

Słoneczny dzień zmienił się w pochmurny i zimny wieczór, niechybnie zwiastujący nadejście zimy. Intensywny deszcz, który padał zeszłej nocy, zerwał prawie wszystkie liście z gałęzi, pozostawiając drzewa niemal gołe. Otulona ciepłym polarem Alice szła powoli do domu, rozkoszując się zimnym, jesiennym powietrzem oraz szelestem liści pod stopami.

W domu paliło się światło, buty i torba Johna stały przy stoliku obok drzwi.

– Halo? Jestem w domu – powiedziała Alice.

John wyszedł z gabinetu i wlepił w nią wzrok. Wyglądał na zdezorientowanego, jak gdyby zabrakło mu słów. Alice też zaczęła mu się nerwowo przeglądać, przeczuwając, że stało się coś strasznego. Od razu pomyślała o dzieciach. Stała nieruchomo w progu, przygotowana na straszliwe wiadomości.

– Czy nie powinnaś być teraz w Chicago?

– Alice, wszystkie twoje wyniki krwi są dobre, tomograf też nic nie znalazł – powiedziała doktor Moyer. – Możemy zrobić jedną z dwóch rzeczy: poczekać, przekonać się co będzie dalej, sprawdzić, jak sypiasz, po czym wrócisz za trzy miesiące, albo...

– Chcę się zobaczyć z neurologiem.

GRUDZIEŃ 2003

Wieczorem, kiedy Eric Wellman wydawał świąteczne przyjęcie, niebo wyglądało na ciężkie i ciemne, jak gdyby za chwilę miał spaść śnieg. Alice miała nadzieję, że tak właśnie się stanie. Jak większość mieszkańców Nowej Anglii, nigdy nie wyrosła z dziecięcego podekscytowania na myśl o pierwszym śniegu. Rzecz jasna, również jak w przypadku większości mieszkańców Nowej Anglii, to, czego życzyła sobie w grudniu, tego nienawidziła już w lutym. Przeklinała łopatę i zabłocone buty, desperacko pragnąc, by monochromatyczne barwy zimy zostały zastąpione soczystymi kolorami wiosny. Jednak dziś wieczorem śnieg byłby czymś wspaniałym.

Każdego roku Eric i jego żona Marjorie urządzali w swoim domu świąteczne przyjęcie dla całego Wydziału Psychologii. Nigdy nic nadzwyczajnego nie wydarzyło się podczas tej imprezy, jednak były tam momenty, których Alice ani myślała przegapić – Eric siedzący wygodnie na podłodze w salonie, otoczony studentami i młodszą kadrą, która sadowiła się na kanapie i krzesłach, Kevin i Glen walczący o przebraną za Jankesa maskotkę Grincha, wyścig, by skosztować legendarnego sernika Marty'ego.

Jej znajomi byli błyskotliwi i dziwni zarazem, ambitni i skromni, gotowi, by nieść pomoc, a w następnej chwili sprowokować kłótnię. Byli rodziną. Może tak właśnie to czuła, ponieważ sama nie miała żyjących rodziców czy rodzeństwa. Może to ta pora roku sprawiała, że stawała się bardziej sentymentalna, poszukiwała sensu życia i przynależności do jakiejś grupy. Pewnie po części tak było, jednak chodziło o coś znacznie więcej.

Byli nie tylko znajomymi. Świętowali razem swoje odkrycia i awanse, ale także śluby, narodziny dziecka i osiągnięcia ich dzieci i wnuków. Podróżowali razem na konferencje po całym świecie, a wiele spotkań połączonych było z rodzinnymi wakacjami. I tak jak w rodzinie, nie wszystko sprowadzało się do dobrych chwil i pysznego sernika. Wspierali się nawzajem w przypadku negatywnych wyników, odrzucenia subwencji na badania, podczas przypływów bolesnego zwątpienia we własne siły, w chorobie i w czasie rozwodu.

Jednak, przede wszystkim, wspólnie dzielili wielką pasję, chcąc zrozumieć ludzki umysł, poznać mechanizmy kierujące zachowaniem i językiem, emocjami i apetytem. Chociaż Świętym Graalem tych poszukiwań była indywidualna siła i prestiż, głównym celem był wspólny wysiłek zgłębiania wiedzy i przekazywania jej światu. Był to socjalizm napędzany przez kapitalizm. Wszystko to rodziło dziwne, pełne współzawodnictwa, uprzywilejowane życie intelektualistów, które przeżywali razem.

Gdy sernik zniknął, Alice sięgnęła po ostatni gorący kawałek ciasta czekoladowego ze śmietaną i ruszyła w poszukiwaniu Johna. Znalazła go w salonie, zaabsorbowanego rozmową z Erikiem i Marjorie, kiedy właśnie przyszedł Dan.

Dan przedstawił im swoją nową żonę, Beth, a oni pośpieszyli ze szczerymi gratulacjami i uściskami dłoni. Marjorie zabrała ich płaszcze. Dan miał na sobie garnitur i krawat, a Beth ubrana była w czerwoną sukienkę do ziemi. Z racji tego, że się spóźnili oraz z powodu zbyt formalnego jak na to przyjęcie ubioru, można było przypuszczać, że prawdopodobnie przyjechali prosto z innego przyjęcia. Eric zaproponował, że przyniesie im coś do picia.

– Ja też poproszę jeszcze jeden – powiedziała Alice, trzymając w dłoni jeszcze do połowy pełny kieliszek wina.

John zapytał Beth, jak podoba jej się życie mężatki. Chociaż nigdy wcześniej się nie spotkały, Alice wiedziała o niej trochę od Dana. Para mieszkała razem w Atlancie, kiedy Dan został przyjęty do Harvardu. Ona została na miejscu, na początku zadowolona ze związku na odległość oraz z obietnicy małżeństwa po ukończeniu przez niego studiów. Trzy lata później Dan beztrosko wspomniał, że skończenie studiów równie dobrze może mu zająć pięć, sześć lub nawet siedem lat. Pobrali się w zeszłym miesiącu.

Alice przeprosiła wszystkich i skierowała się do toalety. Po drodze zatrzymała się w długim przedpokoju, który łączył nowszą, przednią część domu ze starszym tyłem. Jadła ciasto, kończąc wino i podziwiając szczęśliwe twarze wnuków Erika, uchwycone na zdjęciach wiszących na ścianach. Gdy już znalazła toaletę i skorzystała z niej, weszła do kuchni, nalała sobie kolejny kieliszek wina i stała się świadkiem ożywionej rozmowy kilku żon profesorów.

Krążąc po kuchni, żony dotykały ramion i łokci swoich rozmówczyń, znały imiona wszystkich osób, o których sobie opowiadały, chwaliły się i droczyły, śmiały się bez skrępowania. Te kobiety razem robiły zakupy, jadły lunch i uczęszczały do klubu miłośników książek. Były naprawdę ze sobą blisko. Alice była blisko z ich mężami, co zdecydowanie ją od nich odróżniało. Głównie słuchała i piła wino, przytakując i uśmiechając się, tak naprawdę niezbyt zainteresowana toczącą się dyskusją.

Ponownie napełniła swój kieliszek, wymknęła się z kuchni niezauważona i znalazła w salonie Johna prowadzącego rozmowę z Erikiem, Danem i młodą kobietą w czerwonej sukience. Alice stanęła obok okazałego pianina Erika, delikatnie przesuwając palcami po klawiszach i przysłuchując się rozmowie. Każdego roku Alice miała nadzieję, że ktoś poprosi ją, by zagrała, jednak nikt nigdy tego nie zrobił. Ona i Anne, kiedy były dziećmi, przez kilka lat pobierały lekcje gry, jednak teraz bez nut potrafiła zagrać tylko najprostsze piosenki i to wyłącznie prawą dłonią. Może ta kobieta w pięknej sukni potrafiła grać.

Podczas przerwy w rozmowie, oczy Alice i kobiety w czerwonej sukni spotkały się.

– Przepraszam, jestem Alice Howland. Chyba się jeszcze nie spotkałyśmy.

Kobieta spojrzała nerwowo na Dana, nim odpowiedziała.

– Jestem Beth.

Wyglądała wystarczająco młodo jak na doktorantkę, jednak ponieważ był już grudzień, Alice powinna była rozpoznać nawet studenta pierwszego roku. Pamiętała, jak Marty wspominał, że zatrudnił nową asystentkę badawczą.

– Czy jesteś nową asystentką Marty'ego?

Kobieta znów spojrzała na Dana.

– Jestem żoną Dana.

– Och, to miło, że mogłam cię wreszcie poznać, gratulacje!

Nikt się nie odezwał. Spojrzenie Erika powędrowało od Johna do kieliszka Alice i znów powróciło do Johna, niosąc w sobie cichy sekret. Alice nie została wtajemniczona.

– Co? – zapytała Alice.

– Wiesz co, robi się późno, a jutro muszę wcześnie wstać. Możemy już wrócić do domu?

Kiedy znaleźli się na zewnątrz, chciała zapytać Johna, co miała oznaczać ta niezręczna cisza, jednak rozproszyło ją piękno lekkiego, białego śniegu, który zaczął prószyć, kiedy byli w środku.

Trzy dni przed świętami Alice siedziała w poczekalni na Oddziale Zaburzeń Pamięci w General Hospital w Bostonie, udając, że czyta magazyn. Tak naprawdę obserwowała innych, którzy czekali wraz z nią. Wszyscy przyszli parami. Kobieta, która siedziała obok, wyglądała przynajmniej na dwadzieścia lat starszą od Alice – prawdopodobnie mogłaby być jej matką. Kobieta z bujnymi, nienaturalnie czarnymi włosami i dużą ilością złotej biżuterii mówiła głośno, powoli, z wyraźnym bostońskim akcentem do swojego ojca, który siedział na wózku inwalidzkim i nie odrywał oczu od swoich idealnie białych butów. Koścista kobieta o srebrnych włosach przewracała strony magazynu zbyt szybko, by mogła cokolwiek przeczytać. Siedziała obok otyłego mężczyzny o takim samym jak ona kolorze włosów. Jego prawa dłoń drżała. Prawdopodobnie byli małżeństwem.

Czekanie, aż wywołają jej nazwisko, ciągnęło się w nieskończoność. Doktor Davis miał młodą, gładką twarz. Nosił okulary w czarnych oprawkach i biały lekarski kitel. Kiedyś najprawdopodobniej był szczupły, jednak obecnie jego brzuch wystawał nieco spod niezapiętego fartucha, co przypomniało Alice o uwagach, jakie czynił Tom na temat złego odżywiana się lekarzy. Usiadł na krześle za biurkiem i poprosił ją, by usiadła naprzeciw niego.

– Powiedz mi, Alice, co się dzieje.

– Ostatnio doskwierają mi problemy z pamięcią i nie sądzę, żeby to było coś normalnego. Zapominam słów podczas wykładów i rozmów, muszę zapisać sobie na liście „wykład z kognitywizmu", żeby o nim nie zapomnieć, zapomniałam pojechać na lotnisko, z którego miałam polecieć na konferencję do Chicago i w rezultacie przegapiłam swój lot. Raz, na Harvard Square, przez kilka minut nie wiedziałam, gdzie się znajduję, a wykładam na Harvardzie i jestem tam codziennie.

– Od jak dawna masz te problemy?

– Od września, może od tego lata.

– Alice, czy ktoś jest tutaj dziś z tobą?

– Nie.

– Dobrze. Następnym razem przyprowadź ze sobą członka rodziny albo kogoś, kto ma z tobą codzienny kontakt. Narzekasz na problemy z pamięcią, możesz nie być wiarygodnym źródłem informacji o samej sobie.

Czuła się zawstydzona, niczym dziecko. A jego słowa „następnym razem" zawładnęły jej myślami, nie pozwalając skupić się na czymkolwiek innym.

– Dobrze – powiedziała.

– Czy zażywasz jakieś leki?

– Nie, tylko witaminy.

– Jakieś tabletki nasenne, pigułki odchudzające, jakiekolwiek środki farmaceutyczne?

– Nie.

– Ile pijesz?

– Niedużo. Jeden lub dwa kieliszki do kolacji.

– Czy jesteś weganką?

– Nie.

– Czy w ostatnim czasie zraniłaś się w głowę?

– Nie.

– Czy przechodziłaś jakiekolwiek operacje?

– Nie.

– Jak sypiasz?

– Bardzo dobrze.

– Czy miałaś kiedyś depresję?

– Tak, kiedy byłam nastolatką.

– Jaki jest twój poziom stresu?

– Normalny, stres działa na mnie mobilizująco.

– Opowiedz mi o swoich rodzicach. Czy cieszą się dobrym zdrowiem?

– Moja mama i siostra zginęły w wypadku samochodowych, kiedy miałam osiemnaście lat. Mój tato zmarł w zeszłym roku, jego wątroba nie wytrzymała.

– Zapalenie wątroby?

– Marskość. Był alkoholikiem.

– Ile miał lat?

– Siedemdziesiąt jeden.

– Czy miał też inne problemy ze zdrowiem?

– Żadnych, o których bym wiedziała. W ciągu ostatnich kilku lat nie widywałam go zbyt często. A kiedy już odwiedziła go, bredził i był pijany.

– A co z resztą rodziny?

Podała informacje w oparciu o swoją ograniczoną wiedzę na temat historii chorób w rodzinie.

– Dobrze, podam ci teraz nazwisko i adres, a ty mi je powtórzysz. Potem zapytam cię o inne rzeczy, a ty znowu powtórzysz to nazwisko i adres. Gotowa? Oto one – John Black, 42 West Street, Brighton. Czy możesz powtórzyć?

Powtórzyła.

– Ile masz lat?

– Pięćdziesiąt.

– Jaką dziś mamy datę?

– 22 grudnia 2003 roku.

– Jaką mamy porę roku?

– Zimę.

– Gdzie teraz jesteśmy?

– Na siódmym piętrze, w szpitalu.

– Czy możesz podać kilka nazw ulic znajdujących się w pobliżu?

– Cambridge, Fruit, Storrow Drive.

– Dobrze, jaką mamy porę dnia?

– Późny poranek.

– Podaj nazwy miesięcy, zaczynając od grudnia.

Podała.

– Policz od tyłu, zaczynając od stu, odejmując cyfrę sześć.

Zatrzymał ją, gdy doszła do siedemdziesięciu sześciu.

– Podaj nazwy tych przedmiotów

Pokazał jej zestaw sześciu kart, na których znajdowały się obrazki różnych przedmiotów.

– Hamak, pióro, klucz, stołek, kaktus, rękawiczka.

– Ok, zanim wskażesz palcem na okno, dotknij swojego prawego policzka lewą dłonią.

Dotknęła.

– Napisz zdanie odnośnie dzisiejszej pogody.

Napisała: „Dziś mamy słoneczny, ale zimny poranek".

– Teraz narysuj zegar i wskaż na nim godzinę za dwadzieścia czwarta.

Poprawnie wykonała polecenie.

– A teraz z pamięci przerysuj ten kształt.

Pokazał jej obrazek, na którym znajdowały się dwa przecinające się pięciokąty.

Przerysowała kształt.

– Dobrze, Alice, a teraz wskakuj na stół. Przeprowadzimy badanie neurologiczne.

Podążyła wzrokiem za światłem małej latarki, stykała kciuk z palcem wskazującym, chodziła małymi krokami po linii prostej wzdłuż gabinetu. Wszystkie polecenia wykonała szybko i bez najmniejszego trudu.

– Dobrze, a teraz powiedz nazwisko i adres, które podałem ci wcześniej.

– John Black…

Zatrzymała się i spojrzała na twarz doktora Davisa. Nie pamiętała adresu. Co to mogło oznaczać? Być może nie słuchała wystarczająco uważnie.

– Miejscowość to Brighton, ale nie pamiętam ulicy.

– Dobrze, czy był to numer dwadzieścia cztery, dwadzieścia osiem, czterdzieści dwa czy czterdzieści cztery?

Nie wiedziała.

– Spróbuj zgadnąć.

– Czterdzieści osiem.

– Czy była to ulica North Street, South Street, East Street, czy West Street?

– South Street?

Jego twarz i ciało nie zdradzały, czy zgadła, jeśli jednak miałaby jeszcze jedną szansę, udzieliłaby innej odpowiedzi.

– Dobrze, Alice, mamy tu twoje ostatnie wyniki krwi oraz wynik tomografii. Chcę, żebyś zrobiła jeszcze dodatkowe badanie krwi oraz nakłucie lędźwiowe. Zobaczymy się za około cztery, pięć tygodni, jednak zanim przyjdziesz do mnie, tego samego dnia będziesz miała testy neuropsychologiczne.

– Jak uważasz, co się dzieje? Czy to tylko zwyczajne problemy z pamięcią?

– Nie sądzę, Alice, jednak musimy się temu przyjrzeć bliżej.

Spojrzała mu prosto w oczy. Kiedyś jej kolega powiedział, że kontakt wzrokowy trwający dłużej niż sześć sekund, bez odwrócenia wzroku czy mrugania, ujawniał żądzę seksu lub morderstwa. Tak naprawdę w to nie wierzyła, jednak poczuła się na tyle zaintrygowana, że testowała to na różnych przyjaciołach i obcych. Ku jej zaskoczeniu, nie licząc Johna, któryś z nich zawsze odwracał wzrok przed upływem sześciu sekund.

Doktor Davis opuścił głowę po czterech sekundach. Zapewne oznaczało to tylko, że nie miał zamiaru jej zabić ani że nie chciał zedrzeć z niej ubrania, jednak martwiła się, że kryło się za tym coś więcej. Miała być kłuta, skanowana, testowana i mieli pobierać jej próbki, ale domyślała się, że on nie musiał się już niczemu więcej przyglądać. Ona mu wszystko opowiedziała i nie pamiętała adresu Johna Blacka. On już wiedział, co było z nią nie tak.

ALICE SPĘDZIŁA WCZESNY wigilijny poranek, siedząc na kanapie, pijąc herbatę i przeglądając album ze zdjęciami. Przez lata wkładała każde zrobione zdjęcie do kolejnych przezroczystych, plastikowych kieszonek albumu. Jej staranność sprawiła, że zdjęcia poukładane były chronologicznie, choć żadnego z nich nie opisywała. Jednak to nie miało znaczenia. Wszystkie z nich znała na pamięć.

Lydia, lat dwa. Tom, lat sześć. Anna, lat siedem, na plaży Hardings Beach, podczas pierwszych czerwcowych wakacji, kiedy zatrzymali się w letnim domku w Cape. Anna podczas piłkarskiego meczu młodzików. Ona i John na plaży na Kajmanach.

Nie tylko była w stanie podać czas i okoliczności, w jakich zostało zrobione dane zdjęcie, ale w większości potrafiła każde z nich szczegółowo opisać. Każda fotografia wyzwalała inne, niesfotografowane wspomnienia z danego dnia, a także przywoływała obrazy dotyczące szerszego kontekstu jej życia.

Lydia w drapiącym, jasnoniebieskim kostiumie podczas swojego pierwszego, tanecznego recitalu. To było jeszcze zanim Alice dostała etat na Harvardzie, Anna była wtedy w szkole średniej i nosiła aparat na zębach, Tom był po uszy zakochany w dziewczynie ze swojej drużyny baseballowej, a John przebywał w Bethesda na rocznym urlopie naukowym.

Jedynymi zdjęciami, z jakimi miała prawdziwy kłopot, były dziecięce zdjęcia Anny i Lydii. Ich pucołowate twarze często były nie do odróżnienia. Chociaż czasami była w stanie znaleźć jakieś wskazówki, które ujawniały ich tożsamość. Bokobrody Johna bezdyskusyjnie umiejscawiały go w latach siedemdziesiątych. Dziecko na jego kolanach to zapewne Anna.

– John, kto to jest? – zapytała, pokazując mu zdjęcie dziecka.

Podniósł głowę znad gazety, którą właśnie czytał, zsunął okulary na koniec nosa i zmrużył oczy.

– Czy to Tom?

– Kochanie, ona ma na sobie różowe śpioszki. To Lydia.

Spojrzała dla pewności na datę z tyłu zdjęcia. 29 maja 1982 roku. Lydia.

– Och.

Wsunął z powrotem okulary na nos i powrócił do czytania.

– John, chciałam porozmawiać z tobą na temat lekcji aktorstwa Lydii.

Uniósł głowę, zagiął stronę gazety, położył ją na stole, złożył okulary i z powrotem usiadł na fotelu. Wiedział, że to nie będzie krótka rozmowa.

– W porządku.

– Uważam, że nie powinniśmy jej tam wspierać w żaden sposób, a już na pewno nie powinieneś płacić za jej lekcje aktorstwa za moimi plecami.

– Przepraszam, masz rację, miałem ci powiedzieć, ale potem byłem zajęty i zapomniałem, wiesz jak to jest. Ale wiesz też, że w tej kwestii się z tobą nie zgadzam. Wspieraliśmy pozostałą dwójkę.

– To co innego.

– Nieprawda. Po prostu nie podoba ci się droga, którą wybrała.

– Nie chodzi o aktorstwo. Chodzi o to, że nie poszła na studia. Czas szybko mija, John, a ty dodatkowo ją do tego zachęcasz.

– Ona nie chce iść na studia.

– Myślę, że ona się buntuje przeciwko temu, kim jesteśmy.

– Nie sądzę, że ma to coś wspólnego z tym, czego my chcemy, czego nie chcemy albo kim jesteśmy.

– Chcę dla niej czegoś więcej.

– Ciężko pracuje, jest przejęta tym, co robi, traktuje to poważnie, jest szczęśliwa. Tego właśnie dla niej chcemy.

– To nasz obowiązek, przekazać życiową mądrość naszym dzieciom. Boję się, że omija ją coś naprawdę ważnego. Okazja do zgłębienia różnych zagadnień, różnych punktów widzenia, okazja do podejmowania wyzwań, wykorzystywania szans, do poznania różnych ludzi. My poznaliśmy się na studiach.

– Ona ma to wszystko.

– To nie to samo.

– Zdecydowała inaczej. Uważam, że pokrywanie kosztów jej kursu jest sprawiedliwe i słuszne. Przepraszam, że ci nie powiedziałem, ale ciężko się z tobą o tym rozmawia. Nigdy nie zmieniasz zdania.

– Ani ty.

Spojrzał na zegar stojący na kominku i sięgnął po okulary.

– Na godzinę muszę pojechać do laboratorium, potem odbiorę ją z lotniska. Potrzebujesz czegoś ze sklepu? – zapytał i wstał, zbierając się do wyjścia.

– Nie.

Ich oczy spotkały się.

– Nic jej nie będzie, Ali, nie martw się.

Uniosła brwi, lecz nic nie powiedziała. Cóż jeszcze mogła dodać? Już to wcześniej przerabiali i zawsze kończyło się tak samo. John zawsze miał logiczną linię obrony, której nie dało się sforsować, i zachowywał przy tym status ulubionego rodzica. Nigdy jednak nie próbował namawiać Alice, by przeszła na jego stronę, a ona również nie potrafiła go niczym przekonać do swojego stanowiska.

John wyszedł z domu. Rozluźniona jego nieobecnością, powróciła do oglądania zdjęć. Jej cudowne dzieci jako niemowlęta, podlotki i nastolatki. Kiedy ten czas minął? Wzięła do ręki zdjęcie Lydii, którą John pomylił z Tomem. Poczuła nową wiarę w siłę swojej pamięci. Oczywiście, zdjęcia otworzyły jedynie drzwi do historii zamieszkałych w jej pamięci długotrwałej.

Adres Johna Blacka powinien znajdować się w pamięci krótkotrwałej. Potrzebna była uwaga, powtarzanie, szczegółowe omówienie lub znaczenie emocjonalne, jeśli dana informacja miała zostać przeniesiona z pamięci krótkotrwałej do długotrwałej, w przeciwnym razie, z upływem czasu, była naturalnie eliminowana. Skupianie się na pytaniach i poleceniach doktora Davisa podzieliło jej uwagę, przez co nie mogła skoncentrować się na adresie. I chociaż jego nazwisko wywoływało teraz u niej strach i gniew, fikcyjny John Black w gabinecie doktora Davisa nic dla niej nie znaczył. W tych okolicznościach przeciętny umysł byłby podatny na zapominanie. Tylko że ona nie miała przeciętnego umysłu.

Usłyszała, jak listy wrzucone przez okienko w drzwiach uderzają o podłogę i wpadła na pomysł. Na każdą rzecz spojrzała raz – dziecko w czapce Świętego Mikołaja znajdujące się na świątecznej kartce przesłanej przez byłego studenta, reklama klubu fitness, rachunek telefoniczny, rachunek za gaz oraz katalog z ubraniami. Wróciła na kanapę, wypiła herbatę, włożyła albumy ze zdjęciami z powrotem na półkę i spokojnie usiadła. Tykanie zegara oraz gorąca woda krążąca w kaloryferach – to były jedyne dźwięki, jakie można było usłyszeć w całym domu. Spojrzała na zegar. Minęło pięć minut. Wystarczająco długo.

Nie patrząc na pocztę, powiedziała głośno:

– Kartka z dzieckiem w czapce Świętego Mikołaja, oferta członkostwa w siłowni, rachunek telefoniczny, rachunek za gaz, kolejny katalog z ubraniami.

Bułka z masłem. Jednak, prawdę mówiąc, przedział czasowy, w którym usłyszała adres Johna Blacka i miała go ponownie powtórzyć, był dużo dłuższy niż pięć minut. Potrzebowała dłuższej przerwy.

Zdjęła z półki słownik i ustanowiła dwie reguły odnośnie wyboru słowa. Musiało być ono nietypowe, czyli takie, które nie występowało w codziennym użyciu, i musiało to być słowo, które już znała. Testowała swoją pamięć krótkotrwałą, nie zdolność uczenia się. Otworzyła słownik na przypadkowej stronie i zatrzymała palec przy słowie *zbzikować*.

Kiedy Lydia była jeszcze małą dziewczynką, jedną z jej ulubionych książek była *Hipcio zbzikował*. Alice zaczęła przygotowania do kolacji wigilijnej. Budzik zabrzęczał.

– Zbzikować – powiedziała bez wahania, nie odczuwając potrzeby zaglądania w kartkę.

Kontynuowała tę grę przez cały dzień, zwiększając liczbę słów do trzech oraz przedział czasowy do czterdziestu pięciu minut. Pomimo wyższego poziomu trudności oraz dużego prawdopodobieństwa rozproszenia przygotowaniami do kolacji wigilijnej, nie popełniła ani jednego błędu. *Stetoskop, millenium, jeż.* Zrobiła ravioli z ricottą oraz sos pomidorowy. *Katoda, granat, kratownica.* Wymieszała sałatkę i zamarynowała warzywa. *Paszcza, dokumentacja, zniknięcie.* Włożyła pieczeń do piekarnika i nakryła stół w jadalni.

Anna, Charlie, Tom i John siedzieli w salonie. Alice słyszała, jak John i Anna kłócą się. Wprawdzie z kuchni nie mogła uchwycić, na jaki temat, jednak biorąc pod uwagę sposób, w jaki akcentowali słowa oraz głośność ich odpowiedzi, wiedziała, że się sprzeczali. Prawdopodobnie chodziło o politykę. Charlie i Tom trzymali się od tego tematu z daleka.

Lydia mieszała gorący cydr jabłkowy na kuchence i opowiadała o swoich lekcjach aktorstwa. Koncentrując się na przygotowaniu kolacji, słowach, które miała zapamiętać oraz Lydii, Alice nie miała już czasu, by wyrażać protest lub dezaprobatę. Podczas gdy nikt jej nie przerywał, Lydia wygłaszała pasjonujący monolog na temat swojego rzemiosła, a Alice zorientowała się, że nie może powstrzymać swojego zainteresowania, pomimo własnych uprze-dzeń do tematu rozmowy.

– Po prostu zastanawiasz się nad metaforycznym znaczeniem pytania Eliasza: „Czym ta noc jest inna od wszystkich innych nocy?" – powiedziała Lydia.

Zabrzęczał czasomierz w piekarniku. Lydia od-sunęła się, a Alice zajrzała do niego. Patrzyła na nie-dopieczoną pieczeń, jakby oczekując od niej wyja-śnień. Trwało to na tyle długo, że jej twarz stała się gorąca. Och. Nadszedł czas, by przypomnieć sobie słowa, jakie zapisała na kartce, którą włożyła do kie-szeni. *Tamburyn, wąż...*

– Nigdy nie odgrywasz codziennego życia tak samo, stawką zawsze jest życie albo śmierć – konty-nuowała Lydia.

– Mamo, gdzie jest korkociąg? – zawołała z sa-lonu Anna.

Alice usiłowała zignorować głosy swoich có-rek, które zawsze potrafiła oddzielić od wszystkich innych dźwięków na ziemi, i skupić się na swoim głosie wewnętrznym, który powtarzał dwa słowa ni-czym mantrę.

Tamburyn, wąż, tamburyn, wąż, tamburyn, wąż.

– Mamo? – zapytała Anna.

– Nie wiem, gdzie jest! Jestem zajęta, poszukaj sama.

Tamburyn, wąż, tamburyn, wąż, tamburyn, wąż.

– Każda moja rola sprowadza się do przetrwania. Czego potrzebuje moja postać, żeby przetrwać i co się stanie, jeśli tego nie zdobędzie? – powiedziała Lydia.

– Lydio, proszę cię, nie chcę teraz o tym słuchać – burknęła Alice, wycierając swoje zlane potem skronie.

– W porządku – odparła Lydia. Odwróciła twarz w stronę kuchenki i energicznie zamieszała w garnku, wyraźnie urażona.

– Wciąż nie mogę go znaleźć! – krzyknęła Anna.

– Pójdę jej pomóc – powiedziała Lydia.

Kompas! Tamburyn, wąż, kompas.

Z uczuciem ulgi Alice wyjęła składniki na pudding czekoladowy i położyła je na blacie – ekstrakt waniliowy, pół litra śmietany, mleko, cukier, biała czekolada, chałka i dwa kartony pakowanych po sześć jaj. Dwanaście jaj? Nawet jeśli kartka papieru, na której zapisany był przepis jej matki wciąż istniała, to Alice nie wiedziała, gdzie była. To był prosty przepis na pudding, który z pewnością był lepszy niż sernik Marty'ego i przyrządzała go w każde święta, odkąd była dzieckiem. Ile jajek? Z pewnością musiało ich być więcej niż sześć, w przeciwnym razie kupiłaby tylko jeden karton. Siedem, osiem, dziewięć?

Próbowała przez chwilę zignorować jajka, ale inne składniki wyglądały dla niej równie obco. Czy miała użyć całej śmietany, czy tylko część? Ile cukru? Czy miała wymieszać wszystkie składniki równocześnie, czy dodawać je w określonej kolejności? Jakiego używała naczynia? W jakiej piekła temperaturze i jak długo? Żadna możliwość nie wydawała jej się przekonująca. Nie potrafiła znaleźć odpowiedzi.

Co się ze mną dzieje, do cholery?!

Skupiła się na jajkach. Wciąż nic. Nienawidziła tych pieprzonych jaj. Wzięła jedno z nich do ręki i rzuciła nim do zlewu tak mocno, jak tylko mogła. Jedno po drugim, stłukła wszystkie. Poczuła satysfakcję, lecz niewystarczającą. Musiała zniszczyć coś jeszcze, coś, co wymagało użycia większej siły, coś, co by ją wyczerpało. Ogarnęła wzrokiem kuchnię. Jej oczy błyszczały, pełne szaleństwa i gniewu, kiedy dostrzegła Lydię stojącą w progu.

– Co robisz, mamo?

Masakra nie ograniczyła swojego zasięgu wyłącznie do zlewu. Kawałki skorupek i żółtka pokrywały całą ścianę i blat, a fronty szafek przyozdobione były lepkim białkiem.

– Te jajka były nieświeże. W tym roku nie będzie puddingu.

– Musimy mieć pudding, jest wigilia.

– Nie mamy już więcej jajek i mam dość przebywania w gorącej kuchni.

– Pójdę do sklepu. Idź do salonu i odpocznij, ja zrobię pudding.

Alice weszła do salonu nieco roztrzęsiona, jednak nie czuła już tej ogromnej fali złości. Nie była pewna, czy czuła się odsunięta, czy też wdzięczna. John, Tom, Anna i Charlie siedzieli i rozmawiali, w dłoniach trzymając kieliszki czerwonego wina. Najwyraźniej ktoś znalazł korkociąg. Lydia, w płaszczu i czapce, zajrzała do pokoju.

– Mamo, ile kupić jajek?

STYCZEŃ 2004

Miała mnóstwo powodów, by dziewiętnastego stycznia odwołać swoją wizytę u neuropsychologa i doktora Davisa. Tygodniowa sesja egzaminacyjna na Harvardzie po jesiennym semestrze przypadała w styczniu, po powrocie studentów z zimowych ferii, a egzamin z *Procesów poznawczych*, których uczyła, zaplanowany był właśnie na ten poranek. Jej obecność nie była niezbędna, jednak zważywszy, że uczyła swoich studentów od samego początku kursu, chciała być z nimi także na egzaminie końcowym. Z pewną niechęcią poprosiła kolegę z uniwersytetu, by nadzorował przebieg egzaminu. Dziewiętnasty stycznia, trzydzieści dwa lata temu, był także dniem, w którym zmarły jej siostra i matka. Podobnie jak John, nie uważała siebie za osobę przesądną, jednak tego dnia nigdy nie otrzymała żadnych dobrych wiadomości. Poprosiła recepcjonistkę o inny termin, jednak kolejna wizyta mogłaby się odbyć dopiero za cztery tygodnie, więc postanowiła pójść. Nie mogła czekać przez następny miesiąc.

Wyobraziła sobie swoich studentów na Harvardzie, zdenerwowanych na myśl o tym, na jakie pytania przyjdzie im odpowiadać, przelewających swoją wiedzę z całego semestru na niebieskie kartki egzaminacyjne. Miała nadzieję, że obciążona pamięć krótkotrwała ich nie zawiedzie. Dokładnie wiedziała, jak się teraz czuli. Tego poranka to ona była poddawana neuropsychologicznym testom – Efekt Stroopa, Test Matryc Ravena, Krzywa Uczenia się Łurii, Bostoński Test Nazywania, WAIS-R, Test Pamięci Wzrokowej Bentona, Test Zapamiętywania Historii NYU – znała je wszystkie. Testy te zostały tak skonstruowane, by wychwycić choćby najmniejsze braki w spójności i płynności językowej w pamięci świeżej oraz w procesie myślenia. Już wcześniej brała w nich udział, występując jako kontrola negatywna w badaniach kognitywistycznych swoich studentów. Dzisiaj jednak występowała w innej roli. Dzisiaj to ona miała być przedmiotem testów.

Przerysowywanie, zapamiętywanie, układanie i nazywanie zajęło jej prawie dwie godziny. Tak jak studenci, o których myślała, tak i ona poczuła ulgę, a także pewność, że testy przebiegły pomyślnie. W towarzystwie neuropsychologa Alice weszła do gabinetu doktora Davisa i usiadła na jednym z dwóch krzeseł stojących obok siebie. Gdy lekarz dostrzegł, że drugie krzesło pozostało puste, westchnął, wyrażając tym samym swoje rozczarowanie.

Zanim zdążył cokolwiek powiedzieć, Alice wiedziała, że jest w tarapatach.

– Alice, czy ostatnim razem nie prosiłem cię, abyś przyszła tutaj z kimś bliskim?

– Tak.

– Na tym oddziale wymagamy, by każdy pacjent przychodził z osobą ze swojego otoczenia. Nie będę mógł podjąć leczenia, dopóki nie będę miał właściwego obrazu tego, co się naprawdę dzieje. Nie jestem pewien, czy mam dokładne informacje bez obecności tej osoby. Następnym razem, Alice, żadnych wymówek. Czy zgadzasz się na to?

– Tak.

Następnym razem. Cała pewność siebie i ulga, jaką zyskała po przebyciu testów neuropsychologicznych, wyparowała.

– Mam już wszystkie wyniki twoich testów, tak więc możemy je przeanalizować. Badania tomograficzne nie wykazały żadnych nieprawidłowości. Żadnych objawów wylewu krwi do mózgu, brak oznak udaru, wodogłowia czy guza. Twoje badania krwi i punkcja lędźwiowa także nie wykazały negatywnych zmian. Byłem bardzo dociekliwy i analizowałem twoje wyniki pod kątem każdej możliwej choroby, której symptomów właśnie doświadczasz. Wiemy, że nie masz HIV, raka, niedoboru witamin, choroby mitochondrialnej czy też innej rzadkiej choroby.

Mówił bardzo płynnie, z pewnością nie była to jego pierwsza tego rodzaju rozmowa. Wiadomość na temat „tego, co miała" z pewnością była pozostawiona na sam koniec. Kiwała głową, sygnalizując, że nadąża za jego słowami i że powinien mówić dalej.

– Twój wynik oscyluje w okolicach dziewięćdziesiątego dziewiątego percentyla w zakresie twoich umiejętności skupienia uwagi, abstrakcyjnego myślenia, wyobraźni przestrzennej i płynności językowej. Niestety, twoja pamięć świeża uległa znacznemu pogorszeniu, co jest dysproporcjonalne do twojego wieku oraz wcześniejszego poziomu funkcjonowania. Wiem o tym z twojego własnego opisu, kiedy opowiadałaś, jak problemy z pamięcią wpływają na twoje życie zawodowe. Osobiście także byłem ich świadkiem, kiedy ostatnim razem poprosiłem cię o zapamiętanie adresu. Chociaż dziś w większości dziedzin kognitywnych byłaś znakomita, wykazałaś znaczny spadek w dwóch zadaniach testujących pamięć świeżą. W jednym z nich zdobyłaś sześćdziesiąt percentyli.

– Kiedy zbierzemy te wszystkie informacje razem, wygląda na to, że prawdopodobnie masz chorobę Alzheimera.

Choroba Alzheimera.

Te słowa zwaliły ją z nóg. Co on jej właściwie przed chwilą powiedział? Powtórzyła te słowa w swojej głowie. *Prawdopodobnie*. To sprawiło, że była w stanie oddychać i mówić.

– Więc „prawdopodobnie" oznacza, że może to być również inna choroba.

– Nie, użyłem słowa „prawdopodobnie", ponieważ na ten moment stuprocentowa diagnoza choroby Alzheimera mogłaby być wykazana poprzez badanie tkanki mózgu, co oznacza autopsję albo biopsję, a żadna z tych opcji nie byłaby dla ciebie dobra. To kliniczna diagnoza. W twojej krwi nie ma śladów białek demencji, które potwierdziłyby, że ją masz, a zanik mózgu widoczny podczas badania tomograficznego pojawia się dopiero w znacznie późniejszych stadiach choroby.

Zanik mózgu.

– Ale to niemożliwe, mam dopiero pięćdziesiąt lat.

– Masz chorobę Alzheimera o wczesnym początku. Masz rację, zwykle myślimy o chorobie Alzheimera jako o czymś, co dotyka starsze osoby, jednak dziesięć procent ludzi z Alzheimerem poniżej sześćdziesiątego piątego roku życia choruje właśnie na formę o wczesnym początku.

– Czym ta forma różni się od tej, która dotyka starsze osoby?

– Niczym, za wyjątkiem dużego prawdopodobieństwa genetycznego dziedziczenia, a jej objawy ujawniają się znacznie wcześniej.

Duże prawdopodobieństwo genetycznego dziedzi-
czenia. Anna, Tom, Lydia.

– Ale skoro na pewno wiadomo, czego nie mam, jak można z pewnością powiedzieć, że mam Alzheimera?

– Po tym jak opisałaś, co się działo, po przeanalizowaniu twojej historii medycznej, po przetestowaniu twojej orientacji, przyswajania, uwagi, języka i umiejętności zapamiętywania, byłem pewien na dziewięćdziesiąt pięć procent. Kiedy nie pojawiło się żadne inne wyjaśnienie podczas badania neurologicznego, badania krwi, płynu mózgowo-rdzeniowego, doszło kolejne pięć procent. Jestem pewien, Alice.

Alice.

Dźwięk jej imienia spenetrował każdą komórkę jej ciała, rozpraszając molekuły poza granice jej skóry. Spoglądała na siebie z odległego kąta pokoju.

– Co to oznacza? – usłyszała swoje pytanie.

– Obecnie mamy kilka leków stosowanych przy Alzheimerze i chciałbym, żebyś je zażywała. Pierwszy to Aricept. Wspomaga układ cholinergiczny. Drugim jest Namenda. Został dopuszczony do sprzedaży tej jesieni i kuracja przynosi obiecujące rezultaty. Żaden z tych leków nie zatrzyma choroby, jednak może zatrzymać postęp symptomów, a my chcemy zyskać dla ciebie tyle czasu, ile to tylko możliwe.

Czasu? Ile czasu?

– Chcę też, żebyś zażywała witaminę E i C dwa razy dziennie, a także aspirynę i statynę. Nie wykazujesz żadnych objawów choroby serca, jednak wszystko, co jest dobre dla serca, jest także dobre dla mózgu, a my chcemy ocalić każdy neuron i każdą synapsę, jaką tylko zdołamy.

Zapisał swoje zalecenia na recepcie.

– Alice, czy ktoś z rodziny wie, że tu jesteś?

– Nie – usłyszała swoją odpowiedź.

– Będziesz musiała o tym komuś powiedzieć. Możemy spowolnić tempo pogarszania się twoich funkcji poznawczych, jednak nie jesteśmy w stanie zatrzymać ani odwrócić tego procesu. Ważne jest, dla twojego osobistego bezpieczeństwa, aby ktoś, kto ma z tobą codzienny kontakt, wiedział, co się z tobą dzieje. Powiesz o tym swojemu mężowi?

Widziała siebie, jak kiwa potakująco głową.

– W porządku. Wykup receptę, zażywaj leki według wskazań, dzwoń do mnie, gdyby wystąpiły skutki uboczne i umów się na kolejną wizytę za sześć miesięcy. W międzyczasie, jeśli będziesz miała jakieś pytania, możesz do mnie dzwonić lub pisać. Zachęcam cię także do skontaktowania się z Denise Daddario. Jest pracownikiem socjalnym, który pomoże w zdobyciu materiałów o chorobie oraz udzieli ci wsparcia. Za sześć miesięcy wrócisz tu z mężem i wtedy zobaczymy, jak sobie radzisz.

Próbowała doszukać się czegoś więcej w jego inteligentnych oczach. Czekała. Nagle poczuła się dziwnie świadoma swoich dłoni ściskających oparcie krzesła, na którym siedziała. Jej dłoni. Wcale nie stała się kolekcją molekuł unoszących się w kącie pokoju. Ona, Alice Howland, siedziała na zimnym, twardym krześle w gabinecie neurologa na oddziale zaburzeń pamięci, na siódmym piętrze Massachusetts General Hospital. Właśnie zdiagnozowano u niej chorobę Alzheimera. Doszukiwała się w oczach swojego lekarza czegoś więcej, lecz znalazła tylko współczucie.

Dziewiętnasty stycznia. Tego dnia nigdy nic dobrego się nie wydarzyło.

ZA ZAMKNIĘTYMI DRZWIAMI gabinetu czytała ankietę na temat czynności życia codziennego, którą doktor Davis polecił przekazać Johnowi. Na pierwszej stronie było napisane pogrubioną czcionką: **"Niniejszą ankietę wypełnia informator, NIE pacjent"**. Słowo *informator*, zamknięte drzwi oraz dygocące serce, wszystko to przyczyniło się do tego, że na jej twarzy odmalowało się poczucie winy. Zupełnie jakby się ukrywała w jakimś mieście w Europie Wschodniej z tajnymi dokumentami, a policja była już na jej tropie, z oddali zaś dochodził ryk syren.

Skala oceny każdej czynności wynosiła od 0 (brak problemów, bez zmian) do 3 (bardzo osłabiony/a, całkowicie zależny/a od innych). Rzuciła okiem na opisy obok trójek i założyła, że odzwierciedlają końcowe etapy choroby, koniec prostej i krótkiej drogi, którą nagle została zmuszona przejechać samochodem bez hamulców i kierownicy.

Pod numerem trzy kryła się lista upokorzeń: *Trzeba go/ją karmić. Nie kontroluje pęcherza. Nie może sam/a przyjmować leków. Stawia opiekunowi opór w trakcie mycia. Niezdolny do pracy. Pobyt ograniczony do domu lub szpitala. Nie radzi sobie z pieniędzmi. Nie opuszcza sam/a domu.* Upokarzające, lecz jej analityczny umysł natychmiast przyjął sceptyczną postawę odnośnie faktycznego związku tej listy z jej indywidualną sytuacją. Ile przypadłości z listy było spowodowanych postępem choroby Alzheimera, a ile błędnie do niej przypisano, opierając się na obserwacji chorujących osób starszych? Czy osiemdziesięciolatki nie kontrolują czynności fizjologicznych z powodu Alzheimera, czy też dlatego, że ich pęcherze mają po osiemdziesiąt lat? Być może te trójki nie dotyczą kogoś takiego jak ona, kogoś młodszego i sprawnego fizycznie.

Najgorsze kryło się pod nagłówkiem „Porozumiewanie się": *Mowa jest niemal niezrozumiała. Nie rozumie, co się do niego/niej mówi. Przestał/a czytać.*

Nigdy nic nie pisze. Zero komunikacji. Oprócz błędnej diagnozy, nie była w stanie sformułować hipotezy, która mogłaby wytłumaczyć jej brak związku z tą listą. Każdy z opisów pasował do kogoś takiego jak ona. Do kogoś z Alzheimerem.

Spojrzała na rzędy książek i czasopism w biblioteczce, na stertę egzaminów czekających na jej biurku na ocenienie, e-maile w skrzynce odbiorczej, migające czerwone światełko poczty głosowej w telefonie. Pomyślała o książkach, które zawsze chciała przeczytać, tych, które zdobią górną półkę w jej sypialni, tych, o których sądziła, że będzie miała jeszcze na nie czas. *Moby Dick.* Czekały na nią doświadczenia do przeprowadzenia, pisma do napisania, wykłady, które miała przeprowadzić i te, na które sama chciała iść. Wszystko, co robiła i kochała, wszystko, czym była, wymagało użycia języka.

Na ostatniej stronie ankiety informator musiał ocenić skalę następujących objawów, jakich doświadczył pacjent w ciągu ostatniego miesiąca: urojenia, halucynacje, wzburzenie, depresja, lęk, euforia, apatia, brak zahamowań, skłonność do irytacji, notoryczne zaburzenia ruchowe, zakłócenia snu, zmiany sposobu odżywiania się. Kusiło ją, aby samej udzielić odpowiedzi na pytania, by pokazać, że w rzeczywistości nic jest nie dolegało i że doktor Davis musiał się pomylić. Wtedy powtórzyła sobie jego słowa: *Możesz nie być wiarygodnym źródłem informacji o samej sobie*. Być może, teraz jednak wciąż pamiętała, że to powiedział. Zastanawiała się, czy kiedyś przyjdzie czas, że o tym zapomni.

To prawda, że jej wiedza na temat choroby Alzheimera nie była zbyt wielka. Wiedziała, że w mózgach pacjentów z Alzheimerem występował zmniejszony poziom acetylocholiny, ważnego neurotransmitera w procesie uczenia się i zapamiętywania. Wiedziała również, iż hipokamp, struktura w móz-gu w kształcie konika morskiego, mająca decydujące znaczenie dla pamięci świeżej, była obecnie zawalona płytkami i splątkami, chociaż tak naprawdę nie wiedziała, o które płytki i splątki dokładnie chodzi. Wiedziała, że dysnomia, ciągłe poczucie, że „mam to na końcu języka", było kolejnym charakterystycznym objawem. Wiedziała również, że któregoś dnia spojrzy na swojego męża, na swoje dzieci, na kolegów, na twarze, które od zawsze znała i kochała, i że ich nie rozpozna.

Wiedziała również, że będzie jeszcze gorzej. Wpisała w Google: „choroba Alzheimera". Jej palec wskazujący zastygł w bezruchu nad klawiszem, kiedy nagłe pukanie do drzwi zmusiło ją do odwołania zadania w mimowolnym odruchu chęci ukrycia dowodów. Bez dalszych ostrzeżeń czy też czekania na odpowiedź, drzwi otworzyły się.

Obawiała się, że jej twarz mogła zdradzać zakłopotanie, niepokój, dezorientację.

– Gotowa? – zapytał John.

Nie była gotowa. Gdyby powtórzyła Johnowi, co powiedział jej doktor Davis, gdyby wręczyła mu ankietę na temat czynności życia codziennego, wszystko stałoby się prawdą. John byłby informatorem, a Alice byłaby umierającą, nieudolną pacjentką. Nie była gotowa, by się zmienić. Jeszcze nie.

– Pośpiesz się, bramy zamykają za godzinę – powiedział John.

– Okay – odparła Alice. – Jestem gotowa.

Założony w 1831 roku Mount Auburn, pierwszy amerykański cmentarz komunalny otoczony ogrodem, pełnił obecnie funkcję Narodowego Pomnika Historycznego USA, światowej sławy arboretum oraz zabytku krajobrazu, był też miejscem spoczynku siostry, matki oraz ojca Alice.

Martwy lub nie, jej ojciec po raz pierwszy był obecny podczas rocznicy tego tragicznego wypadku i to ją wkurzało. To zawsze były prywatne spotkania pomiędzy nią a jej matką i siostrą. Teraz on też tu był. Nie zasługiwał na to.

Szli wzdłuż Alei Cisów, w starej części cmentarza. Mijając znajome nagrobki, zwolniła na chwilę, spoglądając na miejsce spoczynku rodziny Sheltonów. Charles i Elizabeth pochowali trójkę swoich dzieci – Susie, jeszcze niemowlę, w 1866 roku, Waltera, lat dwa, w 1868 roku oraz Carolyn, lat pięć, w 1874 roku. Alice próbowała wyobrazić sobie żal, jaki musiała czuć Elizabeth, wykuwając na nagrobkach, jedno za drugim, imiona swoich dzieci. Nigdy nie potrafiła wytrzymywać widoku makabrycznych obrazów zbyt długo – Anna tuż po urodzeniu, sina i milcząca; zmarły, prawdopodobnie w wyniku choroby, Tom w żółtych śpioszkach oraz Lydia, sztywna i bez oznak życia po dniu kolorowania w przedszkolu. Jej wyobraźnia zawsze odrzucała tego rodzaju makabryczną szczegółowość i cała trójka jej dzieci powróciła naprędce do swych żywych postaci.

Elizabeth miała trzydzieści osiem lat, gdy umarło jej ostatnie dziecko. Alice zastanawiało, czy starała się o kolejne i nie mogła zajść w ciążę, czy też ona i Charles zaczęli sypiać w osobnych łóżkach, zbyt przerażeni wizją zakupu kolejnego maleńkiego nagrobka. Zastanawiało ją, czy Elizabeth, która żyła dwadzieścia lat dłużej od Charlesa, znalazła ostatecznie spokój za życia.

Szli w ciszy do miejsca spoczynku najbliższych. Ich nagrobki, stojące w ustronnym rzędzie, były proste niczym ogromne, granitowe pudełka. Anne Lydia Daly, urodzona w 1955, zmarła w 1972; Sarah Louise Daly, urodzona w 1931, zmarła w 1972;

Peter Lucas Daly, urodzony w 1932, zmarły w 2003. Nad grobami wznosił się co najmniej trzydziestometrowy buk, którego gałęzie każdej wiosny, lata i jesieni przyozdabiały przepiękne, błyszczące, ciemne purpurowo-zielone liście. Jednak teraz, w styczniu, jego pozbawione liści czarne gałęzie rzucały długie zniekształcone cienie na nagrobki jej rodziny i przyprawiały ją o gęsią skórkę. Każdemu reżyserowi horrorów spodobałby się widok tego drzewa w styczniu.

Stojąc pod drzewem, John trzymał jej dłoń w rękawiczce. Żadne z nich się nie odezwało. W cieplejsze miesiące słychać było śpiew ptaków, dźwięk zraszaczy, pojazdy pracowników cmentarza oraz muzykę z radia samochodów. Dzisiaj, oprócz odległego hałasu ulicy, na cmentarzu panowała cisza.

O czym myślał John, kiedy tak tam stali? Nigdy go o to nie zapytała. Nigdy nie poznał jej matki i siostry, więc nie mógł oddawać się wspomnieniom o nich. Czy rozmyślał o własnej śmiertelności i duchowości? Czy rozmyślał o niej? Czy rozmyślał o swoich rodzicach i siostrach, którzy jeszcze żyli? A może znajdował się w kompletnie innym miejscu, rozmyślając o swoich badaniach i zajęciach albo fantazjował o kolacji?

Jakim cudem mogła chorować na Alzheimera? *Duże prawdopodobieństwo genetycznego dziedziczenia.* Czy jej matka też by zachorowała, gdyby dożyła pięćdziesięciu lat? Czy też może zawdzięczała to ojcu?

Gdy jej ojciec był młodszy, wypijał nieprzyzwoite ilości alkoholu, ale nie było po nim widać, że jest pijany. Wyrósł na bardzo spokojnego i zamkniętego w sobie mężczyznę, jednak miał wystarczające zdolności komunikacyjne, aby zamówić kolejną whisky czy też powiedzieć, że nic mu nie jest i że może prowadzić. Tak jak tej nocy, kiedy zjechał buickiem z drogi numer dziewięćdziesiąt trzy, uderzając prosto w drzewo, zabijając swoją żonę i młodszą córkę.

Nigdy nie zmienił pijackich nawyków, jednak swoje zachowanie i owszem, jakieś piętnaście lat temu. Bezsensowne, agresywne wyzwiska, odrażający brak higieny oraz fakt, iż nie rozpoznawał własnej córki, Alice z początku przypisywała alkoholowi, sądząc, że to jego zalana wątroba oraz zamarynowany umysł dawały mu się we znaki. Czy to możliwe, że żył z Alzheimerem i nigdy go u niego nie zdiagnozowano? Nie potrzebowała do tego autopsji. Wszystko pasowało idealnie, więc musiało być prawdą i zapewniało jej odpowiedni obiekt, który mogła obwiniać.

Jesteś z siebie zadowolony, tato? Mam twoje nędzne DNA. Pozabijasz nas wszystkich. Jakie to uczucie wymordować całą swoją rodzinę?

Jej płacz, gwałtowny i przepełniony bólem, w obecnej sytuacji dla każdego przechodnia wydawałby się czymś zupełnie naturalnym – jej zmarli rodzice i siostra pochowani w ziemi, zapadający zmrok na cmentarzu, upiorne drzewo. Dla Johna to musiało być jednak całkowicie niespodziewane. W lutym ubiegłego roku nie uroniła ani jednej łzy nad grobem ojca, a smutek i stratę, które odczuwała z powodu śmierci matki i siostry, już dawno ukoił czas.

Przytulił ją, nie starając się nakłaniać, by się uspokoiła; nie musiała nic mówić, on i tak wiedział, że powinien trzymać ją w ramionach przez cały czas, gdy płakała. Uświadomiła sobie, że lada chwila zamykają cmentarz. Wiedziała, że John prawdopodobnie się niepokoi i że żadna ilość łez nie oczyści jej zatrutego mózgu. Przycisnęła mocniej twarz do jego wełnianej kurtki i płakała, dopóki nie zabrakło jej sił.

Ujął jej głowę w dłonie i pocałował mokre kąciki jej oczu.

– Ali, wszystko w porządku?

Nic nie jest w porządku, John. Mam Alzheimera.

Niemal wydawało jej się, że wypowiedziała te słowa na głos, tak się jednak nie stało. Pozostały uwięzione w jej głowie, jednak nie z powodu barykady z płytek i splątek – po prostu nie mogły przejść jej przez gardło.

Wyobraziła sobie własne imię wykute na nagrobku obok Anne. Wolała umrzeć niż postradać zmysły. Spojrzała na Johna, w jego czekające na odpowiedź, przepełnione spokojem oczy. Jak miała mu powiedzieć, że choruje na Alzheimera? Uwielbiał jej umysł. Jak mógł ją teraz kochać? Spojrzała ponownie na wygrawerowane w kamieniu imię Anne.

– Mam po prostu naprawdę kiepski dzień.

Wolałaby umrzeć, niż mu powiedzieć.

CHCIAŁA SIĘ ZABIĆ. Mimowolne myśli o samobójstwie naszły ją nagle i niespodziewanie, zmiatając pozostałe refleksje z jej głowy, zamykając ją w ciemnym i koszmarnym kącie na długie dni. Brakowało im jednak wytrzymałości i osłabły, okazując się być przelotnym kaprysem. Nie chciała jeszcze umierać. Wciąż była szanowanym wykładowcą psychologii na Harvardzie. Wciąż potrafiła czytać, pisać oraz właściwie korzystać z łazienki. Miała czas. I musiała powiedzieć Johnowi.

Siedziała na kanapie przykryta szarym kocem, obejmując rękami kolana, czując się, jakby miała za chwilę zwymiotować. On siedział na krawędzi krzesła naprzeciw niej, jego ciało zastygło w bezruchu.

– Kto ci to powiedział? – zapytał John.

– Doktor Davis. To neurolog w Mass General.

– Neurolog? Kiedy?

– Dziesięć dni temu.

Odwrócił głowę i obracał obrączką na palcu, wpatrując się w obraz na ścianie. Wstrzymywała oddech, czekając, aż spojrzy na nią ponownie. Być może już nigdy więcej nie popatrzy na nią tak samo. Może już nigdy więcej nie odetchnie. Objęła kolana nieco mocniej.

– On się myli, Ali.

– Nie myli się.

– Nic ci nie dolega.

– Nieprawda. Zapominam o różnych rzeczach.

– Każdy o czymś zapomina. Nigdy nie pamiętam, gdzie zostawiłem okulary. Czy to powód, aby i u mnie zdiagnozować Alzheimera?

– Problemy, z jakimi się zmagam, nie są zwyczajne. Nie chodzi tu wcale o zapodziane okulary.

– Dobrze, zapominasz o pewnych rzeczach, jednak przechodzisz menopauzę, jesteś zestresowana, a śmierć twojego ojca najprawdopodobniej przywiodła z powrotem uczucia o stracie twojej mamy i Anne. Może masz depresję.

– Nie mam depresji.

– Skąd wiesz? Nie jesteś lekarzem. Powinnaś iść do swojego doktora, a nie do neurologa.

– Byłam.

– Powiedz mi, co dokładnie ci powiedziała.

– Nie uważała, że to wina depresji czy menopauzy. Tak naprawdę, to nie wiedziała, co mi dolega. Sądziła, że to z powodu braku snu. Chciała poczekać i ponownie mnie zbadać za kilka miesięcy.

– Widzisz, po prostu o siebie nie dbałaś.

– John, ona nie jest neurologiem. Wysypiam się aż nadto. A byłam u niej w listopadzie. Od tego czasu minęło kilka miesięcy i nie widać poprawy. Jest coraz gorzej.

Prosiła go, aby podczas jednej rozmowy uwierzył w coś, czemu ona zaprzeczała od wielu miesięcy. Zaczęła od podania przykładu, który już znał.

– Pamiętasz, jak nie pojechałam do Chicago?

– To mogło się przytrafić mnie lub komukolwiek, kogo znamy. Mamy szalone terminarze.

– Zawsze tak było, jednak nigdy nie zapomniałam wsiąść do samolotu. Nie chodzi o to, że przegapiłam lot, ja całkowicie zapomniałam o konferencji, a przecież przygotowywałam się do niej przez cały dzień.

Czekał. Skrywała olbrzymie sekrety, o których nic nie wiedział.

– Zapominam słów. W drodze z gabinetu do sali, całkowicie zapominam temat wykładu, który mam przeprowadzić. W połowie dnia nie potrafię odszyfrować znaczenia słów zapisanych rano na liście spraw do załatwienia.

Mogła odczytać myśli w jego nieprzekonanym umyśle. *Przemęczenie, stres, zmartwienia. Normalne, normalne, normalne.*

– Nie upiekłam puddingu w wigilię, ponieważ nie potrafiłam. W ogóle nie potrafiłam sobie przypomnieć przepisu. Po prostu wyparował, a przecież robiłam ten deser z pamięci, odkąd byłam dzieckiem.

Niespodziewanie przedstawiła solidny argument przeciwko sobie. Ławie przysięgłych złożonej z jej rówieśników to by wystarczyło. Jednak John ją kochał.

– Stałam na Harvard Square i nie miałam zielonego pojęcia, jak wrócić do domu. Nie wiedziałam, gdzie jestem.

– Kiedy to było?

– We wrześniu.

Przerwał milczenie, jednak nie porzucił pełnych determinacji prób, by bronić integralności jej zdrowia psychicznego.

– To tylko niektóre z przypadków. Przeraża mnie myśl o zapominaniu tego, czego nie jestem świadoma.

Wyraz jego twarzy zmienił się, jakby odkrył coś potencjalnie znaczącego w smugach przypominających plamy Rorschacha[2] na jednym ze swoich filmów RNA.

---

[2] Test Rorschacha, test plam atramentowych – test projekcyjny stworzony przez szwajcarskiego psychoanalityka,

– Żona Dana – powiedział bardziej do siebie niż do niej.

– Słucham? – zapytała.

Coś w nim pękło. Zauważyła to. Możliwość, iż mówiła prawdę, przeciekała przez mur jego niedowierzania, rozrzedzając jego przekonanie.

– Muszę najpierw poczytać na ten temat, a następnie porozmawiać z twoim neurologiem.

Nie patrząc na nią, wstał i poszedł wprost do gabinetu, zostawiając ją samą na kanapie. Alice objęła kolana, czując, jakby miała za chwilę zwymiotować.

Hermanna Rorschacha. Na podstawie testu wnioskuje się o nieświadomych treściach psychicznych, cechach osobowości i zaburzeniach psychicznych – przyp. tłum.

LUTY 2004

Piątek:

Wziąć poranną dawkę leków √

Spotkanie wydziałowe, 9:00, pokój 545 √

Odpowiedzieć na e-maile √

Poprowadzić zajęcia z Motywacji i emocji w Ośrodku Nauki; 13:00, sala B (wykład „Homeostaza i mechanizmy dostoso-wawcze") √

Spotkanie w poradni genetycznej (John zna szczegóły)

Wziąć wieczorną dawkę leków

Stephanie Aaron była specjalistą w poradni genetycznej, stowarzyszonej z oddziałem zaburzeń pamięci w Mass General Hospital. Miała czarne, długie do ramion włosy i brwi w kształcie łuków, które nadawały jej twarzy wyraz nieustannego zaciekawienia. Przywitała ich ciepłym uśmiechem.

– Co państwa do mnie sprowadza? – zapytała Stephanie.

– Niedawno u mojej żony zdiagnozowano chorobę Alzheimera i chcemy przeprowadzić kompleksowe badania pod kątem mutacji w genach APP, PS1 i PS2.

John odrobił pracę domową. Przez ostatnie kilka tygodni nie wystawiał nosa znad książek na temat molekularnej etiologii Alzheimera. Zbłąkane proteiny powstałe na skutek któregoś z tych trzech zmutowanych genów są głównymi winowajcami odpowiedzialnymi za Alzheimera o wczesnym początku.

– Powiedz mi, Alice, czego chcesz się dowiedzieć z tych wyników? – zapytała Stephanie.

– Wydaje mi się, że jest to sensowny sposób na potwierdzenie mojej diagnozy. Z całą pewnością to lepszy sposób niż biopsja mózgu czy autopsja.

– Martwisz się, że twoja diagnoza mogłaby być błędna?

– Sądzimy, że istnieje taka możliwość – odpowiedział John.

– Dobrze, najpierw wyjaśnijmy, co będą dla ciebie oznaczać pozytywne i negatywne wyniki badań mutacji. Są to mutacje o wysokiej penetracji. Jeżeli okaże się, iż wykryjemy u ciebie mutację APP, PS1 albo PS2, to są solidne podstawy do potwierdzenia prawidłowości twojej diagnozy. Jeżeli jednak wynik będzie negatywny, sprawa nie jest taka oczywista. Tak naprawdę, nie jesteśmy w stanie zinterpretować, co ten wynik oznacza. U około pięćdziesięciu procent ludzi z Alzheimerem o wczesnym początku nie stwierdzono wystąpienia mutacji w żadnym z tych trzech genów. Nie oznacza to jednak, że nie mają oni Alzheimera, czy też że ich choroba nie ma podłoża genetycznego, po prostu nie jesteśmy jeszcze w stanie wskazać genu objętego mutacją.

– Czy dla kogoś w jej wieku odsetek ten nie wynosi około dziesięciu procent? – zapytał John.

– To prawda, że liczby dla pacjentów w jej wieku są dosyć wypaczone. Jednak jeżeli wyniki Alice okażą się negatywne, nie jesteśmy, niestety, w stanie stwierdzić, że nie ma Alzheimera. Może zaliczać się do wąskiego grona ludzi z Alzheimerem, u których zmutowany gen nie został jeszcze zidentyfikowany.

W połączeniu z medyczną opinią doktora Davisa brzmiało to niezwykle przekonująco. Alice wiedziała, że John to rozumiał, jednak jego interpretacja skłaniała się ku hipotezie, że „Alice nie ma Alzheimera, nasze życie nie legło w gruzach", podczas gdy interpretacja Stephanie była zupełnie inna.

– Alice, czy to jest dla ciebie zrozumiałe? – zapytała Stephanie.

Chociaż, zważywszy na kontekst rozmowy, pytanie wydawało się uzasadnione, nie spodobało się ono Alice, która dostrzegła w nim zapowiedź swoich przyszłych konwersacji. Czy była w stanie zrozumieć to, co ktoś powiedział? Czy miała zbyt uszkodzony mózg i zbyt wielki mętlik w głowie, by to potwierdzić? Zawsze darzono ją wielkim respektem. Jeżeli jej zdolności intelektualne będą coraz wyraźniej ustępować miejsca chorobie umysłowej, to co w takim razie zastąpi zdobyty przez nią szacunek? Współczucie? Protekcjonalność? Zażenowanie?

– Tak – odpowiedziała Alice.

– Chcę również, aby było jasne, że w przypadku, gdyby wyniki badań okazały się pozytywne, genetyczna diagnoza nie zmieni niczego odnośnie twojego leczenia czy rokowań.

– Rozumiem.

– Dobrze. W takim razie potrzebuję teraz informacji na temat twojej rodziny. Czy twoi rodzice żyją?

– Nie. Moja matka zginęła w wypadku samochodowym, gdy miała czterdzieści jeden lat, a ojciec umarł w zeszłym roku z powodu niewydolności wątroby, w wieku siedemdziesięciu jeden lat.

– Co możesz mi powiedzieć o ich pamięci, kiedy jeszcze żyli? Czy któreś z nich przejawiało oznaki demencji lub zmian osobowościowych?

– Moja matka była idealnie zdrowa. Mój ojciec pił przez całe życie. Zawsze był opanowany, jednak stał się wyjątkowo wybuchowy z wiekiem i z trudnością można było z nim porozmawiać. Nie wydaje mi się, aby przez ostatnie kilka lat w ogóle mnie rozpoznawał.

– Czy kiedykolwiek badał go neurolog?

– Nie. Zakładałam, że to przez alkohol.

– Jak sądzisz, kiedy zaczęły się u niego te zmiany?

– Kiedy był koło pięćdziesiątki.

– Codziennie upijał się do nieprzytomności. Zmarł na marskość wątroby, nie z powodu Alzheimera – powiedział John.

Alice i Stephanie milcząco zgodziły się, by pozwolić Johnowi trzymać się swojej wersji, po czym kontynuowały rozmowę.

– Masz braci lub siostry?

– Moja jedyna siostra zginęła z matką w tamtym wypadku samochodowym, kiedy miała szesnaście lat. Nie mam braci.

– A ciocie, wujkowie, kuzyni albo dziadkowie?

Alice przekazała swoją niekompletną wiedzę na temat zdrowia i okoliczności śmierci jej dziadków oraz pozostałych krewnych.

– Dobrze, jeżeli nie masz innych pytań, pielęgniarka pobierze teraz próbkę twojej krwi. Zbadamy ją i za kilka tygodni będziemy mieć wyniki.

Alice wyglądała przez okno samochodu, kiedy jechali wzdłuż Storrow Drive. Na zewnątrz było lodowato i mimo że była godzina 17:30, na dworze zrobiło się ciemno, a Alice nie dostrzegła żadnych śmiałków przechadzających się wzdłuż brzegu rzeki Charles. Żadnego śladu życia. John wyłączył radio. Nie było niczego, co odwiodłoby ją od myśli o uszkodzonym DNA i martwej tkance mózgowej.

– Ali, wynik będzie negatywny.

– To jednak niczego nie zmienia. To nie będzie oznaczać, że nie choruję.

– Formalnie rzecz ujmując nie, jednak dzięki temu istnieje szansa, że to coś zupełnie innego.

– Co na przykład? Rozmawiałeś z doktorem Davisem. Zbadał mnie pod kątem każdego przypadku demencji, o którym mógłbyś pomyśleć.

– Posłuchaj, uważam, że zbytnio się pośpieszyłaś z pójściem do neurologa. Zobaczył twój zestaw objawów i zdiagnozował Alzheimera, ponieważ to jest jego praca, co wcale nie oznacza, że ma rację. Pamiętasz, jak w zeszłym roku uszkodziłaś sobie kolano? Gdybyś poszła wtedy do chirurga ortopedy, zdiagnozowałby u ciebie zerwane wiązadła albo uszkodzoną chrząstkę i od razu podniósłby alarm, że trzeba cię operować. Jest chirurgiem, więc stwierdza, że jedynym rozwiązaniem jest operacja. Ty jednak zaprzestałaś biegania na kilka tygodni, oszczędzałaś kolano, wzięłaś ibuprofen i wyzdrowiałaś. Wydaje mi się, że jesteś zmęczona, zestresowana i że to zmiany hormonalne spowodowane menopauzą dokonują spustoszenia w twojej fizjologii. Uważam też, że wpadłaś w depresję. Ali, ze wszystkim sobie poradzimy, musimy tylko zająć się każdym problemem z osobna.

Mówił rozsądnie. Było mało prawdopodobne, aby ktoś w jej wieku cierpiał na chorobę Alzheimera. Przechodziła menopauzę i była zmęczona. Być może miała też depresję. To by tłumaczyło, dlaczego nie poddawała w wątpliwość diagnozy, dlaczego nie walczyła ze wszystkich sił choćby z sugestią tego nieuchronnego losu. Z całą pewnością to nie leżało w jej naturze. Być może okres przekwitania sprawił, że była zestresowana i wyczerpana. Może wcale nie chorowała na Alzheimera.

Czwartek:

7:00 Wziąć poranną dawkę leków √

Dokończyć recenzję dla magazynu √

11:00 Spotkanie z Danem w moim gabinecie √

12:00 Seminarium pokój 700 √

15:00 Spotkanie w poradni genetycznej (John zna szczegóły)

20:00 Wziąć wieczorną dawkę leków

Kiedy weszli, Stephanie siedziała za biurkiem, jednak tym razem nie powitała ich uśmiechem.

– Zanim porozmawiamy o twoich wynikach, czy jest coś, do czego chciałabyś wrócić ze spraw, które poruszaliśmy ostatnio? – zapytała.

– Nie – odpowiedziała Alice.

– Nadal chcesz poznać wyniki?

– Tak.

– Przykro mi cię o tym informować, ale masz pozytywny wynik dla mutacji PS1.

Oto i był, niepodważalny dowód podany jak na tacy. Mogła przyjmować koktajl z zastępczego estrogenu, Xanax i Prozak oraz spędzić następne sześć miesięcy, sypiając po dwanaście godzin na dobę w ośrodku SPA, a i tak nic by to nie pomogło. Miała Alzheimera. Chciała spojrzeć na Johna, jednak nie potrafiła się zmusić, by obrócić głowę.

– Tak jak mówiłam, jest to autosomalna mutacja dominująca; w pewnym stopniu jest odpowiedzialna za rozwój Alzheimera, więc wyniki badań potwierdzają wcześniejszą diagnozę.

– Jaki jest wskaźnik nieprawidłowych wyników pozytywnych? Jak się nazywa laboratorium, w którym przeprowadzono badanie? – zapytał John.

– Athena Diagnostics. I powołują się na więcej niż dziewięćdziesiąt dziewięć procent poziomu dokładności w wykrywaniu tej mutacji.

– John, wynik jest pozytywny – powiedziała Alice.

Spojrzała na niego. Jego twarz, zazwyczaj koścista i stanowcza, teraz wydawała jej się zwiotczała i obca.

– Przykro mi, wiem, że szukali państwo możliwości obalenia tej diagnozy.

– Co ona oznacza dla naszych dzieci? – zapytała Alice.

– Musimy się nad tym zastanowić. W jakim są wieku?

– Wszystkie są po dwudziestce.

– Więc żadne z nich nie wykazuje jeszcze objawów. Każde z państwa dzieci ma pięćdziesiąt procent szans odziedziczenia tej mutacji, która z kolei ma sto procent szans przyczynienia się do choroby. Presymptomatyczne testy genetyczne są możliwe, jednak jest wiele rzeczy, które należy wziąć pod uwagę. Czy państwa dzieci będą chciały żyć z tą wiedzą? Jak to wpłynie na ich życie? Co jeżeli jedno z nich będzie miało wynik pozytywny, a pozostałe negatywny? Jak to wpłynie na ich wzajemne relacje? Alice, czy oni w ogóle wiedzą o twojej diagnozie?

– Nie.

– Pomyśl o tym, aby im wkrótce powiedzieć. Wiem, że to zbyt wiele informacji naraz, zważywszy na fakt, iż sami wciąż się z tym zmagacie. Jednak przy tego rodzaju postępującej chorobie, z którą mamy tutaj do czynienia, musisz się liczyć z tym, że jeśli odłożysz tę rozmowę na później, możesz już nie być w stanie przekazać im tego w sposób, w jaki początkowo chciałaś. Chyba że zostawisz tę kwestię Johnowi?

– Nie, powiem im sama – odparła Alice.

– Czy któreś z państwa dzieci ma już swoje dzieci? *Anna i Charlie.*

– Jeszcze nie – odpowiedziała Alice.

– Jeżeli planują, to może być dla nich naprawdę istotna informacja. Proszę, oto artykuły, które zebrałam i które możecie im przekazać. Zostawiam również swoją wizytówkę oraz wizytówkę terapeuty, który ma doświadczenie w rozmowach z rodzinami przechodzącymi przez okres badań genetycznych i diagnozy. Czy macie w tej chwili jeszcze jakieś pytania?

– Nie, nic mi nie przychodzi do głowy.

– Przykro mi, że nie mogłam przekazać wyników, na które pani liczyła.

– Mnie również.

Żadne z nich się nie odezwało. Wsiedli do samochodu, John zapłacił za parking i drogę przez Storrow Drive odbyli w milczeniu. Drugi tydzień z rzędu temperatura utrzymywała się poniżej zera. Zwolennicy biegania zostali zmuszeni do pozostania w domach i korzystania z bieżni lub po prostu musieli poczekać, aż nastanie nieco przyjaźniejsza pogoda. Alice nienawidziła bieżni. Siedziała na miejscu pasażera i czekała, aż John w końcu coś powie. Jednak nie odezwał się ani słowem. Płakał przez całą drogę do domu.

MARZEC 2004

Alice otworzyła poniedziałkowe wieczko jej oznakowanego według dni tygodnia dozownika pigułek i wysypała siedem maleńkich tabletek na otwartą dłoń. John wszedł do kuchni w jakimś konkretnym celu, jednak gdy ujrzał, co Alice trzyma w dłoni, obrócił się na pięcie i wyszedł, zupełnie jakby zastał własną matkę w negliżu. Nie mógł na nią patrzeć, kiedy przyjmowała leki. W trakcie rozmowy, nawet jeśli był w połowie zdania, kiedy tylko zobaczył, że Alice wyciąga swój dozownik pigułek, natychmiast wychodził z pokoju.

Poparzyła sobie gardło, popijając pigułki trzema łykami gorącej herbaty. Dla niej to też nie było przyjemne doświadczenie. Siedziała przy stole kuchennym, dmuchając na herbatę i słuchając kroków Johna w sypialni tuż nad nią.

– Czego szukasz? – krzyknęła.

– Niczego! – wrzasnął.

Najprawdopodobniej swoich okularów. Od wizyty u specjalisty w poradni genetycznej przestał prosić ją o pomoc w odnalezieniu okularów i kluczy, mimo iż ciągle nie wiedział, gdzie je zostawił.

Wszedł pośpiesznie do kuchni.

– Może pomóc? – zapytała.

– Nie trzeba.

Zastanawiało ją źródło jego nowo odkrytej, upartej niezależności. Czy próbował w ten sposób oszczędzić jej umysłowego wysiłku podczas szukania jego własnych zawieruszonych rzeczy? Czy ćwiczył, szykując się do życia bez niej? Czy było mu po prostu zbyt głupio prosić o pomoc kogoś z Alzheimerem? Popijała herbatę, pochłonięta oglądaniem obrazu z jabłkiem i gruszką, który wisiał na ścianie od co najmniej dekady i przysłuchiwała się, jak John przeszukiwał stertę poczty i papierów na blacie za nią.

Przeszedł obok niej, zmierzając w kierunku przedpokoju. Usłyszała odgłos otwieranej, a potem zamykanej szafy. Doszedł ją dźwięk zatrzaskiwanych szuflad stolika w przedpokoju.

– Gotowa? – zapytał.

Skończyła herbatę i poszła do przedpokoju. John miał na sobie płaszcz, okulary na potarganych włosach, a w dłoni trzymał klucze.

– Tak – odpowiedziała Alice i wyszła za nim na zewnątrz.

Początek wiosny w Cambridge był niewiarygodnie parszywym kłamcą. Drzewa nie były jeszcze pokryte pąkami, nie było śladu tulipanów, odważnych lub wystarczająco głupich, by przebić się przez obecnie czterotygodniową warstwę śniegu, a w radiu nie słychać było żadnej wiosennej piosenki. Ulice wciąż były zwężone przez sczerniałe od zanieczyszczeń zaspy. Jeżeli w ciągu dnia pojawiło się trochę słońca i śnieg zaczynał topnieć, to wieczorami temperatura znowu gwałtownie spadała, zmieniając ścieżki Harvard Yard i chodniki miasta w niebezpieczne uliczki pokryte czarnym lodem. Data w kalendarzu wydawała się ze wszystkich drwić, sprawiała, że wszyscy czuli się oszukani, świadomi, iż gdzie indziej królowała już wiosna, że ludzie nosili koszulki z krótkimi rękawkami i budzili się przy świergocie drozdów. Tutaj z kolei zimno i przygnębienie zbierały swoje żniwo i nie zapowiadało się na to, żeby miały ustąpić, a jedynymi ptakami, jakie Alice było dane usłyszeć w drodze do kampusu, były wrony.

John zgodził się odprowadzać ją codziennie na uczelnię. Powiedziała mu, że nie chce ryzykować, że zabłądzi. Tak naprawdę, po prostu chciała odtworzyć ich poranną tradycję. Niestety, wychodząc z założenia, iż ryzyko rozjechania przez samochód jest mniejsze od doznania kontuzji w wyniku upadku na oblodzonym chodniku, szli jezdnią gęsiego, nie odzywając się do siebie ani słowem.

Żwir wpadł do jej prawego buta. Zastanawiała się, czy zatrzymać się na jezdni, by go wyjąć, czy też poczekać, aż dojdą do Jerry'ego. Żeby go pozbyć, musiałaby utrzymać równowagę, stojąc na jezdni na jednej nodze i wystawić stopę na lodowate powietrze. Postanowiła przedłużyć sobie ten dyskomfort przez pozostałą odległość dwóch przecznic.

Umiejscowiona na Mass Ave, w mniej więcej połowie drogi pomiędzy Porter i Harvard Square, kawiarnia Jerry'ego stała się instytucją zrzeszającą wszystkich żądnych kofeiny mieszkańców Cambridge na długo przed epoką Starbucksa. Menu złożone z kawy, herbaty, ciastek oraz kanapek, wypisane dużymi literami kredą na tablicy za ladą, było takie samo, odkąd Alice skończyła studia. Zmieniły się jedynie ceny, które wypisano odmiennym charakterem pisma. Alice skonsternowana wpatrywała się w tablicę.

– Dzień dobry, Jess, poproszę kawę i cynamonową babeczkę – powiedział John.

– Dla mnie to samo – stwierdziła Alice.

– Przecież ty nie lubisz kawy – zdziwił się John.

– Ależ lubię.

– Nieprawda. Podaj jej herbatę z cytryną.

– Chcę kawę i ciastko.

Jess spojrzał na Johna, jakby w poszukiwaniu odpowiedzi, jednak on milczał.

– Okay, poproszę dwie kawy i dwie babeczki – powiedział wreszcie John.

Na zewnątrz Alice wzięła łyk kawy. Miała cierpki i nieprzyjemny smak, który zupełnie nie pasował do wspaniałego zapachu napoju.

– Jak ci smakuje kawa? – zapytał John.

– Przepyszna.

Idąc do kampusu, Alice popijała znienawidzoną kawę na złość Johnowi. Nie mogła się doczekać, kiedy znajdzie się sama w gabinecie, gdzie będzie mogła wylać resztę nieszczęsnego napoju. W dodatku chciała się jak najszybciej pozbyć uciążliwego kamyka z buta.

Po ZDJĘCIU BUTÓW I WYRZUCENIU kawy do kosza, w pierwszej kolejności zabrała się za skrzynkę mailową. Otworzyła wiadomość od Anny.

Cześć, Mamo,
z chęcią poszlibyśmy na kolację, jednak mamy dosyć ciężki tydzień z uwagi na proces Charliego. Co powiesz na przyszły tydzień? Jaki dzień wam pasuje? My jesteśmy wolni codziennie za wyjątkiem czwartku i piątku.

Anna

Wpatrywała się w szydzący z niej, zgłaszający gotowość pisania, migoczący kursor myszki na ekranie monitora. Proces przetwarzania myśli w słowa, czy

to wypowiedziane, zapisane na papierze, czy też wy-
stukane na klawiszach klawiatury, często wymagał
wiele wysiłku i skupienia. Jej zaś brakowało pewności siebie, by poskładać litery w całość, choć jeszcze
nie tak dawno była autorytetem w tej dziedzinie.

Zadzwonił telefon.

– Cześć, mamo.

– O Boże, właśnie miałam odpisać ci na maila.

– Nie wysyłałam ci żadnego maila.

Alice, czując narastającą niepewność, ponownie
przeczytała wiadomość na ekranie monitora.

– Właśnie ją przeczytałam. Charlie ma jakiś proces w tym tygodniu.

– Mamo, to ja, Lydia.

– Ach, czemu jesteś tak wcześnie na nogach?

– Zawsze wstaję o tej porze. Chciałam zadzwonić wczoraj wieczorem, jednak u was było już zbyt
późno. Dostałam niesamowitą rolę w sztuce *Pamięć
wody*. Mamy kapitalnego reżysera i w maju będziemy wystawiać sześć przedstawień. Myślę, że sztuka
będzie naprawdę dobra i dzięki reżyserowi zdobędzie spory rozgłos. Miałam nadzieję, że może przyjedziesz razem z tatą, by mnie w niej zobaczyć.

Ton jej głosu oraz cisza, które nastąpiły po skończeniu wypowiedzi, podpowiadały Alice, że przyszła
pora na jej odpowiedź, jednak wciąż starała się ze-
brać w całość informacje, które właśnie uzyskała od

Lydii. Nie widząc mowy ciała drugiej osoby, często czuła się zakłopotana w trakcie rozmowy przez telefon. Czasami słowa się zlewały, z trudnością potrafiła przewidzieć i nadążyć za niespodziewanie zmienionym tematem, co w konsekwencji wpływało negatywnie na jej zrozumienie. Pomimo że pisanie niosło ze sobą odrębny zestaw problemów, mogła ukrywać to przed światem, ponieważ nie musiała odpowiadać w czasie rzeczywistym.

– Po prostu powiedz, jeżeli nie chcesz – powiedziała Lydia.

– Chcę, tylko...

– Albo jeżeli po prostu nie masz czasu. Powinnam była zadzwonić do taty.

– Lydia...

– Nieważne zresztą. Muszę kończyć.

Odłożyła słuchawkę. Alice miała jej właśnie powiedzieć, że musi zapytać Johna, czy pozwoli mu na to jego praca – wtedy ona z przyjemnością przyjedzie. Jeżeli jednak nie będzie mógł przyjechać, to nie poleci na drugi koniec kraju bez niego i będzie musiała wymyślić jakąś wymówkę. Unikała podróży z obawy przed zgubieniem się lub pomyleniem drogi, będąc daleko od domu. Odrzuciła zaproszenie wygłoszenia przemówienia na Uniwersytecie Duke'a w przyszłym miesiącu oraz wyrzuciła do kosza zgłoszenie na konferencję językową, w której uczestniczyła co rok od czasu studiów. Chciała zobaczyć sztukę Lydii, jednak tym razem jej obecność zależała od planów Johna.

Chwyciła za telefon z myślą, aby oddzwonić do Lydii. Odłożyła słuchawkę, zastanawiając się jeszcze intensywniej. Zamknęła okienko z nienapisaną odpowiedzią do Anny i otworzyła nowy arkusz wiadomości, by napisać do Lydii. Wpatrywała się w migoczący kursor, palce spoczywały nieruchomo na klawiaturze. Bateria jej mózgu była dzisiaj na wyczerpaniu.

– No, dalej – powiedziała z ponagleniem w głosie, żałując, że nie może podpiąć sobie do głowy kabla z zasilaniem.

Nie miała dzisiaj czasu chorować na Alzheimera. Musiała odpowiedzieć na maile, napisać wniosek o dotację, przygotować się do zajęć i iść na seminarium. A na sam koniec dnia pobiegać. Może gdy pobiega, to rozjaśni jej się w głowie.

Alice schowała do skarpetki kartkę papieru ze swoim nazwiskiem, adresem i numerem telefonu. Zdawała sobie sprawę, że jeśli będzie na tyle zdezorientowana, by nie pamiętać drogi powrotnej do domu, zapomni także, że ma przy sobie użyteczną notkę. Mimo wszystko postanowiła zabrać ją jako środek ostrożności.

Bieganie coraz rzadziej przyczyniało się do roz-jaśnienia myśli w głowie. Prawdę powiedziawszy, obecnie czuła się raczej, jakby fizycznie goniła za odpowiedzią na niekończący się potok uciekających pytań. Nieważne, jak bardzo się starała, nigdy nie potrafiła ich dogonić.

Co powinnam zrobić? Przyjmowała leki, spała sześć, siedem godzin na dobę i kurczowo trzymała się codziennej rutyny na Harvardzie. Czuła się jak oszustka, udając wykładowcę akademickiego bez postępującej choroby neurodegeneracyjnej, który codziennie przychodzi do pracy, jak gdyby wszystko było, i miało pozostać, w porządku.

Zawód wykładowcy akademickiego w niczym nie przypominał pracy księgowego, programisty komputerowego czy kogoś sporządzającego codzienne raporty – nie patrzono jej każdego dnia na ręce. Co prawda, było miejsce na błąd, jednak jak wielki? W końcu ciało odmówi jej posłuszeństwa na tyle, że ktoś to zauważy i przestanie tolerować. Chciała opuścić Harvard zanim do tego dojdzie, uniknąć plotek i współczucia, jednak nie miała najmniejszego pojęcia, kiedy to nastąpi.

Chociaż bała się, że będzie zbyt długo zwlekać, to myśl o opuszczeniu uczelni napawała ją dużo większym przerażeniem. Kim była, jeśli nie wykładowcą psychologii na Harvardzie?

Czy powinna spędzać z Johnem i dziećmi tyle czasu, ile to tylko możliwe? Co by to miało w praktyce oznaczać? Siedzenie przy Annie, kiedy będzie pracować nad sprawą, podążanie za Tomem podczas jego obchodów w szpitalu, przyglądanie się Lydii na zajęciach z aktorstwa? Jak miała im powiedzieć, że każde z nich ma pięćdziesiąt procent szans na zachorowanie? Co jeśli będą ją obwiniać i znienawidzą, tak jak ona obwiniała i znienawidziła swojego ojca?

Było zbyt wcześnie, aby John przeszedł na emeryturę. Realistycznie patrząc, ile czasu będzie mógł jej ofiarować, nie poświęcając swojej kariery? Ile czasu jej pozostało? Dwa lata? Dwadzieścia?

Pomimo iż Alzheimer o wczesnym początku postępował szybciej w porównaniu z tym występującym u ludzi w podeszłym wieku, to pacjenci z Alzheimerem o wczesnym początku żyli znacznie dłużej, między innymi dlatego, że choroba rozwijała się w stosunkowo młodych i zdrowych ciałach. Mogła tylko czekać na brutalny koniec. Nie będzie w stanie sama jeść, mówić, nie rozpozna Johna i dzieci. Zwinie się w pozycję embrionalną, zapomni jak się połyka, nabawi się zapalenia płuc. John, Anna, Tom i Lydia zdecydują, aby nie leczyć jej zwykłymi antybiotykami, dręczeni poczuciem winy, że w końcu coś wykończy jej ciało.

Zatrzymała się, pochyliła i zwróciła lasagne, którą zjadła na lunch. Minie jeszcze kilka tygodni, zanim śnieg stopnieje na tyle, by to zmyć.

DOSKONALE WIEDZIAŁA, GDZIE BYŁA. Była w drodze powrotnej do domu, naprzeciwko kościoła episkopalnego pod wezwaniem Wszystkich Świętych, zaledwie kilka budynków od jej domu. Doskonale wiedziała, gdzie była, jednak nigdy wcześniej nie czuła się bardziej zagubiona. Dźwięk kościelnych dzwonów przypominał jej zegar w domu dziadków. Przekręciła okrągłą, metalową gałkę ciemnopomarańczowych drzwi i weszła do środka.

Poczuła ulgę, nie zastając nikogo wewnątrz, ponieważ nie zdążyła ułożyć wiarygodnej odpowiedzi, dlaczego tam weszła. Jej matka była żydówką, jednak jej ojciec uparł się, aby ją oraz Anne wychować w wierze katolickiej. Jako dziecko uczęszczała więc co niedzielę na mszę, przyjmowała komunię, chodziła do spowiedzi i była bierzmowana. Jednak, ponieważ jej matka nigdy jej w tym nie towarzyszyła, Alice jeszcze w młodym wieku zaczęła kwestionować słuszność tych przekonań. Nie uzyskawszy satysfakcjonujących odpowiedzi ani od swego ojca, ani od Kościoła katolickiego, nigdy nie wykształciła w sobie prawdziwej wiary.

Światło z ulicznych latarni wpadało do środka przez gotyckie witraże, oświetlając niemal cały kościół.

Każdy z nich przedstawiających Jezusa, przyodzianego w biało-czerwone szaty, ukazywał go jako pasterza lub uzdrowiciela dokonującego cudu. Napis po prawej stronie ołtarza głosił: „BÓG JEST DLA NAS UCIECZKĄ I MOCĄ. ŁATWO ZNALEŹĆ U NIEGO POMOC W TRUDNOŚCIACH".

Nie mogła doświadczyć większych trudności i tak bardzo chciała prosić o pomoc. Czuła się jednak jak intruz, ktoś niegodny i niewierny. Kim była, by prosić o pomoc Boga, przecież nie była nawet pewna, czy w niego wierzyła, siedziała w kościele, o którym nic nie wiedziała.

Zamknęła oczy i wsłuchiwała się w spokojny niczym fale oceanu, odległy szum ulicy, próbując otworzyć swój umysł. Nie była pewna, jak długo siedziała na wyściełanej purpurą ławie, w zimnym, ciemnym kościele, czekając na odpowiedź, która nie przyszła. Została dłużej, w nadziei, iż ksiądz albo jakiś parafianin podejdzie do niej i zapyta o powód, dla którego tam siedzi. Teraz miała swoje wyjaśnienie. Jednak nikt się nie zjawił.

Pomyślała o wizytówkach, które otrzymała od doktora Davisa i Stephanie Aaron. Może powinna porozmawiać z pracownikiem społecznym albo z terapeutą. Może oni jej pomogą.

Nagle, jasno i wyraźnie pojawiła się odpowiedź.

Porozmawiaj z Johnem.

Nie była przygotowana na atak, który spotkał ją, gdy weszła do domu.

– Gdzie byłaś? – zapytał John.

– Wyszłam pobiegać.

– Przez cały ten czas biegałaś?

– Poszłam też do kościoła.

– Do kościoła? Ali, ja dłużej tak nie mogę. Posłuchaj mnie, ty nie pijesz kawy i nie chodzisz do kościoła.

Wyczuła od niego delikatną woń alkoholu.

– Ale dzisiaj poszłam.

– Byliśmy umówieni na kolację z Bobem i Sarą. Musiałem do nich zadzwonić i odwołać spotkanie. Zapomniałaś o tym?

Kolacja z ich przyjaciółmi, Bobem i Sarą. Miała to zapisane w kalendarzu.

– Zapomniałam. Mam Alzheimera.

– Jeśli się zgubisz, nie będę miał pojęcia, gdzie cię szukać. Musisz zawsze zabierać ze sobą komórkę.

– Nie mogę jej ze sobą zabierać, kiedy biegam, bo nie mam kieszeni.

– Więc przywiąż ją sobie do głowy, mam to gdzieś. Nie będę za każdym razem przez to przechodził, kiedy jesteśmy gdzieś umówieni.

Poszła za nim do salonu. Usiadł na kanapie, trzymając w dłoni drinka i nie spoglądając na nią. Kropelki potu na jego czole łączyły się z kroplami wody na oszronionej szklance szkockiej. Zawahała się, a następnie usiadła mu na kolanach, obejmując go ramionami tak mocno, że dłońmi dotykała własnych łokci, uchem dotykała jego ucha i zaczęła wyrzucać z siebie wszystko, co ją dręczyło.

– Tak bardzo mi przykro, że zachorowałam. Nie mogę znieść myśli, że będzie jeszcze gorzej. Nie mogę znieść myśli, że któregoś dnia spojrzę na ciebie, na twarz, którą kocham i cię nie rozpoznam.

Palcami dłoni dotykała konturu jego szczęki, policzka oraz linii wyżłobionej przez dawno niegoszczący na jego twarzy uśmiech. Wytarła pot z jego czoła i łzy z jego oczu.

– Na samą myśl o tym nie mogę złapać oddechu. Jednak musimy o tym myśleć. Nie wiem, jak długo jeszcze będę cię rozpoznawać. Musimy porozmawiać o tym, co będzie.

Podniósł szklankę do ust, przełykał, dopóki jej nie opróżnił, po czym oblizał krople, które zostały na kostkach lodu. Spojrzał na nią z przerażeniem i głębokim smutkiem w oczach, jakiego nigdy wcześniej w nich nie widziała.

– Nie wiem, czy potrafię.

Pomimo starań, nie potrafili wspólnie dojść do porozumienia co do określonego, długoterminowego planu działania. Zbyt wiele było niewiadomych, na czele z najistotniejszym pytaniem: „jak szybko choroba będzie postępować?". Przed sześcioma laty oboje wzięli rok urlopu naukowego na napisanie książki *Od molekuł do umysłu*, tak więc kolejny urlop mogli podjąć dopiero za rok. Czy wytrzyma do tego czasu? Póki co, postanowili, że Alice zostanie na uczelni do końca semestru, za wszelką cenę będzie unikać podróży, a całe lato spędzą w Cape. Myślami nie wybiegali poza sierpień.

Postanowili również nie wtajemniczać nikogo poza dziećmi. Nieunikniona konfrontacja, rozmowa, której tak bardzo się obawiali, miała nastąpić z samego rana, w towarzystwie rogalików, sałatki owocowej, meksykańskiej frittaty, drinku mimoza i czekoladowych jaj.

Od lat nie spędzili świąt wielkanocnych we wspólnym gronie. Anna czasami wyjeżdżała z Charliem do jego rodziny w Pensylwanii, Lydia przez ostatnie kilka lat zostawała w Los Angeles, a wcześniej gdzieś w Europie, z kolei John od kilku lat wyjeżdżał na konferencję do Boulder. Przekonanie Lydii, aby w tym roku przyjechała na święta do domu, wymagało nie lada wysiłku. Upierała się, że w trakcie przygotowań do wystawienia sztuki nie może sobie pozwolić na przerwę ani na zakup biletu, jednak John przekonał ją, aby poświęciła dla nich dwa dni oraz powiedział, że zapłaci za samolot.

Anna, zamiast mimozy czy krwawej mary, piła zimną wodę i pochłaniała jajka z nadzieniem karmelowym niczym popcorn. Jednak zanim ktokolwiek nabrał podejrzeń o ciąży, podzieliła się szczegółami odnośnie jej wewnątrzmacicznego procesu zapładniania.

– Byliśmy w Brigham u specjalisty od płodności i nie mógł nam pomóc. Moje jajeczka są zdrowe i owuluję co miesiąc, a ze spermą Charliego też jest wszystko w porządku.

– Anno, proszę cię, nie wydaje mi się, żeby chcieli słuchać o mojej spermie – powiedział Charlie.

– Ale taka jest prawda i strasznie mnie to frustruje. Próbowałam nawet akupunktury i wciąż nic. Poza tym, że nie dręczy mnie już migrena. Przynajmniej wiemy, że mogę zajść w ciążę. Od wtorku zacznę przyjmować zastrzyki zawierające hormon folikulotropowy, a w przyszłym tygodniu wstrzykną mi coś, co uwolni moje jajeczka, a następnie doprowadzą do zapłodnienia spermą Charliego.

– Anno – odezwał się Charlie.

– Tak się stanie i miejmy nadzieję, iż w przyszłym tygodniu będę już w ciąży!

Alice zmusiła się do uśmiechu, ukrywając strach za zaciśniętymi zębami. Objawy choroby Alzheimera nie ujawniały się aż do wieku rozrodczego, po tym jak zdeformowany gen został już nieświadomie przekazany następnemu pokoleniu. Co jeśli by wiedziała, że nosi w sobie ten gen, to fatum, w każdej komórce ciała? Czy zdecydowałaby się na dzieci, czy też zabezpieczyłaby się przed zajściem w ciążę? Czy byłaby skłonna zaryzykować przypadkowy przebieg mejozy? Jej bursztynowe oczy, orli nos Johna oraz jej presenilinę 1. Oczywiście teraz nie wyobrażała sobie życia bez dzieci. Jednak czy zanim zdecydowała się na potomstwo, zanim doświadczyła tego pierwotnego i wcześniej niewyobrażalnego rodzaju miłości, która przyszła wraz z nimi, czy zdecydowałaby się ich nie mieć tylko dlatego, że tak byłoby dla wszystkich lepiej? Czy Anna tak by postąpiła?

Do pokoju wszedł Tom, przepraszając za spóźnienie i za to, że przyszedł bez swojej nowej dziewczyny. Dobrze się złożyło. Dzisiaj było to wyłącznie spotkanie rodzinne, a Alice i tak nie pamiętała jej imienia. Poleciał jak szalony do jadalni, prawdopodobnie w obawie, iż nie zostało już dla niego nic do jedzenia, po czym wrócił do salonu z uśmiechem na ustach i stertą jedzenia na talerzu. Usiadł na kanapie obok Lydii, która trzymała w ręku scenariusz i po cichu, z zamkniętymi oczami, powtarzała kwestie. Wszyscy byli na miejscu. To był odpowiedni moment.

– Chcemy porozmawiać z wami o czymś bardzo ważnym, musieliśmy z tym poczekać, aż zbierzecie się wszyscy razem.

Alice spojrzała na Johna. Skinął głową i uścisnął jej dłoń.

– Od jakiegoś czasu mam problemy z pamięcią i w styczniu zrobiłam badania, po których zdiagnozowano u mnie chorobę Alzheimera o wczesnym początku.

Zegar na kominku tykał doniośle, jak gdyby ktoś zwiększył jego głośność, a dom stał się opustoszały. Tom siedział nieruchomo z widelcem pełnym frittaty w połowie drogi między talerzem a ustami. Alice powinna była zaczekać, aż skończą jeść.

– Jesteś pewna, że to Alzheimer? Zasięgałaś drugiej opinii? – zapytał.

– Zrobiła badania genetyczne. Stwierdzono mutację preseniliny 1 – powiedział John.

– Czy stwierdzono dziedziczenie autosomalne dominujące? – drążył Tom.

– Tak.

Z wyrazu jego oczu Tom wyczytał znacznie więcej.

– Co to oznacza? Tato, o czym wy mówicie? – zapytała Anna.

– To oznacza, iż mamy pięćdziesiąt procent szans na zachorowanie na Alzheimera – odpowiedział Tom.

– A co z moim dzieckiem?

– Nawet nie jesteś w ciąży – odparła Lydia.

– Anno, jeżeli występuje u ciebie mutacja, to samo tyczy się twoich dzieci. Każde twoje dziecko będzie miało również pięćdziesiąt procent szans odziedziczenia tej choroby – powiedziała Alice.

– Co więc mamy zrobić? Testy? – zapytała Anna.

– Możecie – powiedziała Alice.

– O Boże, a co jeżeli się okaże, że to mam? Moje dziecko też może mieć ten gen. – Anna się wystraszyła.

– Prawdopodobnie znajdą na to lek, zanim którekolwiek z naszych dzieci będzie tego potrzebowało – pocieszył ją Tom.

– Jednak nie zdążą odkryć go dla nas, to masz na myśli? Więc moim dzieciom nic nie będzie, jednak ja zamienię się w bezrozumne zombie.

– Dosyć tego, Anno! – wykrzyknął John.

Miał zaciśniętą szczękę i poczerwieniałą twarz. Dziesięć lat temu odesłałby Annę do swojego pokoju. Teraz jednak mocno ściskał dłoń Alice i tupnął nogą. W tak wielu sprawach czuł się bezsilny.

– Przepraszam – powiedziała Anna.

– Jest wielce prawdopodobne, że zanim osiągniesz mój wiek, znajdą lek zapobiegający chorobie. To jeden z powodów, dla których warto wiedzieć, czy ma się zmutowany gen. Jeżeli to wiesz, możesz przyjmować leki na długo przed wystąpieniem objawów i miejmy nadzieję, nigdy nie zachorujesz – powiedziała Alice.

– Mamo, jakie leki ci przepisali? – zapytała Lydia.

– Przepisali mi witaminy zawierające przeciwutleniacze i aspirynę, statynę oraz dwa leki stymulujące neurotransmitery.

– Czy to spowolni Alzheimera?

– Może na jakiś czas, nie mają stuprocentowej pewności.

– A co z lekami testowanymi klinicznie? – zapytał Tom.

– Właśnie się tym zajmuję – odparł John.

John rozmawiał z naukowcami z Bostonu, którzy badają molekularną etiologię Alzheimera, zasięgając ich opinii o nadziejach związanych z najnowszymi terapiami. John był biologiem specjalizującym się w komórkach rakowych, a nie neurobiologiem, jednak nie miał większych problemów ze zrozumieniem pojęć z innego systemu. Wszyscy mówili tym samym językiem – łączenia receptorów, fosforylacje, obróbki potranskrypcyjne, jamki klatrynowe, sekre-tazy. To było niczym członkostwo w najbardziej ekskluzywnym klubie; status profesora Harvardu nadawał mu natychmiastową wiarygodność i umożliwiał dostęp do najbardziej szanowanych uczonych bostońskiego środowiska badaczy nad Alzheimerem. Jeżeli istniała lepsza forma leczenia lub też takowa miała niedługo powstać, John ją dla niej znajdzie.

– Mamo, wyglądasz jak okaz zdrowia. Musiałaś zachorować naprawdę niedawno, inaczej zauważyłbym, że coś ci dolega – powiedział Tom.

– Ja zauważyłam – odezwała się Lydia. – Nie to, że miała Alzheimera, ale że coś było nie tak.

– Skąd to wiedziałaś? – zapytała Anna.

– Czasami w ogóle jej nie rozumiałam podczas rozmów przez telefon, a poza tym często się powtarzała. Albo kiedy nie pamiętała czegoś, co powiedziałam pięć minut wcześniej. Nie pamiętała też przepisu na świąteczny pudding.

– Jak dawno to zaobserwowałaś? – zapytał John.

– Przynajmniej przed rokiem.

Alice nie sięgała pamięcią tak daleko, jednak jej wierzyła. Odnosiła też wrażenie, że John czuł się w związku z tym upokorzony.

– Muszę wiedzieć, czy to mam. Chcę się zbadać. Wy nie chcecie wiedzieć? – zapytała Anna.

– Wydaje mi się, że życie w niepokoju spowodowanym niewiedzą jest dla mnie gorsze od samej choroby – powiedział Tom.

Lydia zamknęła oczy. Wszyscy czekali. Alice dopuściła w myślach absurdalny pomysł, że Lydia wciąż powtarza tekst, starając się zapamiętać kwestie sztuki, bądź też zasnęła. Po chwili nieprzyjemnej ciszy, otworzyła jednak oczy i wyraziła swoje zdanie.

– Ja nie chcę wiedzieć.

Lydia zawsze robiła wszystko inaczej.

W WILLIAM JAMES HALL panowała dziwna cisza. Codzienne głosy studentów – pytania, kłótnie, żarty, narzekania, przechwałki, flirty – zniknęły. Zazwyczaj tydzień przed sesją wiosenną studenci zbiorowo opuszczali miasteczko uniwersyteckie, by udać się do akademików i bibliotek, jednak to miało nastąpić dopiero w przyszłym tygodniu. Wielu studentów psychologii poznawczej musiało odbyć całodniowe obserwacje obrazowania rezonansu magnetycznego w Charlestown. Może to wypadało właśnie dzisiaj.

Bez względu na powód, Alice rozkoszowała się możliwością ukończenia nawału pracy bez przeszkód. W drodze na uczelnię postanowiła, że nie wstąpi do Jerry'ego na herbatę i teraz żałowała tej decyzji. Potrzebowała kofeiny. Przeczytała artykuły w „Magazynie lingwistycznym", ułożyła tegoroczny egzamin końcowy z zajęć z Motywacji i emocji i odpowiedziała na wszystkie wcześniej zignorowane e-maile. Wszystko to bez rozpraszającego dźwięku dzwoniącego telefonu czy pukania do drzwi.

Zanim zorientowała się, że zapomniała wstąpić do Jerry'ego, była już w domu. Nadal miała ochotę na herbatę. Weszła do kuchni i nastawiła wodę w czajniku. Zegar na mikrofalówce wskazywał 4:22.

Wyjrzała przez okno. Ujrzała ciemność i własne odbicie w szybie. Miała na sobie koszulę nocną.

Cześć, Mamo!
Unasienienie domaciczne nie przyniosło rezultatów. Nie jestem w ciąży. Nie jest mi aż tak smutno, jak myślałam (a Charlie chyba odczuwa nawet ulgę). Miejmy nadzieję, że wynik drugiego testu będzie również negatywny. Jesteśmy umówieni na jutro. Po wszystkim wpadniemy do was z Tomem i przekażemy wam wyniki.

Całuję
Anna

SZANSA NA TO, ŻE OBOJE będą mieli wynik negatywny wydawała się niewielka, ponieważ zbyt długo nie wracali do domu. Alice pomyślała, że jeżeli test wypadłby negatywnie wizyta sprowadzałaby się do szybkiego „Nic wam nie dolega, dziękuję i do widzenia". Może Stephanie się dziś spóźniła. Może Anna i Tom siedzieli w poczekalni o wiele dłużej, niż to Alice przewidziała.

Szansa z niewielkiej zmieniła się w znikomą, po tym jak w końcu weszli frontowymi drzwiami. Jeżeli oboje mieliby wynik negatywny, po prostu wykrzyczeliby to od razu albo też ich twarz wyrażałaby szaloną radość. Zamiast tego skrywali w sobie tę wiedzę, wchodząc do salonu, wydłużając czas przed tym wydarzeniem tak długo, jak tylko to było możliwe.

Usiedli obok siebie na kanapie, Tom po lewej stronie, Anna po prawej, tak jak wtedy, kiedy siadali na tylnym siedzeniu samochodu, gdy byli dziećmi. Tom był leworęczny i wolał siedzieć przy oknie, Annie nie przeszkadzało miejsce w środku. Teraz siedzieli bliżej siebie niż kiedykolwiek wcześniej, a kiedy Tom wyciągnął rękę i chwycił jej dłoń, nie wrzasnęła: „Mamooo, Tommy mnie bije!".

– Nie noszę w sobie mutacji – powiedział Tom.

– Jednak ja ją mam – rzuciła Anna.

Alice pamięta, że kiedy Tom się urodził, czuła, że to prawdziwe błogosławieństwo, iż miała doskonałe dzieci – chłopca i dziewczynkę. Po dwudziestu sześciu latach błogosławieństwo to przemieniło się w przekleństwo. Fasada wyrażająca stoicką rodzicielską siłę rozpadła się i Alice zaczęła płakać.

– Przykro mi – powiedziała.

– Będzie dobrze, mamo. Tak jak powiedziałaś, znajdą lek zapobiegający chorobie – pocieszyła ją Anna.

Kiedy Alice wróciła później myślami do tej chwili, ironia okazała się zadziwiająca. Przynajmniej pozornie Anna wydawała się najsilniejsza, to ona zawsze wszystkich pocieszała. Odziedziczenie choroby nie było dla niej zaskoczeniem. Anna była dzieckiem, które najbardziej przypominało matkę. Włosy, twarz i temperament miała po Alice. Presenilinę 1 również.

– Spróbujemy zapłodnienia in vitro. Rozmawiałam już z moim lekarzem i poddam się diagnostyce preimplantacyjnej. Zbadają pojedyncze komórki każdego z zarodków ze zmianami, wykluczą zarodki posiadające wadę genetyczną i wszczepią jedynie te pozbawione mutacji. Będziemy mieć więc pewność, że moje dzieci nie odziedziczą fatalnego genu.

To była naprawdę dobra wiadomość. Podczas gdy wszyscy się nią cieszyli, na radość Alice padł cień. Pomimo iż zganiła siebie za to, zazdrościła Annie, że mogła zrobić to, czego ona sama nie potrafiła dokonać – uchronić swoje pociechy przed krzywdą. Jej córka nigdy nie będzie musiała usiąść twarzą w twarz z własnym dzieckiem i przyglądać się, jak zmaga się z informacją, że któregoś dnia może zachorować na Alzheimera. Żałowała, że za jej czasów medycyna reprodukcyjna nie była tak zaawansowana. Wtedy jednak zarodek, z którego powstała Anna, zostałby odrzucony.

Stephanie Aaron uznała, że Tom jest zdrowy, jednak na takiego nie wyglądał. Wydawał się blady, kruchy i trząsł się. Alice sądziła, że wynik negatywny dla każdego z jej dzieci okaże się ulgą. Byli jednak rodziną, połączoną historią, DNA i miłością. Anna była jego starszą siostrą. To ona nauczyła go, jak robić balony z gumy, to ona zawsze oddawała mu cukierki uzbierane w Halloween.

– Kto powie Lydii? – zapytał Tom.

– Ja to zrobię – odpowiedziała Anna.

MAJ 2004

W pierwszej chwili, tydzień po diagnozie, Alice myślała o tym, aby odwiedzić dom opieki, jednak nie potrafiła się na to zdobyć. Ciasteczka z wróżbami, horoskopy, karty tarota oraz pielęgniarki nie mieściły się w kręgu jej zainteresowań. Chociaż z każdym dniem była bliżej podjęcia decyzji o wizycie, nie śpieszyła się, aby poznać czekającą ją przyszłość. Tamtego poranka nie wydarzyło się nic szczególnego, co mogłoby wzbudzić ciekawość lub też dodałoby jej odwagi, a mimo to zdecydowała się udać do domu opieki Mount Auburn Manor.

Główny hol nie wzbudził w niej strachu. Akwarela z widokiem oceanu na ścianie, przetarty orientalny dywan na podłodze oraz kobieta z mocno pomalowanymi oczami i z krótkimi włosami w kolorze czarnej lukrecji siedząca za biurkiem ustawionym na wprost drzwi wejściowych. Można by było pomyśleć, że to hol hotelowy, jednak delikatny zapach leków, brak bagażu, recepcjonistka oraz goście wchodzący – wszystko to było jakieś inne. Ludzie, którzy przychodzili, mieszkali tu na stałe, nie byli gośćmi.

– Czy mogę pani w czymś pomóc? – zapytała kobieta.

– Tak. Czy opiekują się państwo również pacjentami z Alzheimerem?

– Tak, mamy specjalnie wydzielony oddział dla pensjonariuszy chorujących na Alzheimera. Chciałaby go pani zobaczyć?

– Tak.

Poszła za kobietą w stronę wind.

– Szuka pani czegoś dla rodziców?

– Tak – skłamała Alice.

Czekały. Tak jak większość ludzi, których przewoziły, windy były stare i poruszały się wolno.

– Cóż za przepiękny naszyjnik – powiedziała kobieta.

– Dziękuję.

Alice uniosła dłoń i dotknęła niebieskich kamieni secesyjnego naszyjnika w kształcie motyla, który należał niegdyś do jej matki. Zakładała go tylko na rocznice i śluby, więc Alice, tak jak ona, wkładała go wyłącznie na specjalne okazje. Ale ponieważ w kalendarzu nie figurowały żadne oficjalne imprezy, a ona uwielbiała ten naszyjnik, któregoś dnia w ubiegłym miesiącu założyła go do pary jeansów i koszulki. Pasował idealnie.

Lubiła go też dlatego, że przypominał jej o motylach. Pamiętała, jak miała sześć albo siedem lat i płakała nad losem motyli w ogródku, po tym jak dowiedziała się, że żyją zaledwie kilka dni. Jej matka pocieszała ją i powiedziała, żeby nie smuciła się z ich powodu, ponieważ to, że ich życie było krótkie, nie oznaczało, że było tragiczne. Przyglądając się motylom latającym w ciepłym słońcu pośród stokrotek w ich ogrodzie, matka powiedziała jej: *Widzisz, mają cudowne życie.* Alice lubiła wracać do tego pamięcią.

Wysiadły na drugim piętrze i poszły długim, pokrytym dywanami korytarzem, przechodząc przez szereg nieoznakowanych dwuskrzydłowych drzwi. Kobieta wskazała na te, które zamknęły się za nimi automatycznie.

– Oddział Specjalnej Opieki nad Chorymi na Alzheimera jest zamknięty, co oznacza, że nie można przejść przez te drzwi bez podania kodu.

Alice spojrzała na klawiaturę na ścianie obok drzwi. Cyfry ułożone były pojedynczo do góry nogami i w kolejności od prawej do lewej strony.

– Dlaczego cyfry są tak poukładane?

– Żeby pensjonariusze nie zapamiętali kodu.

To było raczej zbędne zabezpieczenie. Gdyby mogli zapamiętać kod, to nie musieliby tutaj przebywać, czyż nie?

– Nie wiem, czy doświadczyła już pani tego odnośnie swoich rodziców, jednak błąkanie się i nocne niepokoje są często obserwowanym zachowaniem wśród ludzi z Alzheimerem. Na naszym oddziale pensjonariusze mogą spacerować o każdej porze, jednak bezpiecznie i bez ryzyka, że się zgubią. Nie podajemy im na noc środków uspokajających ani nie każemy zostawać w pokojach. Staramy się pomóc im zachować tyle wolności i niezależności, ile to tylko możliwe. Wiemy, że to jest ważne dla nich i dla ich rodzin.

Niska białowłosa kobieta w różowo-zielonej podomce w kwiaty stanęła naprzeciw Alice.

– Nie jesteś moją córką.

– Przykro mi, nie jestem.

– Oddawaj moje pieniądze!

– Evelyn, ona nie zabrała twoich pieniędzy. Pieniądze są w twoim pokoju. Sprawdź w górnej szufladzie komody, wydaje mi się, że tam je zostawiłaś.

Kobieta spojrzała na Alice z podejrzliwością i odrazą, jednak posłuchała rady opiekunki i poszła do swojego pokoju, powłócząc nogami w swoich białych frotowych kapciach.

– Chodzi jej o dwudziestodolarowy banknot, który cały czas chowa gdzieś w obawie, że ktoś go jej ukradnie. Później oczywiście zapomina, gdzie go schowała i oskarża wszystkich wokół o kradzież. Próbowaliśmy ją przekonać, aby go wydała albo wpłaciła do banku, jednak nie posłuchała. W pewnym momencie zapomni, że go posiada i będzie po sprawie.

Weszły do świetlicy na końcu korytarza, nie niepokojone już przez paranoidalne podejrzenia Evelyn. Sala wypełniona była ludźmi w podeszłym wieku jedzącymi lunch przy okrągłych stolikach. Przyjrzawszy się dokładniej, Alice dostrzegła, że w pokoju znajdowały się głównie kobiety w podeszłym wieku.

– Jest tylko trójka mężczyzn?

– W grupie trzydziestu dwóch pensjonariuszy oddziału jest tylko dwóch mężczyzn. Harold przychodzi codziennie, żeby zjeść posiłki razem z żoną.

Być może ze względu na powrót do zasad z dzieciństwa, dwójka mężczyzn cierpiących na Alzheimera siedziała razem przy osobnym stoliku, z dala od kobiet. Spacerowicze wypełniali przestrzeń pomiędzy stolikami. Wiele spośród kobiet siedziało na wózkach inwalidzkich. Prawie wszyscy mieli cienkie białe włosy, powiększone, zapadnięte oczy schowane za grubymi okularami i wszyscy jedli jakby w zwolnionym tempie. Nikt nie udzielał się towarzysko, nie prowadził rozmów, nawet Harold nie rozmawiał ze swoją żoną. Jedyne dźwięki, oprócz odgłosów jedzenia, wydawała kobieta, która śpiewała podczas posiłku. Jej wewnętrzna igła gramofonu zacięła się na tytułowej linijce *W świetle srebrzystego księżyca*. Nikt nie zgłaszał sprzeciwu ani nie bił brawa.

W świetle srebrzystego księżyca.

– Jak zapewne się pani domyśliła, to jest nasza jadalnia i świetlica w jednym. Tutaj pensjonariusze jedzą śniadanie, lunch oraz kolację, codziennie o tej samej porze. Przewidywalne czynności są ważne. Organizujemy również dla nich zajęcia. Są kręgle, quiz wiedzy ogólnej, tańce, muzyka oraz rękodzielnictwo. To oni zrobili te urocze domki dla ptaków. Jest również osoba, która codziennie rano czyta im gazetę, aby byli na bieżąco z wydarzeniami ze świata.

W świetle...

Nasi pensjonariusze mają tutaj niezliczone okazje, aby wykorzystywać i rozwijać swoje ciała i umysły, jak tylko jest to możliwe.

...srebrzystego księżyca.

– Wszyscy członkowie rodziny oraz przyjaciele zawsze są mile widziani i mogą uczestniczyć we wszystkich zajęciach jak również spożywać posiłki razem z ukochaną osobą.

Poza Haroldem, Alice nie dostrzegła nikogo więcej, kto towarzyszyłby ukochanej osobie. Nie było żadnych mężów, żon, nie było dzieci czy wnuków, nie było przyjaciół.

– Dysponujemy również wysoce przeszkoloną kadrą medyczną, w razie gdyby którykolwiek z pensjonariuszy wymagał dodatkowej opieki.

W świetle srebrzystego księżyca.

– Czy mają państwo u siebie jakichkolwiek pensjonariuszy poniżej sześćdziesiątego roku życia?

– Och, nie. Wydaje mi się, że najmłodszy ma siedemdziesiąt lat. Średnia wieku wynosi osiemdziesiąt dwa, osiemdziesiąt trzy lata. Rzadko spotyka się kogoś z Alzheimerem poniżej sześćdziesiątki.

Właśnie na kogoś takiego patrzysz.

W świetle srebrzystego księżyca.

– Ile wynosi całkowity koszt?

– Przedstawię pani broszurę, jednak na dzień dzisiejszy dzienny koszt pobytu na Oddziale Specjalnej Opieki nad Chorymi na Alzheimera wynosi dwieście osiemdziesiąt pięć dolarów.

Alice dokonała w głowie przybliżonych obliczeń. Wyszło jej około stu tysięcy rocznie. Pomnożyć to przez pięć, dziesięć, dwadzieścia lat.

– Czy ma pani jeszcze jakieś pytania?

W świetle...

– Nie, to wszystko.

Poszła za swoją przewodniczką z powrotem do zamkniętych dwuskrzydłowych drzwi i przyglądała się jej, jak wystukuje kod.

0791925

To nie było miejsce dla niej.

TO BYŁ NAJBARDZIEJ WYJĄTKOWY DZIEŃ w Cambridge. Był to swego rodzaju mityczny dzień, o którym mieszkańcy Nowej Anglii zawsze marzyli, jednak co roku wątpili w nadejście prawdziwie słonecznego, dwudziestostopniowego wiosennego poranka. Na niebie panował błękit, w końcu doczekali dnia, kiedy można było wyjść bez płaszcza. Czegoś, czego nie można było zmarnować na siedzenie w pracy, zwłaszcza jeżeli miało się Alzheimera.

Była o kilka budynków na zachód od Harvard Yard i zmierzała do lodziarni z przyprawiającym o zawrót głowy dreszczykiem, jak u nastolatki, która właśnie urwała się na wagary.

– Poproszę potrójną porcję lodów czekoladowo-orzechowych w wafelku.

A niech to, jestem na Lipitorze.

Spojrzała na swoją olbrzymią, ciężką porcję lodów, jakby to była statuetka Oscara, zapłaciła pię-

ciodolarowym banknotem, resztę wrzuciła do słoika z napisem „Napiwki na czesne" i kontynuowała
przechadzkę wzdłuż rzeki Charles.

Przed wieloma laty przerzuciła się na mrożony
jogurt, ponoć zdrowszą alternatywę, zapominając,
jak gęste, kremowe i niebiańsko smaczne były lody.
Jedząc i idąc, rozmyślała o tym, co właśnie zobaczyła
w Domu Opieki Mount Auburn Manor. Potrzebowała lepszego planu, takiego, który nie wymagałby
od niej gry w kręgle z Evelyn z Oddziału Specjalnej Opieki nad Chorymi. Musiała wymyślić coś,
co nie kosztowałoby Johna fortuny, żeby utrzymać
przy życiu kobietę, która go nie rozpoznaje i nawet
jemu samemu pod wieloma względami wydaje się
obca. Nie chciała się tam znaleźć w takim stanie,
gdy brzemię, zarówno emocjonalne, jak i finansowe,
całkowicie przeważy szalę jej odejścia z domu.

Popełniała błędy i z całych sił starała się je
wszystkim wynagrodzić, była jednak pewna, że
jej IQ spadło co najwyżej do standardowego poziomu. Ale przecież ludzie z przeciętnym ilorazem in-
teligencji się nie zabijali. No cóż, może niektórzy,
jednak nie z powodów związanych z IQ.

Pomimo nasilających się ograniczeń pamięci, jej
mózg pod niezliczonymi względami wciąż dobrze
służył Alice. Na przykład, dokładnie w tej chwili
jadła lody, nie upuszczając przy tym ani jednej kro-

pli na wafelek czy też dłoń, używając znanej z dzieciństwa techniki „poliż-obróć", która stała się dla niej automatyczna i która najprawdopodobniej była przechowywana w mózgu gdzieś w pobliżu informacji o tym, jak jeździć na rowerze albo jak zawiązać sznurówkę. Kiedy zeszła z chodnika i przeszła przez ulicę, jej kora pierwotna odpowiedzialna za ruch oraz móżdżek dokonały skomplikowanych równań matematycznych, potrzebnych do przemieszczenia ciała na drugą stronę ulicy, unikając przewrócenia się albo potrącenia przez samochód. Rozpoznała słodki zapach narcyzów oraz delikatny powiew curry wydobywający się z hinduskiej restauracji na rogu. Z każdym liźnięciem rozkoszowała się przepysznym smakiem czekolady i orzechów, demonstrując nienaruszone funkcjonowanie neuronów odpowiedzialnych za doznawanie przyjemności, tych samych, które odpowiadają za odczuwanie radości z seksu czy też z wypicia butelki dobrego wina. Jednak w którymś momencie zapomni, jak się je loda w wafelku, zapomni, jak się wiąże sznurowadło i jak się chodzi. W którymś momencie jej neurony przyjemności zostaną uszkodzone przez gwałtowny atak nagromadzonych amyloid i nie będzie już w stanie czerpać radości z rzeczy, które kocha. W pewnym momencie wszystkie przyjemne momenty znikną.

Żałowała, że nie chorowała na raka. W jednej chwili zamieniłaby Alzheimera na nowotwór. Wstyd jej było, że tak właśnie czuła i z całą pewnością targowanie się w tej kwestii było bezcelowe, jednak i tak pozwoliła sobie na te fantazje. Mając raka, mogłaby z nim walczyć. Mogłaby poddać się operacji, naświetlaniom albo chemioterapii. Istniała szansa, że może wygrać. Jej rodzina oraz społeczność uniwersytecka – wszyscy wspieraliby ją oraz uznaliby jej walkę za szlachetną. I nawet gdyby ostatecznie poległa w tym starciu, to mogłaby spojrzeć im wszystkim w oczy i pożegnać się, zanim odejdzie.

Choroba Alzheimera była zupełnie inną bestią. Nie istniała żadna broń, którą można by ją było pokonać. Przyjmowanie Ariceptu oraz Namendy było niczym próba ugaszenia rozszalałego pożaru przeciekającym pistoletem na wodę. John w dalszym ciągu szukał informacji o lekach w fazie badań klinicznych, jednak Alice wątpiła, aby jakikolwiek z nich był gotowy do użycia i mógł znacząco poprawić jej stan zdrowia. W przeciwnym razie John już dawno rozmawiałby o tym z doktorem Davisem, nalegając, aby jak najszybciej jej go podali. Obecnie każdego, kto chorował na Alzheimera, spotykał ten sam los, bez względu na to, czy miał osiemdziesiąt dwa czy pięćdziesiąt lat, czy był pensjonariuszem Mount Auburn Manor czy też wykładowcą psychologii na

Harvardzie. Rozszalały pożar pochłaniał wszystkich. Nikt nie uchodził z niego żywy.

Podczas gdy łysa głowa i różowa wstążka były postrzegane jako odznaka odwagi i nadziei, jej ograniczone słownictwo i zanikającą pamięć postrzegano jako zaburzenia psychiczne i niepoczytalność. Pacjenci chorujący na raka mogli spodziewać się wsparcia ze strony swojej społeczności. Alice spodziewała się, że zostanie potraktowana jak wyrzutek. Nawet ci wykształceni i z dobrymi intencjami często ze strachu trzymali się na dystans od chorych umysłowo. Nie chciała stać się kimś, kogo ludzie baliby się i unikali.

Akceptując fakt, że naprawdę chorowała na Alzheimera, że mogła liczyć jedynie na dwa nieskuteczne leki dostępne na rynku i że nie mogła się z kimś zamienić na jakąś inną, uleczalną chorobę, czego tak naprawdę chciała? Zakładając, że metoda in vitro poskutkuje, chciała żyć, by wziąć dziecko Anny w ramiona i wiedzieć, że to jej wnuk. Chciała zobaczyć Lydię występującą w sztuce i być z niej dumna. Chciała zobaczyć, jak Tom się zakochuje. Chciała iść na jeszcze jeden roczny urlop naukowy z Johnem. Chciała przeczytać tyle książek, ile było to możliwie, dopóki była jeszcze w stanie.

Uśmiechnęła się nieznacznie, zaskoczona wyznaniami, które właśnie ujawniła przed samą sobą. Na dzisiejszej liście spraw do załatwienia nie było nic na temat lingwistyki, zajęć czy Harvardu. Zjadła ostatni kawałek wafelka. Chciała więcej słonecznych, dwudziestostopniowych dni i lodów w wafelku.

A kiedy brzemię jej choroby przyćmi przyjemność płynącą z jedzenia letniego przysmaku, wtedy będzie chciała umrzeć. Jednak czy będzie, dosłownie mówiąc, świadoma, kiedy to nastąpi? Obawiała się, iż w przyszłości nie będzie w stanie zapamiętać i zrealizować tego planu. Zwrócenie się do Johna albo do któregokolwiek z dzieci o pomoc w tej kwestii nie wchodziło w rachubę. Nigdy nie postawiłaby nikogo z nich w takiej sytuacji.

Potrzebowała planu, dzięki któremu za jakiś czas popełniłaby zaplanowane teraz samobójstwo. Musiała ułożyć prosty test, który sama będzie mogła codziennie rozwiązywać. Pomyślała o pytaniach, jakie zadali jej doktor Davis i neuropsycholog, tych, na które nie potrafiła odpowiedzieć już w grudniu. Pomyślała o tym, czego nadal pragnęła. Intelektualna błyskotliwość nie była potrzebna do żadnej z tych rzeczy. Chciała żyć dalej pomimo olbrzymich dziur w pamięci krótkotrwałej.

Wyjęła BlackBerry z błękitnej torby, którą dostała od Lydii na urodziny. Nosiła ją codziennie, przewieszoną przez lewe ramię, spoczywającą na jej prawym biodrze. Torba stała się dla niej nieodzownym dodatkiem, zupełnie jak platynowa obrączka i zegarek. Idealnie się komponowała z naszyjnikiem z motylem. Wewnątrz trzymała telefon komórkowy oraz klucze. Ściągała ją tylko wtedy, gdy szła spać.

Napisała:

Alice, odpowiedz na poniższe pytania:
1. Jaki mamy miesiąc?
2. Gdzie mieszkasz?
3. Gdzie znajduje się twój gabinet?
4. Kiedy urodziła się Anna?
5. Ile masz dzieci?

Jeżeli odpowiedź na któreś z pytań sprawia ci problemy, odszukaj w swoim komputerze plik o nazwie Motyl i natychmiast zastosuj się do umieszczonych tam instrukcji:

Ustawiła budzik na wibracje i włączyła w swoim kalendarzu spotkań przypomnienie, tak aby włączał się codziennie, bez daty końcowej, o ósmej rano. Uświadomiła sobie, że występowało mnóstwo potencjalnych problemów w związku z tym systemem, że nie był on niezawodny. Miała jednak nadzieję, że uda jej się otworzyć folder „Motyl", zanim jej umysł ogarnie zupełne otępienie.

Biegła na zajęcia z nadzieją, że choć z całą pewnością była już spóźniona, to jednak nikt nie rozpocznie bez niej. Usiadła w ławce, w czwartym rzędzie od tyłu po lewej stronie. Kilkoro studentów wchodziło powoli przez tylne drzwi, jednak większość grupy czekała już gotowa na miejscach. Spojrzała na zegarek. Pięć po dziesiątej. Zegar na ścianie potwierdzał ten fakt. To było najbardziej niezwykłe. Znalazła sobie zajęcie. Rzuciła okiem na plan studiów i przejrzała notatki z ostatnich zajęć. Spisała listę rzeczy do zrobienia na resztę dnia:

Laboratorium
Seminarium
Bieganie
Przygotować się do końcowego egzaminu

Dziesięć po dziesiątej. Stukała długopisem w rytm melodii *My Sharona*.

Studenci wiercili się, byli niespokojni. Sprawdzali notatki i godzinę na zegarze ściennym, kartkowali podręczniki i zamykali je, włączali laptopy, klikali i pisali coś. Zdążyli wypić swoje kawy. Szeleścili, otwierając opakowania batoników, chipsów i innych przekąsek. Zaczynali jeść. Obgryzali długopisy i paznokcie. Wyginali się, spoglądając na tył sali, przechylali się do kolegów w innych rzędach, by się skonsultować, unosili brwi i wzruszali ramionami. Szeptali i chichotali.

– Może mamy gościnny wykład – powiedziała dziewczyna siedząca kilka rzędów za Alice.

Alice ponownie otworzyła plan zajęć z Motywacji i emocji. Wtorek, czwarty maja: „Stres, bezradność i kontrola" (rozdział 12 i 14). Ani wzmianki o gościnnym wykładzie. Energia wypełniająca salę przemieniła się z oczekiwania w niezręczne napięcie. Byli jak ziarenka kukurydzy na rozgrzanej patelni. Kiedy jedno wystrzeli, reszta pójdzie w jego ślady, jednak nikt nie wiedział, kto będzie pierwszy i kiedy to nastąpi. Oficjalny regulamin Harvardu głosił, iż studenci powinni poczekać dwadzieścia minut na spóźnionego wykładowcę, zanim zajęcia zostaną oficjalnie uznane za odwołane. Nie obawiając się brzemienia bycia pierwszą, Alice zamknęła notes, schowała pióro i resztę swoich rzeczy do torby. Dwadzieścia jeden po dziesiątej. Czekała wystarczająco długo.

Kiedy obróciła się, by wyjść, ujrzała cztery dziewczyny, które siedziały za nią. Wszystkie patrzyły na nią i uśmiechały się, prawdopodobnie z wdzięczności, iż zdjęła z nich presję i je wyzwoliła. Dotknęła swojego zegarka, pokazującego zawsze dokładną godzinę.

– Nie wiem jak wy, ale ja mam lepsze rzeczy do roboty.

Podeszła do schodów, wyszła przez tylne drzwi audytorium, nie odwracając się za siebie.

Siedziała w swoim gabinecie, przyglądając się błyszczącemu w słońcu, wlokącemu się w godzinach szczytu sznurowi samochodów wzdłuż Memorial Drive. Poczuła wibracje na biodrze. Była ósma rano. Wyjęła BlackBerry z błękitnej torby.

Alice, odpowiedz na poniższe pytania:
1. Jaki mamy miesiąc?
2. Gdzie mieszkasz?
3. Gdzie znajduje się twój gabinet?
4. Kiedy urodziła się Anna?
5. Ile masz dzieci?

Jeżeli odpowiedź na któreś z pytań sprawia ci problemy, odszukaj w swoim komputerze plik o nazwie Motyl i natychmiast zastosuj się do umieszczonych tam instrukcji:

1. Maj
2. 34 Poplar Street, Cambridge, MA 02138
3. William James Hall, pokój 1002
4. 14 września 1976
5. Troje

CZERWIEC 2004

Starsza kobieta z jaskraworóżowymi paznokciami i ustami w tym samym kolorze łaskotała małą dziewczynkę w wieku około pięciu lat, która najprawdopodobniej była jej wnuczką. Napis pod reklamą głosił: „Numer jeden wśród łaskotaczy zażywa numer jeden wśród najlepszych z zalecanych leków na Alzheimera". Alice przeglądała czasopismo, jednak teraz nie była w stanie przejść do następnej strony. Przepełniała ją nienawiść do tej kobiety i do tej reklamy. Przyglądała się obrazkowi i słowom, czekając, aż myśli nadążą za tym, co już wewnętrznie czuła, jednak zanim była w stanie pojąć, co to takiego, doktor Moyer otworzyła drzwi gabinetu.

– Alice, mówisz, że dokuczają ci problemy ze snem. Co się dzieje?

– Zanim zasnę, mija przeszło godzina, budzę się kilka godzin później i znowu przechodzę przez to od początku.

– Odczuwasz może uderzenia gorąca lub fizyczny dyskomfort w czasie snu?

– Nie.

– Jakie leki przyjmujesz?

– Aricept, Namendę, Lipitor, witaminę C i E oraz aspirynę.

– Cóż, niestety, bezsenność może być skutkiem ubocznym Ariceptu.

– Dobrze, ale ja nie odstawię Ariceptu.

– Co robisz, kiedy nie możesz zasnąć?

– Zazwyczaj leżę w łóżku i się zamartwiam. Wiem, że będzie znacznie gorzej, ale nie wiem, kiedy to nastąpi i martwię się, że pójdę spać, a następnego dnia obudzę się i nie będę wiedziała, gdzie jestem i kim jestem. Wiem, że brzmi to irracjonalnie, jednak nie opuszcza mnie myśl, że Alzheimer może zniszczyć moje komórki mózgowe w czasie snu, więc tak długo, jak jestem przytomna i w pewnym sensie czuwam, wierzę, że mój stan się nie pogorszy. Wiem, że całe to zamartwianie się nie daje mi zasnąć, jednak nic na to nie poradzę. Kiedy zasypiam, zaczynam się martwić, a wtedy nie mogę spać, ponieważ się denerwuję. Samo mówienie o tym sprawia, że czuję się wyczerpana.

Tylko część tego, co właśnie powiedziała, było prawdą. Naprawdę się martwiła. Jednak sypiała jak niemowlę.

– Czy ten niepokój dokucza ci również w ciągu dnia?

– Nie.

– Mogę przepisać ci SSRI.

– Nie potrzebuję środków na poprawę nastroju. Nie mam załamania nerwowego.

Prawdę powiedziawszy, mogła mieć lekką depresję. Zdiagnozowano u niej śmiertelną, nieuleczalną chorobę. Jej córka w przyszłości również była na nią narażona. Niemal całkowicie przestała podróżować, a jej niegdyś pełne dynamiki wykłady stały się nieznośnie nudne. Nawet John, kiedy przebywał razem z nią, wydawał się być miliony kilometrów dalej. Więc tak, była trochę smutna. Jednak to wydawało się całkiem normalne i – zważywszy na sytuację – nie stanowiło powodu, by zacząć przyjmować kolejny lek i dopisać kolejne skutki uboczne do listy. Nie po to tu przyszła.

– Mogę przepisać ci Restoril, po jednej tabletce na noc. Pozwoli ci szybko zasnąć, sprawi, że będziesz spać przez około sześć godzin i rano nie powinnaś czuć się półprzytomna.

– Chcę coś mocniejszego.

Nastąpiła długa cisza.

– Wydaje mi się, że powinnaś przyjść tutaj z mężem, wtedy możemy porozmawiać o przepisaniu ci silniejszego leku.

– To nie dotyczy Johna. Nie mam depresji i nie jestem zdesperowana. Mam świadomość, o co cię proszę, Tamaro.

Doktor Moyer bacznie przyglądała się jej twarzy. Alice patrzyła na nią. Obie miały więcej niż czterdzieści lat, wciąż były w kwiecie wieku, obie były zamężnymi, świetnie wykształconymi w swoim zawodzie kobietami. Alice nie wiedziała, czego może się spodziewać po swojej lekarce. Jeżeli będzie musiała, znajdzie innego lekarza. Jej demencja się pogłębiała. Nie mogła sobie pozwolić na czekanie. Mogła o tym zapomnieć.

Przygotowała sobie dodatkowy argument, jednak nie musiała z niego korzystać. Doktor Moyer wyjęła bloczek z receptami i zaczęła pisać.

PONOWNIE ZNALAZŁA SIĘ w maleńkim pokoju, gdzie przeprowadzano testy z neuropsychologiem, Sarą Jakąśtam. Przed chwilą Sara po raz kolejny przedstawiła się jej, jednak Alice natychmiast zapomniała, jak miała na nazwisko. To nie był dobry znak. Jednak pokój był taki sam, jakim go zapamiętała, gdy tu była w styczniu – ciasny, sterylny i surowy. Na środku stało biurko, a na nim komputer, obok znajdowały się dwa plastikowe krzesełka i metalowa szafka na dokumenty. Nic więcej. Żadnych okien, roślin, żadnych obrazów, kalendarza na ścianach czy biurku. Żadnych rzeczy, które mogłyby rozproszyć jej uwagę, żadnych podpowiedzi, żadnych szans na skojarzenia.

Sara Jakaśtam zaczęła od pytania, które brzmiało niemal jak początek zwykłej rozmowy.

– Ile masz lat, Alice?

– Pięćdziesiąt.

– Kiedy skończyłaś pięćdziesiątkę?

– Jedenastego października.

– Jaką mamy teraz porę roku?

– Wiosnę, jednak pogoda jest prawie taka jak w lecie.

– Wiem, na dworze jest dzisiaj bardzo gorąco. Gdzie się teraz znajdujemy?

– Na Oddziale Zaburzeń Pamięci w Mass General Hospital, w Bostonie, w stanie Massachusetts.

– Czy możesz nazwać cztery rzeczy, które widzisz na tym obrazku?

– Książka, telefon, koń, samochód.

– A jak się nazywa ta rzecz na mojej koszuli?

– Guzik.

– A ta rzecz na moim palcu?

– Pierścionek.

– Przeliteruj, proszę, słowo *mleko* od tyłu.

– O-K-E-L-M.

– A teraz powtórz za mną: kto, co, kiedy, gdzie, dlaczego.

– Kto, co, kiedy, gdzie, dlaczego.

– Podnieś dłoń, zamknij oczy i otwórz usta.

Zrobiła, o co ją poproszono.

– Alice, przypomnij mi, jakie cztery rzeczy widziałaś na obrazku.

– Konia, samochód, telefon i książkę.

– Świetnie, a teraz zapisz, proszę, to zdanie.

Nie mogę uwierzyć, że któregoś dnia nie będę w stanie tego zrobić.

– Świetnie, a teraz w ciągu minuty wymień jak najwięcej słów zaczynających się na literę *p*.

– Peter, piłka, przygłup, przyjaźń. Przetrwać, przeboleć. Przelecieć. Przepyszny. Piłka. Ojejku, już to powiedziałam. Powiedzieć. Przestraszyć.

– A teraz wymień jak najwięcej słów zaczynających się na literę *k*.

– Kąpać. Koniec. Karuzela. Kapelusz. Konflikt, konfitura, koń. Kurwa – zaśmiała się, zaskoczona tym, co powiedziała. – Przepraszam za to.

Przepraszam zaczyna się na p.

– W porządku, mnie samej czasami też się to zdarza.

Alice zastanawiała się, ile słów była w stanie wyrecytować rok temu. Zastanawiała się, ile słów na minutę uważano za normę.

– A teraz wymień jak najwięcej warzyw, które znasz.

– Szparagi, brokuły, kalafior. Por, cebula. Papryka. Papryka, sama nie wiem, nic więcej nie przychodzi mi do głowy.

– Ostanie pytanie. Wymień jak najwięcej czteronożnych zwierząt, które znasz.

– Psy, koty, lwy, tygrysy, niedźwiedzie. Zebry, żyrafy. Gazele.

– Przeczytaj teraz to na głos.

Sara Jakaśtam wręczyła jej kartkę papieru.

– We wtorek, drugiego lipca, w Santa Ana w stanie Kalifornia, z powodu pożaru zamknięto lotnisko imienia Johna Wayne'a, w wyniku czego trzydziestu pasażerów, w tym sześcioro dzieci i dwóch strażaków, utknęło na lotnisku – odczytała Alice.

To był test zapamiętywania historii, który sprawdzał zdolności pamięciowe.

– Podaj mi teraz tyle szczegółów o fragmencie, który właśnie przeczytałaś, ile możesz.

– We wtorek, drugiego lipca, w Santa Ana w stanie Kalifornia, pożar uwięził trzydziestu pasażerów na lotnisku, w tym sześcioro dzieci i dwóch strażaków.

– Świetnie. A teraz pokażę ci serię obrazków na kartach, a twoim zadaniem jest podanie mi ich nazwy.

Bostoński Test Nazywania.

– Teczka, wiatraczek, teleskop, igloo, klepsydra, nosorożec (*czteronożne zwierzę*). Rakieta. Zaraz, poczekaj, wiem, co to jest, to jest drabinka do roślin. Kratka? Nie. Treliaż! Akordeon, precel, grzechotka. Zaraz, poczekaj chwilę. Mamy coś takiego w naszym ogródku w Cape Cod. Wisi pomiędzy drzewami i się na tym leży. Nie hangar. Hak? Nie. Boże, zaczyna się na *h*, ale nie przypomnę sobie.

Sara Jakaśtam sporządziła adnotację w swoim arkuszu ocen. Alice chciała jej powiedzieć, że to pominięcie mogło być tak samo objawem Alzheimera, jak i kwestią zwyczajnej blokady. Nawet kompletnie zdrowi studenci najnormalniej w świecie zapominali czasem słów.

– W porządku, kontynuuj.

Alice bez jakichkolwiek przeszkód wymieniła nazwy pozostałych rzeczy z obrazków, jednak nadal nie potrafiła aktywować neuronu, który zakodował brakującą nazwę siatki do spania. Wisi przecież taka pomiędzy dwoma świerkami w ich ogródku w Chatham. Alice pamiętała wiele odbytych tam wraz z Johnem popołudniowych drzemek, przyjemność płynącą z wylegiwania się w cieniu, kiedy twarz owiewał jej lekki, chłodny wiatr; to jak leżała wtulona w jego ramiona, wdychając znajomy zapach płynu do płukania tkanin na jego bawełnianej koszuli wymieszany z letnim zapachem jego opalonej w słońcu i słonej od morskiego powietrza skóry. Pamiętała to wszystko, ale nie potrafiła sobie przypomnieć cholernej rzeczy na *h*, na której leżeli.

Bez problemów ukończyła Test Wechslera, Test Matryc Ravena, przebrnęła przez Krzywą Uczenia się Łurii, Efekt Stroopa oraz poradziła sobie z Testem Pamięci Wzrokowej Bentona. Spojrzała na zegarek. Siedziała w tym maleńkim pokoju od przeszło godziny.

– Dobrze, Alice, teraz chcę, abyś wróciła pamięcią do historyjki, którą wcześniej przeczytałaś. Co możesz mi o niej powiedzieć?

Zaczęła ogarniać ją panika i poczuła zwalisty ciężar tuż nad przeponą, który sprawiał, że z trudem mogła złapać oddech. Albo ścieżki prowadzące do szczegółów historyjki były zablokowane, albo brakowało jej elektrochemicznej siły, aby wystarczająco głośno zapukać w drzwi neuronów, by ją usłyszały. Poza szpitalem mogła poszukać potrzebnej informacji w swoim BlackBerry. Mogła przeczytać ponownie e-maile i napisać przypomnienia na samoprzylepnych karteczkach. Mogła polegać na szacunku, jaki zapewniało jej stanowisko na Harvardzie. Będąc poza tym maleńkim pokojem, mogła ukryć swoje zablokowane ścieżki i słabe sygnały nerwowe. I chociaż wiedziała, że testy te miały na celu odkrycie obszarów, do których nie miała dostępu, zupełnie się tego nie spodziewając, poczuła się zażenowana.

– Niestety, nie pamiętam za wiele.

Oto i był, jej Alzheimer, nagusieńki i w całej okazałości, wystawiony na pokaz w świetle fluorescencyjnym, by Sara Jakaśtam mogła mu się dokładnie przypatrzeć i go ocenić.

– Nic nie szkodzi, powiedz mi to, co pamiętasz, cokolwiek.

– Cóż, wydaje mi się, że rzecz się działa na lotnisku.

– Czy wydarzenia te miały miejsce w niedzielę, poniedziałek, wtorek czy też w środę?

– Nie pamiętam.

– W takim razie zgadnij.

– W poniedziałek.

– Czy występował tam huragan, powódź, pożar czy też lawina?

– Pożar.

– Czy wydarzenia w historyjce miały miejsce w kwietniu, maju, czerwcu czy lipcu?

– W lipcu.

– Które lotnisko zamknięto: Johna Wayne'a, Dulles czy LAX?

– LAX.

– Ilu podróżnych utknęło na lotnisku: trzydziestu, czterdziestu, pięćdziesięciu czy sześćdziesięciu?

– Nie wiem, sześćdziesięciu.

– Ile dzieci utknęło na lotnisku: dwoje, czworo, sześcioro czy ośmioro?

– Ośmioro.

– Kto jeszcze tam utknął: dwójka strażaków, dwójka policjantów, dwójka biznesmenów czy dwójka nauczycieli?

– Dwójka strażaków.

– Świetnie, to by było na tyle. Odprowadzę cię do doktora Davisa.

Świetnie? Czy to możliwe, że pamiętała historyjkę, ale o tym nie wiedziała?

Weszła do gabinetu doktora Davisa i ku swemu zaskoczeniu zastała tam Johna siedzącego na krześle, które stało puste w czasie jej dwóch poprzednich wizyt. Wszyscy byli już w komplecie. Alice, John i doktor Davis. Nie mogła uwierzyć, że to się działo naprawdę, że to było jej życie, że była chorą kobietą odbywającą wizytę u swojego neurologa w towarzystwie męża. Czuła się niemal jak postać w sztuce, jakby tylko odgrywała rolę kobiety z Alzheimerem. Jej mąż trzymał na kolanach scenariusz. Z tą różnicą, że to nie był scenariusz, to była ankieta na temat czynności życia codziennego. (Wnętrze gabinetu doktora Davisa. Neurolog siedzi naprzeciwko męża kobiety. Wchodzi kobieta).

– Usiądź, Alice. Właśnie rozmawialiśmy sobie z Johnem.

John kręcił obrączką, jego prawa noga podrygiwała, wprawiając krzesło Alice w drżenie. Chciała porozmawiać z mężem na osobności, by dowiedzieć się, co zaszło i ustalić wzajemne wersje wydarzeń. Chciała mu również powiedzieć, żeby przestał nią potrząsać.

– Jak się czujesz? – zapytał doktor Davis.

– Dobrze.

Uśmiechnął się do niej. To był przyjazny gest, który złagodził jej zdenerwowanie.

– Okay, jak z twoją pamięcią? Czy od ostatniej wizyty wystąpiły jakieś dodatkowe objawy lub zmiany?

– Cóż, powiedzmy, że mam trudności z kontrolowaniem swojego terminarza. Przez cały czas muszę korzystać z pomocy mojego BlackBerry oraz listy rzeczy do zrobienia. Nienawidzę też rozmawiać przez telefon. Jeżeli nie widzę osoby, z którą rozmawiam, mam olbrzymie trudności ze zrozumieniem. Zazwyczaj gubię się w tym, co ktoś do mnie mówi, kiedy staram się nadążyć za słowami.

– A co z twoją dezorientacją, pojawiły się jakieś nowe wydarzenia, kiedy towarzyszyły ci uczucia zagubienia lub zdezorientowania?

– Nie. Cóż, czasami jestem zdezorientowana i nie wiem, jaką mamy porę dnia, nawet kiedy spoglądam na zegarek, jednak koniec końców dochodzę do tego. Poszłam kiedyś do pracy przekonana, że był ranek, i dopiero kiedy wróciłam do domu, uświadomiłam sobie, że był środek nocy.

– Kiedy to było? – zapytał John.

– Nie wiem, wydaje mi się, że w zeszłym miesiącu.

– A gdzie ja wtedy byłem?

– Spałeś.

– Ali, dlaczego dopiero teraz się o tym dowiaduję?

– Bo ja wiem? Może zapomniałam ci powiedzieć? Uśmiechnęła się, jednak to go nie uspokoiło. Chyba wręcz przeciwnie – niepokój narastał w nim coraz bardziej.

– Tego rodzaju dezorientacja i nocne spacery są dosyć częste i mogą się powtarzać. Zastanówcie się nad przymocowaniem dzwoneczka lub czegoś podobnego do drzwi wejściowych, czegoś, co obudzi Johna, gdyby drzwi się otworzyły w środku nocy. Powinniście również zgłosić się do programu Bezpieczny Powrót. Koszt to około czterdzieści dolarów, a w zamian dostaniecie bransoletkę z osobistym numerem identyfikacyjnym.

– Mam w komórce zapisany numer do Johna i zawsze noszę ją w torbie przy sobie.

– Okay, to dobrze, jednak co się stanie, jeśli bateria się rozładuje albo John będzie miał wyłączony telefon, a ty się zgubisz?

– Mam też w torbie kartkę papieru z imieniem i nazwiskiem moim oraz Johna, naszym adresem i z numerami telefonów.

– To będzie zdawało egzamin tak długo, jak będziesz ją nosić ze sobą. Możesz zapomnieć zabrać torby. O bransoletce nie będziesz musiała pamiętać.

– To dobry pomysł – powiedział John. – Dostanie taką.

– Co z lekami, przyjmujesz wszystkie dawki?

– Tak.

– Jakieś skutki uboczne, nudności, zawroty głowy?

– Nie.

– Nadal regularnie ćwiczysz?

– Tak, wciąż biegam, około ośmiu kilometrów, zazwyczaj codziennie.

– John, a ty biegasz?

– Nie, jedyne co robię, to chodzę pieszo do pracy.

– Sądzę, że to dobry pomysł, abyś rano biegał z nią. Badania na zwierzętach wskazują, że same ćwiczenia mogą spowolnić gromadzenie się beta-amyloidu i pogarszania się funkcjonowania poznawczego.

– Widziałam te badania – powiedziała Alice.

– Tak więc biegaj dalej. Chciałbym jednak, abyś robiła to z mężem, w ten sposób nie będziemy musieli martwić się tym, że się zgubisz lub odpuścisz poranny trening, ponieważ o nim zapomniałaś.

– Zacznę z nią biegać.

John tego nienawidził. Grał w squasha, tenisa i okazjonalnie w golfa, jednak nigdy nie biegał. Z całą pewnością pod względem umysłowym mógł ją teraz zostawić w tyle, jednak pod względem fizycznym wyprzedzała go o lata świetlne. Spodobał jej się pomysł doktora Davisa, jednak wątpiła, czy John dotrzyma obietnicy.

– Jak twoje samopoczucie, jak się czujesz?

– Na ogół dobrze. Często jestem sfrustrowana i wyczerpana nadążaniem za wszystkim. Martwię się też przyszłością. Poza tym czuję się tak samo, a w sumie to nawet lepiej pod paroma względami, odkąd powiedziałam Johnowi i dzieciom o chorobie.

– Powiedziałaś już komuś na Harvardzie?

– Jeszcze nie.

– Byłaś w stanie poprowadzić swoje zajęcia i podołać wszystkim obowiązkom zawodowym w tym semestrze?

– Tak, kosztowało mnie to znacznie więcej wysiłku niż w ubiegłym semestrze, ale tak.

– Sama podróżowałaś na spotkania i wykłady?

– Przestałam podróżować. Odwołałam dwa wykłady na uniwersytecie i odpuściłam sobie poważną konferencję w kwietniu, nie pojadę również w tym miesiącu do Francji. Zazwyczaj dużo podróżuję latem, oboje wyjeżdżamy, jednak w tym roku całe lato spędzimy w naszym domu w Chatham. Jedziemy tam w przyszłym miesiącu.

– To brzmi świetnie. Wygląda na to, że latem będziesz miała zapewnioną dobrą opiekę. Naprawdę uważam, że powinnaś pomyśleć o tym, aby jesienią poinformować kolegów na Harvardzie i być może zmienić również zakres swojej pracy. Wydaje mi się także, że podróżowanie w pojedynkę nie wchodzi obecnie w rachubę.

Przytaknęła głową. Obawiała się września.

– Jest również kilka spraw prawnych, o których powinnaś teraz pomyśleć, o wytycznych na przyszłość, takich jak pełnomocnictwo i testament. Rozważałaś już może kwestię przekazania swojego mózgu w celach naukowych?

Myślała o tym. Wyobraziła sobie swój mózg, pozbawiony krwi, zanurzony w formalinie, w dłoniach jakiegoś studenta medycyny. Wykładowca wskazuje różne bruzdy i zakręty, omawiając położenie kory somatosensorycznej, słuchowej i wzrokowej. Zapach oceanu, głosy jej dzieci, dłonie i twarz Johna. Wyobraziła je sobie pocięte na cienkie plastry, niczym szynka, przywierające do ścian słoika. Tak przygotowane, powiększone komory mózgu robiłyby wrażenie. Puste przestrzenie, w których kiedyś była.

– Tak, chcę to zrobić.

John wzdrygnął się.

– Dobrze, zanim wyjdziesz, dam ci dokumenty do wypełnienia. John, mogę prosić o ankietę, którą trzymasz?

Co on tam o mnie napisał? Nigdy o tym nie rozmawiali.

– Kiedy Alice powiedziała ci o diagnozie?

– Zaraz po tym, jak jej pan o tym powiedział.

– Dobrze, jak według ciebie radzi sobie od tego czasu?

– Bardzo dobrze, tak mi się wydaje. Prawdą jest to, co powiedziała odnośnie do rozmów telefonicznych. Nie odbiera już wcale telefonów. Albo ja to robię, albo pozwala, by wiadomość nagrała się na automatyczną sekretarkę. Nie rozstaje się ze swoim BlackBerry, zupełnie jakby była do niego przyklejona. Czasami sprawdza coś w nim co parę minut, zanim wyjdzie z domu. Trudno mi to oglądać.

Wychodziło na to, że coraz częściej nie mógł na nią patrzeć. Kiedy jednak patrzył, to bardziej okiem obserwatora, zupełnie jakby była jednym z jego laboratoryjnych szczurów.

– Jest coś jeszcze, coś, o czym Alice nie wspomniała?

– Nic nie przychodzi mi do głowy.

– Co z jej samopoczuciem i osobowością, zauważyłeś jakiś zmiany?

– Nie, jest taka sama jak przedtem. Może trochę bardziej wycofana. I jest spokojniejsza, nie inicjuje już rozmów tak często.

– A jak ty się czujesz?

– Ja? Dobrze.

– Mam dla ciebie zestaw informacji o naszej grupie wsparcia dla opiekunów, możesz je przejrzeć w domu. Denise Daddario jest pracownikiem opieki społecznej. Powinieneś się z nią spotkać i powiedzieć jej, co się dzieje.

– Mam się z nią spotkać?

– Tak.

– Naprawdę nie trzeba, nic mi nie jest.

– Dobrze, tak czy inaczej, te materiały są dla ciebie, gdybyś ich potrzebował. A teraz mam jeszcze kilka pytań do Alice.

– Chciałbym porozmawiać o dodatkowych formach leczenia i lekach w fazie testów klinicznych – powiedział John.

– Dobrze, ale najpierw skończymy testy. Alice, jaki mamy dzisiaj dzień tygodnia?

– Poniedziałek.

– Kiedy się urodziłaś?

– Jedenastego października 1953 roku.

– Kto jest wiceprezydentem Stanów Zjednoczonych?

– Dick Cheney.

– Dobrze, teraz podam ci nazwisko i adres, a twoim zadaniem jest je powtórzyć. Następnie, poproszę cię później, abyś powtórzyła jej ponownie. Gotowa? John Black, 42 West Street, Brighton.

– To samo, co ostatnio.

– Zgadza się, bardzo dobrze. Możesz je teraz dla mnie powtórzyć?

– John Black, 42 West Street, Brighton.

John Black, 42 West Street, Brighton.

*John nie cierpi mojego **Black**Berry, Lydia nie występuje w **western**ach, Tom mieszka w **Brighton**, osiem lat temu miałam **czterdzieści dwa** lata.*

John Black, 42 West Street, Brighton.

– Dobrze, teraz policz do dwudziestu i z powrotem od tyłu.

Policzyła.

– Teraz pokaż na palcach lewej dłoni, która litera alfabetu odpowiada pierwszej literze miasta w którym mieszkasz.

Powtórzyła sobie polecenie w głowie i wykonała znak pokoju palcem wskazującym i środkowym.

– Dobrze. A teraz powiedz, jak się nazywa ta rzecz przy moim zegarku.

– Pasek.

– Dobrze, teraz napisz na kartce papieru zdanie o tym, jaką mamy dzisiaj pogodę.

Jest mgliście, gorąco i parno.

– Na drugiej stronie narysuj zegar przedstawiający godzinę za piętnaście czwartą.

Narysowała duże koło i wstawiła w nie liczby, zaczynając od dwunastej.

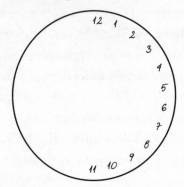

– Ojejku, narysowałam za duże koło.
Zamazała je.

3:45

– Nie, nie cyfrowo. Chcę, abyś narysowała zegar analogowy – powiedział doktor Davis.

– Chce pan sprawdzić, czy potrafię rysować czy też, czy potrafię odczytać godzinę? Jeżeli narysuje mi pan tarczę zegara, pokażę 3:45. Nigdy nie byłam dobra w rysowaniu.

Kiedy Anna miała trzy lata, uwielbiała konie i błagała Alice, aby malowała je dla niej. Interpretacje Alice, w najlepszym wypadku, wyglądały jak postmodernistyczne smoko-psy i nigdy nie zaspokajały nawet najbardziej wybujałej, wspaniałomyślnie akceptującej niemal wszystko wyobraźni przedszkolaka. *Nie, mamusiu, nie to, narysuj mi konia.*

– Tak naprawdę, Alice, to interesują mnie obie te rzeczy. Alzheimer dosyć wcześnie dotyka płatu ciemieniowego, a tam właśnie przechowywane są nasze wewnętrzne reprezentacje przestrzeni ekstrapersonalnej. John, właśnie dlatego chcę, abyś z nią biegał.

Mężczyzna skinął głową. Zmówili się przeciwko niej.

– John, wiesz przecież, że nie potrafię rysować.

– Alice, masz narysować zegar, nie konia.

Zaskoczona faktem, że nie stanął w jej obronie, spoglądała na niego z podniesionymi brwiami, dając mu drugą szansę na zweryfikowanie jej całkowicie słusznego stanowiska. Odwzajemnił spojrzenie i zakręcił obrączką na palcu.

– Jeżeli narysuje pan dla mnie ten zegar, to wskażę 3:45.

Doktor Davis narysował na nowej kartce papieru tarczę zegara, a Alice dorysowała wskazówki przedstawiające poprawną godzinę.

– Dobrze, teraz podaj mi nazwisko i adres, które podałem ci wcześniej.

– John Black, ileśtam West Street, Brighton.

– Dobrze, chodziło o ulicę czterdzieści dwa, czterdzieści cztery, czterdzieści sześć czy czterdzieści osiem?

– Czterdzieści osiem.

Doktor Davis zapisał jakiś dłuższy komentarz na kartce papieru z zegarem.

– John, proszę cię, przestań trząść moim krzesłem.

– Dobrze, teraz możemy porozmawiać o opcjach leków w fazie badań klinicznych. W Brigham trwa obecnie kilka badań. Zapisy na to badanie, w którym chciałbym, abyś wzięła udział, zaczynają się w tym miesiącu. Badanie składa się z trzech etapów, a lek nazywa się Amylix. Wydaje się, że specyfik wiąże beta-amyloid, uniemożliwiając jego łączenie się, więc w przeciwieństwie do leków, które przyjmujesz, jest nadzieja, że zapobiegnie to dalszemu postępowaniu choroby. Wyniki drugiego etapu badania były bardzo zachęcające. Był dobrze tolerowany i po roku przyjmowania preparatu funkcjonowanie poznawcze pacjentów wykazywało zanik pogarszania się, a nawet poprawę.

– Zakładam, że stosujecie również placebo? – zapytał John.

– Tak, stosujemy podwójną ślepą próbę, podając lek losowo na przemian z placebo w dwóch dawkach.

Więc równie dobrze mogę dostać zwykłe pigułki. Podejrzewała, że beta-amyloid miał gdzieś zarówno efekt placebo, jak i potęgę pobożnych życzeń.

– Co pan myśli o czynnikach hamujących sekretazy? – zapytał John.

John lubił je najbardziej. Sekretazy były naturalnie występującymi enzymami, które uwalniały normalne, nieszkodliwe poziomy beta-amyloidu. Mutacja występująca u Alice w jej sekretazach preseniliny 1 uniemożliwiała prawidłową regulację i produkowała zbyt dużą ilość beta-amyloidu. Zbyt duża ilość była szkodliwa. Zupełnie niczym odkręcony kran, którego nie można zakręcić, w wyniku czego woda w zlewie zaczyna się szybko przelewać.

– W tej chwili czynniki hamujące sekretazy są albo zbyt toksyczne do użytku klinicznego, albo…

– A co z Flurizanem?

Flurizan był przeciwzapalnym lekiem, takim jak Advil. Myriad Pharmaceuticals twierdzili, że zmniejsza produkcję beta-amyloidu 42. Mniej wody w zlewie.

– Tak, dużo się teraz o nim mówi. Przeprowadzany jest właśnie drugi etap badań, jednak wyłącznie w Kanadzie i w Wielkiej Brytanii.

– Jak się pan zapatruje na to, żeby podać Alice flurbiprofen?

– Nie dysponujemy jeszcze wynikami badań, które stwierdzałby, czy jest skuteczny w leczeniu Alzheimera. Jeżeli Alice zdecyduje się nie zapisywać na próby kliniczne, wtedy, w moim przekonaniu, nie powinien jej zaszkodzić. Jeżeli jednak chce wziąć udział w badaniach, należałby dokładniej zbadać wpływ flurbiprofenu i gdyby się na niego zdecydowała, oznaczałoby to wykluczenie z badań.

– W porządku, a co pan sądzi o przeciwciałach monoklonalnych? – zapytał John.

– Jestem za, jednak badania są dopiero w pierwszej fazie i obecnie nie prowadzi się zapisów na kolejne. Zakładając, że wyniki byłyby pozytywne i tak nikt nie zainicjuje fazy drugiej wcześniej niż na wiosnę przyszłego roku, a mnie zależy na tym, aby Alice zaczęła leczenie tak wcześnie, jak to tylko możliwe.

– Czy kiedykolwiek zalecił pan komuś terapię IVIg? – zapytał John.

Johnowi podobała się również ta opcja. Otrzymana z ofiarowanego osocza krwi dożylna immunoglobulina przeszła już pozytywne badania pod kątem bezpiecznego i skutecznego leczenia obniżonej odporności oraz wielu autoimmunologicznych zaburzeń nerwowo-mięśniowych. Leczenie było kosztowne i ich ubezpieczenie nie pokryłoby go z powodu niesprecyzowanego zastosowania, jednak jeśli działało, warte byłoby każdej ceny.

– Nigdy nie miałem pacjenta, który korzystałby z tej formy leczenia. Nie mam nic przeciwko, jednak nie znamy odpowiedniej dawki i poza tym, to bardzo

niecelna i niesprawdzona metoda. Nie spodziewał-
bym się, aby jej wyniki wyszły powyżej przeciętnej.

– Bierzemy przeciętny wynik – odparł John.

– Okay, jednak musicie zrozumieć, na co się de-
cydujecie. Jeżeli wybierzecie terapię IVIg, Alice nie
będzie mogła wziąć udziału w żadnych próbach klinicznych, których działanie jest bardziej nastawione
na leczenie Alzheimera i które może złagodzić po-
stępowanie choroby.

– Tak, ale będzie miała gwarancję, że nie trafi do
grupy pacjentów przyjmujących placebo.

– To prawda. Ryzyko występuje w przypadku
obu decyzji.

– Czy aby przystąpić do prób klinicznych, będę
musiała odstawić Aricept i Namendę?

– Nie, nadal będziesz je przyjmować.

– Czy mogę spróbować zastępczej terapii hormonalnej?

– Tak. Według niepotwierdzonych źródeł, terapia
przynajmniej do pewnego stopnia zapobiega chorobie, tak więc przepiszę ci CombiPatch. Znowu jednak, jest to lek będący przedmiotem badań, więc nie
będziesz mogła wziąć udziału w testowaniu Amylixu.

– Jak długo trwa to badanie?

– Piętnaście miesięcy.

– Jak ma na imię pana żona? – zapytała Alice.

– Lucy.

– Co by pan poradził Lucy, gdyby była na moim miejscu?

– Chciałbym, aby wzięła udział w próbach Amylixu.

– Więc Amylix jest jedyną opcją, którą pan poleca? – zapytał John.

– Tak.

– Myślę, że powinniśmy zdecydować się na IVIg oraz flurbiprofen i CombiPatch – powiedział John.

W pokoju zapanowała cisza. Olbrzymia ilość informacji odbijała się od ścian. Alice przyłożyła palce do oczu, starając się pomyśleć analitycznie nad opcjami leczenia. Robiła co mogła, aby poukładać w głowie kolumny i rzędy przedstawiające wymienione leki, jednak tabela w jej wyobraźni nie pomogła. Zamiast tego użyła całego swojego intelektu i udało jej się przywołać jeden czysty obraz, który miał sens. Postawić na chaotyczną serię czy jeden precyzyjny strzał?

– Nie musisz teraz podejmować decyzji. Możesz spokojnie zastanowić się nad tym w domu i poinformować mnie o o swoim wyborze później.

Nie, nie musiała dłużej się nad tym zastanawiać. Była naukowcem. Wiedziała, czym jest ryzyko bez gwarancji w poszukiwaniu nieznanej prawdy. Tak jak robiła to przez lata w przypadku swoich badań, wybrała precyzyjny strzał.

– Chcę poddać się testom klinicznym.

– Ali, myślę, że powinnaś mi zaufać – powiedział John.

– Potrafię jeszcze wyciągać własne wnioski, John. Chcę się poddać testom klinicznym.

– Dobrze, przyniosę formularze do wypisania.

(Wnętrze gabinetu lekarza. Neurolog opuszcza pokój. Mąż bawi się obrączką. Kobieta łudzi się, że wyzdrowieje).

LIPIEC 2004

– John? John? Jesteś w domu?

Wiedziała, że go nie było, jednak ostatnimi czasy czarna dziura demencji zbyt szybko pochłaniała pamięć, pozostawiając spustoszenie w jej głowie. Wyszedł, jednak nie pamiętała dokąd ani kiedy. Może wyskoczył do sklepu po mleko i kawę? Może poszedł do wypożyczalni po film? Jeżeli tak, to powinien niedługo wrócić. A może pojechał do biura i nie będzie go przez co najmniej kilka godzin, może nawet całą noc? A może dotarło do niego, że przyszłość go przerasta, uciekł i nigdy już nie wróci? Nie, nie mógłby tego zrobić. To wiedziała na pewno.

Ich domek w Chatham wydawał się być większy i bardziej przestronny od domu w Cambridge. Weszła do kuchni, która w niczym nie przypominała tej w ich mieszkaniu. Pomalowane na biało ściany i szafki, białe sprzęty gospodarstwa domowego, białe stołki barowe oraz białe kafelki na podłodze przełamane były jedynie kolorem kamiennego blatu i plamkami błękitu na białych, ceramicznych i szklanych pojemnikach. Całość wyglądała niczym strona z kolorowanki, którą ktoś jedynie wstępnie pokrył niebieską kredką.

Dwa talerze i zużyte papierowe serwetki na kuchennym stole nosiły ślady niedawno zjedzonej sałatki, spaghetti oraz sosu pomidorowego. Na dnie jednego z kieliszków wciąż znajdowała się odrobina białego wina. Z wnikliwością policyjnego śledczego podniosła kieliszek i przyłożyła do ust, sprawdzając temperaturę alkoholu. Wciąż było schłodzone. Czuła się najedzona. Spojrzała na zegarek. Właśnie minęła dziewiąta.

W Chatham byli od tygodnia. Jeszcze kilka lat temu, po całorocznej harówce na Harvardzie, całkowicie poświęciłaby się odpoczynkowi, jaki oferowało życie w Cape, zaczytując się w trzeciej lub czwartej już książce. Jednak w tym roku harmonogram codziennych zajęć na uczelni, choć napięty i wymagający, zapewniał jej organizację dnia oraz komfort psychiczny. Spotkania, sympozja, zajęcia oraz wizyty były niczym okruszki chleba, które prowadziły ją przez życie każdego dnia.

Natomiast w Chatham nie miała żadnego harmonogramu. Spała do późna, posiłki jadała o różnych porach, żyła z dnia na dzień. Każdy dzień zaczynała od leków, codziennie rano robiła test motyla i biegała z Johnem. Jednak wszystko to nie zapewniało jej wystarczającej rutyny. Potrzebowała większych okruszków chleba i zdecydowanie większej ich ilości.

Często nie znała pory dnia albo w ogóle nie wiedziała, jaki był dzień. Więcej niż raz zdarzyło jej się, że kiedy szła zjeść, nie wiedziała, który posiłek będzie spożywać. Kiedy wczoraj kelnerka w Sand Bar postawiła przed nią talerz smażonych małż, Alice równie chętnie i entuzjastycznie przywitałaby talerz naleśników.

Okna w kuchni były otwarte. Wyjrzała na podjazd. Nie było samochodu. W powietrzu wciąż można było wyczuć skwar dnia oraz usłyszeć rechotanie żab, śmiech jakiejś kobiety oraz przypływ na Hardings Beach. Zostawiła wiadomość dla Johna obok brudnych naczyń:

Poszłam na plażę. Kocham cię, A.

Zaciągała się czystym, nocnym powietrzem. Maleńkie gwiazdy oraz bajkowy półksiężyc spoglądały na nią z ciemnogranatowego nieboskłonu. Pomimo że nie zapadł jeszcze całkowity zmrok i tak zdawało się być ciemniej niż kiedykolwiek wcześniej w Cambridge. Z dala od Main Street nie było ulicznych latarni, plażę oświetlały jedynie lampy na werandach, światła sporadycznie przejeżdżających samochodów oraz księżyc. Gdyby taka ciemność panowała w Cambridge, czułaby się niespokojnie idąc samotnie, jednak tutaj, w tym małym, morskim, wakacyjnym miasteczku, czuła się całkowicie bezpieczna.

Na parkingu nie stały żadne samochody, a poza nią nie było nikogo na plaży. Miejscowa policja zniechęcała do wszelkiej nocnej aktywności. O tej godzinie nie było wrzeszczących dzieci ani mew, nie było uciążliwych rozmów telefonicznych, nie odczuwała również niepokoju towarzyszącego jej, gdy musiała się gdzieś śpieszyć, nie było niczego, co mogłoby zakłócić jej spokój.

Podeszła do brzegu i pozwoliła, aby ocean przykrył jej stopy. Ciepłe fale lizały jej nogi. Położone bezpośrednio przy Nantucket Sound wody Hardings Beach były znacznie cieplejsze niż wody na innych pobliskich plażach znajdujących się w bezpośrednim otoczeniu Oceanu Atlantyckiego.

Najpierw zdjęła koszulę i biustonosz, następnie jednym ruchem zsunęła z siebie spódnicę i bieliznę i weszła do morza. Woda, pozbawiona wodorostów, które normalnie dryfowały wraz z pianą morską, rozbijała się delikatnie o jej skórę. Zaczęła oddychać w rytm przypływu. Oddalała się powoli od brzegu, unosząc się na plecach i ze zdumieniem obserwując poświatę, która ciągnęła się za koniuszkami jej palców i pięt, niczym magiczny pył.

Blask księżyca odbijał się na nadgarstku jej prawej dłoni. *BEZPIECZNY POWRÓT*, napis wygrawerowany z przodu płaskiej, pięciocentymetrowej, nierdzewnej bransoletki. Numer telefonu kontaktowego, jej dane osobowe oraz słowa *Zaburzenia pamięci* zdobiły drugą stronę biżuterii. Jej wzburzone niczym fale myśli wzbiły się gwałtownie, przemierzając ocean jaźni od niechcianej biżuterii do naszyjnika z motylem jej matki, następnie pędząc jak rozszalałe od planu samobójstwa do książek, które planowała przeczytać, ostatecznie splatając się z losem Virginii Woolf i Edny Pontellier. To było takie proste. Wystarczyło, żeby płynęła przed siebie tak długo, aż opadnie z sił.

Spojrzała w otchłań wody. Jej ciało, silne i zdrowe, utrzymywało ją na powierzchni, a każda jego komórka toczyła walkę o życie. Tak, nie pamiętała, że jadła wieczorem kolację z Johnem ani nie wiedziała gdzie poszedł. Rano może również nie przypominać sobie zbyt dobrze wydarzeń z tej nocy, jednak w tej chwili nie czuła się zrozpaczona. Czuła, że żyje i była szczęśliwa.

Spojrzała na plażę, na niewyraźny krajobraz. Pojawiła się jakaś postać. Wiedziała, że to John po sposobie, w jaki się poruszał. Nie pytała go, gdzie był albo jak długo nie wracał. Nie podziękowała mu za to, że przyszedł. On nie zrugał jej za to, że wyszła sama i bez telefonu, nie kazał jej wyjść z wody i wracać do domu. Nie mówiąc nic, rozebrał się i dołączył do niej.

– John?

Znalazła go na dachu, malującego listwę wykończeniową.

– Szukam cię po całym domu – powiedziała Alice.

– Nie słyszałem cię – odparł John.

– Kiedy jedziesz na konferencję? – zapytała.

– W poniedziałek.

Wyjeżdżał na tydzień do Filadelfii, na dziewiątą międzynarodową konferencję poświęconą chorobie Alzheimera.

– Ale najpierw przyjedzie Lydia?

– Tak, będzie w niedzielę.

– To dobrze.

W odpowiedzi na pisemną prośbę Lydii, lokalny teatr Monomoy Theatre zaprosił ją na gościnne występy latem.

– Gotowa na bieganie? – zapytał John.

Poranna mgła jeszcze się nie podniosła i powietrze wydawało się chłodniejsze, niż wskazywałby na to jej strój.

– Tylko narzucę coś na siebie.

W domu otworzyła drzwi szafy z kurtkami. Znalezienie wygodnego ubrania wczesnym latem w Cape było nie lada wyzwaniem. Temperatury wahały się od dziesięciu stopni rano do dwudziestu siedmiu po południu, by następnie z powrotem powrócić do dziesięciu. Po zmroku często towarzyszył im również rześki morski wiatr. W takim przypadku niezbędny był kreatywny zmysł mody oraz gotowość zmieniania części garderoby kilka razy w ciągu dnia. Alice pomacała każdy z rękawów wiszących kurtek. Pomimo że większość z nich idealnie sprawdziłaby się na spacerach po plaży, to zawartość jej szafy zupełnie nie nadawała się do biegania.

Wbiegła po schodach do sypialni. Po przeszukaniu kilku szuflad znalazła lekki polar i założyła go. Na stoliku nocnym dostrzegła książkę, którą wcześniej czytała. Wzięła ją i zeszła schodami do kuchni. Nalała sobie szklankę mrożonej herbaty i wyszła na tylną werandę. Poranna mgła jeszcze się nie podniosła i było chłodniej, niż się spodziewała. Postawiła napój i książkę na stole pomiędzy białymi fotelami i wróciła po koc.

Owinęła się nim, usiadła na jednym z foteli i otworzyła książkę na zagiętej stronie. Czytanie szybko zamieniło się w przeraźliwą udrękę. Musiała wracać do przeczytanego niedawno tekstu, w kółko i w kółko, by zachować ciągłość tezy bądź narracji, a kiedy odkładała lekturę na bok, musiała czytać dopiero co ukończony rozdział od początku, by ponownie odnaleźć wątek. W dodatku odczuwała niepokój odnośnie wyboru publikacji. Co jeżeli nie będzie miała czasu na przeczytanie wszystkiego, co chciała? Ustalanie priorytetów pod względem ważności zabolało, przypominając jej o uciekającym czasie i o tym, że nie zdąży ze wszystkim, co sobie zaplanowała.

Właśnie zaczęła czytać *Króla Leara*. Uwielbiała sztuki Szekspira, jednak tej nigdy nie czytała. Niestety, jak to ostatnio bywało, utknęła po zaledwie kilku minutach. Ponownie przeczytała poprzednią stronę, podążając palcem wskazującym za niewidoczną linią pod słowami. Wypiła całą szklankę mrożonej herbaty i przyglądała się ptakom na drzewach.

– Tu jesteś. Co robisz, nie mieliśmy czasem pobiegać? – zapytał John.

– Ach, no tak. Ta książka doprowadza mnie do szału.

– Chodźmy więc.

– Dzisiaj wyjeżdżasz na tę konferencję?

– W poniedziałek.

– A jaki dzisiaj dzień?

– Czwartek.

– Och! A kiedy przyjeżdża Lydia?

– W niedzielę.

– Czyli przed twoim wyjazdem?

– Tak. Ali, mówiłem ci już o tym. Powinnaś to zapisać w swoim BlackBerry, wydaje mi się, że dzięki temu lepiej się czujesz.

– Dobrze, przepraszam.

– Gotowa?

– Tak. Poczekaj, muszę siku, zanim wyjdziemy.

– W porządku, będę czekać przed garażem.

Postawiła pustą szklankę na blacie obok zlewu i rzuciła koc oraz książkę na przykryty narzutą fotel w salonie. Stała gotowa do wyjścia, jednak jej nogi potrzebowały dalszych instrukcji. Po co tutaj przyszła? Odtworzyła swoje kroki – koc i książka, szklanka na blacie, weranda z Johnem. Wkrótce wyjeżdżał na międzynarodową konferencję poświęconą chorobie Alzheimera. Chyba w niedzielę. Lepiej będzie, jak go o to zapyta. Właśnie wychodzili pobiegać. Na dworze było trochę chłodno. Przyszła po polar! Nie, to nie było to. Już go na sobie miała. *Niech to szlag!*

Gdy dotarła do frontowych drzwi, nagłe ciśnienie w pęcherzu dało o sobie znać i przypomniała sobie, że naprawdę musi siku. W pośpiechu wróciła do przedpokoju i otworzyła drzwi łazienki. Ale, ku jej kompletnemu zdziwieniu, to nie była łazienka. Miotła, mop, wiadro, odkurzacz, taboret, skrzynka na narzędzia, żarówki, latarki, wybielacz. Pomieszczenie gospodarcze.

Szukała dalej. Kuchnia po lewej, salon po prawej i to wszystko. Mieli przecież łazienkę na parterze, prawda? Musieli mieć. Była tu przecież. Pobiegła do kuchni, jednak znalazła jedynie drzwi, które prowadziły na tylną werandę. Pognała do salonu, jednak oczywiście tam też nie było łazienki. Z powrotem popędziła do przedpokoju i chwyciła za klamkę.

– Błagam cię, Boże, błagam!

Otworzyła drzwi na oścież niczym iluzjonista, który odkrywa swoją najbardziej tajemniczą sztuczkę, jednak łazienka nie pojawiła się w magiczny sposób.

Jak to możliwe, że zgubiłam się we własnym domu?

Pomyślała o tym, aby popędzić do łazienki na górze, jednak w jakiś przedziwny sposób coś ją zablokowało i stała osłupiała, zawieszona w bezłazienkowej wersji własnego domu. Nie była w stanie dłużej wytrzymać. Doświadczyła nierealnego wrażenia obserwowania samej siebie, tej biednej, nieznanej, płaczącej w przedpokoju kobiety. To wcale nie wyglądało na powściągliwe łzy dorosłej osoby. To był pełen przerażenia, niepohamowany szloch małego dziecka.

Nie tylko łez nie była w stanie już dłużej powstrzymać.

John wszedł do domu w samą porę, by zobaczyć spływający po jej prawej nodze mocz, który wsiąkał w jej spodnie dresowe, skarpetki i adidasy.

– Nie patrz na mnie!

– Ali, nie płacz, już dobrze.

– Nie wiem, gdzie jestem.

– Już dobrze.

– Zgubiłam się.

– Nie zgubiłaś się, jesteś ze mną.

Przytulił ją i delikatnie ukołysał, uspokajając, tak jak to robił z ich dziećmi po każdym zadrapaniu czy niesprawiedliwości, jaka ich dotknęła.

– Nie mogłam znaleźć łazienki.

– Już dobrze.

– Przepraszam.

– Nie przepraszaj, nie musisz. Chodź, przebierzemy cię. Słońce już przygrzewa, więc i tak musisz włożyć coś odpowiedniejszego.

Zanim John wyjechał na konferencję, przekazał Lydii szczegółowe instrukcje co do leków Alice, jej codziennego biegania, telefonu komórkowego i programu Bezpieczny Powrót. Na wszelki wypadek dał jej również numer do neurologa. Kiedy Alice wróciła myślami do tej chwili, uświadomiła sobie, że wytyczne Johna brzmiały zupełnie jak pogadanka, którą raczyli nastoletnie opiekunki, zanim zostawili dzieci pod ich opieką na weekend. Teraz to ona miała być pilnowana i to przez własną córkę.

Po pierwszej wspólnej kolacji w Squire, Alice i Lydia szły wzdłuż Main Street, nie odzywając się do siebie ani słowem. Sznur luksusowych oraz sportowych samochodów zaparkowanych na chodnikach, z rowerami i kajakami na dachach, zapchanych wózkami dla dzieci, leżakami, parasolkami oraz tablicami rejestracyjnymi z Connecticut, Nowego Jorku, New Jersey oraz Massachusetts, był dowodem na to, że sezon letni trwał w najlepsze. Rodziny przechadzały się po chodnikach bez poszanowania zasad ruchu ulicznego, bez pośpiechu i bez konkretnego celu, zatrzymując się, wracając i przyglądając sklepowym wystawom. Zupełnie jakby mieli na wszystko czas.

Po dziesięciu minutach były już z dala od zatłoczonego centrum miasta. Zatrzymały się przed latarnią, napawając się panoramicznym widokiem plaży, a następnie zeszły trzydziestostopniowymi schodkami w kierunku piasku. Na dole zobaczyły parę sandałów i klapek, które musiały tu leżeć porzucone od rana. Zostawiły buty w widocznym miejscu i kontynuowały spacer. Napis przed nimi głosił:

UWAGA! SILNY PRĄD. Surfowanie zagraża życiu z powodu niebezpiecznych fal oraz silnych prądów. Brak ratowników. Teren niestrzeżony. Zabrania się: pływania, nurkowania, narciarstwa wodnego, pływania żaglówkami, łódkami, tratwami oraz kajakami.

Alice przypatrywała i przysłuchiwała się wzburzonym falom uderzającym o brzeg. Gdyby nie olbrzymi falochron zbudowany na obrzeżach milionowych posiadłości wzdłuż Shore Road, ocean pochłonąłby wszystkie domy, pożerając je bez jakiegokolwiek współczucia. Wyobrażała sobie Alzheimera jako ocean przy Lighthouse Beach – nie do zatrzymania, wściekły, siejący spustoszenie. Z tym wyjątkiem, że w jej mózgu nie było falochronu, który uchroniłby jej wspomnienia i myśli przed gwałtownym atakiem.

– Przykro mi, że nie przyjechałam, żeby obejrzeć twój występ – powiedziała.

– W porządku. Wiem, że tym razem to przez tatę.

– Nie mogę się doczekać, kiedy zobaczę cię tego lata w sztuce.

– Mhm.

Ogromne słońce, zawieszone nisko na różowo-błękitnym niebie, lada moment miało zanurzyć się w Atlantyku. Przeszły obok klęczącego na piasku mężczyzny z aparatem wymierzonym w horyzont, który starał się uchwycić ulotne piękno, nim zniknie wraz ze słońcem.

– Ta konferencja, na którą pojechał tata, dotyczy Alzheimera?

– Tak.

– Chce tam znaleźć dla ciebie lek?

– Tak.

– Myślisz, że mu się uda?

Alice obserwowała przypływającą falę, która zmyła ślady stóp, zniszczyła starannie zbudowany i przyozdobiony muszelkami zamek z piasku, wypełniając wykopane wcześniej plastikowymi łopatkami dziury, przemierzając brzeg, jak to miała w codziennym zwyczaju. Poczuła zazdrość na myśl o pięknych domach za falochronem.

– Nie.

Alice podniosła muszelkę. Otarła ją z piasku, ujawniając jej mlecznobiały połysk i eleganckie tasiemki różu. Spodobała jej się gładka powierzchnia, jednak muszla była pęknięta na krawędzi. Z początku chciała ją wrzucić do wody, ale ostatecznie postanowiła ją jednak zatrzymać.

– Myślę, że gdyby nie wierzył, że mu się uda, nie marnowałby na to czasu – powiedziała Lydia.

Dwie dziewczyny ubrane w bluzy Uniwersytetu Massachusetts szły z przeciwnej strony, chichocząc. Alice uśmiechnęła się do nich, kiedy je mijała.

– Chciałabym, żebyś poszła na studia – oznajmiła Alice.

– Proszę cię, mamo, przestań.

Nie chcąc zaczynać wspólnego tygodnia od kłótni, Alice wróciła myślami do wspomnień. O wykła-

dowcach, których uwielbiała, których się obawiała
i przed którymi się ośmieszyła, o chłopcach, których uwielbiała, których się obawiała i przed którymi jeszcze bardziej się ośmieszyła, o zarwanych
nocach przed egzaminami, o zajęciach, imprezach,
przyjaźniach, o dniu, w którym poznała Johna. Jej
wspomnienia o życiu z tego okresu były mocno
zakorzenione w pamięci, idealnie nienaruszone,
dostępne na wyciągnięcie dłoni. Były niemal zbyt
zuchwałe, jakby zupełnie nie wiedziały o toczącej
się właśnie, o kilka centymetrów na lewo od nich,
wojnie.

Za każdym razem, kiedy pomyślała o Harvardzie, jej myśli, koniec końców, zawsze wędrowały
do stycznia, do pierwszego roku na uczelni. Po ponad trzech godzinach od czasu odwiedzin jej rodziny, Alice usłyszała ciche stukanie do drzwi pokoju w akademiku. Wciąż pamiętała każdy szczegół
dotyczący stojącego w jej drzwiach dziekana – po-
jedyncza, głęboka bruzda pomiędzy jego brwiami,
chłopięcy przedziałek z siwych już włosów, wełnia-
ne zmechacenia na swetrze w kolorze leśnej zieleni,
niski, ostrożny ton jego głosu.

Jej ojciec wjechał samochodem w drzewo. Mógł
zasnąć za kierownicą. Mógł wypić zbyt dużo do kolacji. Zawsze za dużo pił do kolacji. Był w szpitalu
w Manchesterze. Jej matka i siostra nie żyły.

– John? John, to ty?

– Nie, to tylko ja, poszłam po ręczniki, bo zaraz lunie – odpowiedziała Lydia.

Coś ciężkiego wisiało w powietrzu. Wkrótce miało się rozpadać. Przez cały tydzień pogoda sprawowała się wyśmienicie, rozpieszczając mieszkańców słonecznymi promieniami za dnia i przynosząc ukojenie w nocy. Jej mózg również sprawował się w tym czasie wyśmienicie. Zaczęła rozpoznawać różnice pomiędzy dniami, podczas których miała problemy z odnalezieniem wspomnień, słów i drogi do łazienki oraz dniami, podczas których Alzheimer siedział cicho i nie naprzykrzał się. W czasie tych spokojnych dni była normalną sobą, którą rozumiała i której ufała. W te dni mogła niemal uwierzyć, że doktor Davis i specjalista z poradni genetycznej mylili się i że ostatnie sześć miesięcy jej życia było jedynie okropnym snem, koszmarem, potworem spod łóżka, który nie istniał.

Z salonu Alice spoglądała, jak Lydia składa ręczniki i kładzie je na kuchennym taborecie. Miała na sobie jasnoniebieską koszulkę na ramiączkach i czarną spódnicę. Była świeżo po kąpieli. Pod wyblakłą sukienką z motywem ryb Alice wciąż miała na sobie kostium kąpielowy.

– Mam się przebrać? – zapytała.

– Jeśli chcesz.

Lydia schowała czyste kubki do szafki i spojrzała na zegarek. Weszła do salonu, pozbierała czasopisma i katalogi z kanapy oraz podłogi i ułożyła je równo na stoliku do kawy. Spojrzała na zegarek. Wzięła pierwszy z brzegu egzemplarz „Cape Cod Magazine", usiadła na kanapie i zaczęła go przeglądać. Wyglądało na to, że na kogoś czekały, jednak Alice nie wiedziała na kogo. Coś było nie tak.

– Gdzie jest John? – zapytała Alice.

Lydia spojrzała na nią, odrywając się od czasopisma, rozbawiona lub zakłopotana. Alice nie była w stanie tego stwierdzić.

– Powinien wrócić lada moment.

– Więc czekamy na niego?

– Aha.

– Gdzie jest Anne?

– Anna jest w Bostonie, z Charliem.

– Nie, Anne, moja siostra, gdzie jest Anne?

Lydia patrzyła na nią szeroko otwartymi oczami, cała niefrasobliwość zniknęła z jej twarzy.

– Mamo, Anne nie żyje. Zginęła w wypadku samochodowym wraz z twoją matką.

Lydia nieprzerwanie wpatrywała się w twarz Alice, nie tracąc kontaktu wzrokowego. Alice wstrzymała oddech, jej serce zamarło. Jej palce zdrętwiały, myśli otępiały, a świat wokół skurczył się i spowiła go ciemność. Wzięła głęboki oddech, który wypeł-

nił jej głowę i palce tlenem oraz przepełnił jej trze-
począce serce wściekłością i żalem. Zaczęła drżeć
i wybuchnęła płaczem.

– Nie, mamo, to się wydarzyło dawno temu.

Lydia mówiła do niej, jednak do Alice nie docie-
rały jej słowa. Jedyne, co czuła, to wściekłość i żal,
które wypełniały każdą komórkę ciała i przepełnione bólem serce, podczas gdy palące łzy spływały jej
po twarzy. A jedyne, co słyszała, to krzyk rozpaczy
i tęsknoty za Anne i matką rozbrzmiewający jej
w głowie.

John stał nad nimi, przemoczony do suchej nitki.

– Co się stało?

– Pytała mnie o Anne. Myśli, że właśnie umarły.

Ujął jej głowę w dłonie. Mówił do niej, starając
się ją uspokoić. *Dlaczego on nie jest smutny? Wiedział
o tym od jakiegoś czasu i ukrywał to przede mną.* Nie
mogła mu ufać.

SIERPIEŃ 2004

Jej matka i siostra zmarły, kiedy była na pierwszym roku studiów. Ani jedno ich zdjęcie nie zdobiło kart rodzinnego albumu. Nie było śladu ich obecności podczas ceremonii wręczania jej dyplomu, ślubu lub też razem z nią, Johnem i dziećmi w czasie świąt, na wakacjach czy podczas urodzin. Nie potrafiła wyobrazić sobie swojej matki jako staruszki, którą z pewnością by teraz była, a w jej umyśle Anne wciąż wyglądała jak nastolatka. A jednak wciąż była pewna, że zaraz wejdą do domu frontowymi drzwiami, nie jako duchy z przeszłości, lecz jako żywi i zdrowi ludzie, którzy przyjechali do Chatham, by spędzić z nimi lato. Mętlik w jej głowie oraz oczekiwanie na przyjazd jej dawno zmarłej matki i siostry napawał ją strachem. Jeszcze straszniejszy był fakt, że niepokoiło ją to tylko trochę.

Alice, John oraz Lydia siedzieli na werandzie, jedząc śniadanie. Lydia opowiadała o członkach swojej grupy teatralnej oraz o ich próbach. Głównie jednak rozmawiała z Johnem.

– Wiesz, strasznie się bałam, zanim tutaj przyjechałam. Gdybyś widział wszystkie te ich CV. Ukończony wydział aktorski na Uniwersytecie w Nowym Jorku, dyplomy z Yale oraz doświadczenie na Broadwayu.

– Rzeczywiście wygląda na to, że trafiłaś do bardzo doświadczonej grupy. Jaki jest tam przedział wiekowy? – zapytał.

– Och, z całą pewnością jestem najmłodsza. Większość z nich jest zapewne po trzydziestce i czterdziestce, jednak jest jeden facet i kobieta w wieku twoim i mamy.

– Tacy staruszkowie, co?

– Wiesz, co mam na myśli. W każdym razie, nie wiedziałam, czy to moja liga, jednak wspólne ćwiczenia oraz ciężka praca naprawdę przyniosły efekty. Doskonale wiem, co robię.

Alice pamiętała to samo uczucie niepewności i spełnienia, towarzyszące jej na początku pracy wykładowcy akademickiego na Harvardzie.

– Z całą pewnością mają ode mnie większe doświadczenie, jednak żadne z nich nie zgłębiało Meisnera. Wszyscy uczyli się na podstawie Stanisławskiego czy też aktorstwa metodycznego, jednak myślę, że Meisner ma najlepsze podejście, jeżeli chodzi o spontaniczność w grze aktorskiej. Dlatego też uważam, że pomimo iż brakuje mi doświadczenia scenicznego, to z pewnością wnoszę do grupy coś wyjątkowego.

– To świetnie, kochanie. To zapewne jeden z powodów, dla którego cię wybrali. Co dokładnie oznacza „spontaniczność w grze aktorskiej"? – zapytał John.

Alice zastanawiała się nad tym samym, jednak jej słowa, zlewając się w kleistą breję, pozostawały daleko w tyle za pytaniem Johna, tak jak to często miało miejsce w rozmowie toczonej na bieżąco. Przysłuchiwała się więc dialogowi męża i córki, porozumiewających się bez trudu, obserwując ich niczym widz w teatrze.

Przekroiła sezamowego rogala na pół i ugryzła. Nie smakował jej na sucho. Kilka możliwości smakowych na stole wzbudziło jej zainteresowanie – dżem z dzikich jagód, słoik masła orzechowego, talerz pełen zwykłego masła oraz pojemnik z białym masłem. Jednak to nie było białe masło. Jak to się nazywało? Nie majonez. Nie, to było za bardzo zbite, tak jak masło. Jak to się nazywa? Wskazała obiekt nożem.

– John, możesz mi to podać?

John podał jej pojemnik z białym masłem. Rozsmarowała grubą warstwę na jednej z połówek rogala i wlepiła w nią wzrok. Doskonale wiedziała, jak smakuje, wiedziała, że lubi ten smak, jednak nie mogła ugryźć, dopóki nie przypomni sobie jego nazwy. Lydia przyglądała się matce obserwującej rogala.

– To serek topiony, mamo.

– No tak, serek topiony. Dziękuję ci, Lydio.

Zadzwonił telefon i John wszedł do środka, żeby go odebrać. Pierwszą rzeczą, która przeleciała Alice przez głowę, była myśl, że dzwoni jej matka, aby im przekazać, że się spóźni, jadąc do nich. Myśl ta, pozornie realna i ubarwiona natychmiastowością zdarzeń, wydała się tak samo sensowna jak to, że John w ciągu kilku następnych minut wróci z powrotem na patio. Alice zrewidowała irracjonalną myśl, zrugała ją, a następnie przegoniła. Jej matka i siostra umarły, gdy była na pierwszym roku studiów. Można było szału dostać od ciągłego przypominania sobie o tym.

Zostawszy sam na sam z córką, przynajmniej chwilowo, wykorzystała sposobność, by zamienić z nią parę słów.

– Lydio, dlaczego nie pójdziesz do szkoły i nie zdobędziesz dyplomu z aktorstwa?

– Mamo, czy ty w ogóle słuchałaś tego, o czym ja przed chwilą mówiłam? Nie potrzebuję żadnego dyplomu.

– Słyszałam wyraźnie, co powiedziałaś i wszystko zrozumiałam. Patrzę na to z szerszej perspektywy. Z całą pewnością są pewne aspekty twojego rzemiosła, których jeszcze nie zgłębiłaś, rzeczy, których wciąż możesz się nauczyć, choćby reżyseria. Chodzi o to, że dyplom otwiera przed tobą znacznie więcej drzwi, na wypadek gdybyś ich potrzebowała.

– I co to są za drzwi?

– Dzięki dyplomowi będziesz mogła uczyć, gdybyś tylko kiedyś zechciała.

– Mamo, ja chcę zostać aktorką, nie nauczycielką. Nauczanie to twoja broszka, nie moja.

– Wiem o tym, Lydio, wyraziłaś się w tej kwestii aż nazbyt jasno. Nie chodzi mi o to, abyś została nauczycielem akademickim, chociaż mogłabyś. Miałam na myśli to, że któregoś dnia mogłabyś poprowadzić warsztaty. Takie jak te, na które sama teraz uczęszczasz i tak bardzo sobie cenisz.

– Wybacz, mamo, ale nie zamierzam marnować energii na myślenie o tym, co bym mogła zrobić, gdyby okazało się, że nie jestem wystarczająco dobra, aby zostać aktorką. Jedyne, czego mi jeszcze teraz brakuje, to zwątpienie w siebie.

– Nie wątpię, że możesz zrobić karierę jako aktorka. Jednak jeśli któregoś dnia postanowisz założyć rodzinę i zwolnić nieco obroty, a jednocześnie nadal zechcesz pozostać w branży? Uczenie na warsztatach, nawet w domu, może okazać się tutaj wygodnym rozwiązaniem. Przecież nie zawsze chodzi o to, jak wiele umiesz, a o to, kogo znasz. Pomyśl o możliwościach płynących z nawiązywania kontaktów, które byś zdobyła wśród kolegów z grupy, wykładowców, absolwentów. Jestem pewna, że istnieje jakiś wewnętrzny krąg, do którego – bez dyplomu lub też bez uznanej w środowisku pracy naukowej – nie ma się dostępu.

Alice przerwała, czekając na ripostę Lydii, jednak ta nie odezwała się ani słowem.

– Po prostu to rozważ. Życie pędzi jak szalone. Z wiekiem coraz trudniej będzie ci coś osiągnąć w tym zawodzie. Może porozmawiaj z kimś z twojej grupy i niech oni przedstawią ci swoją perspektywę odnośnie tego, z czym się wiąże zawód aktora w wieku trzydziestu i czterdziestu kilku lat. Okay?

– Okay.

Okay. To było największe porozumienie, do jakiego kiedykolwiek doszły w jakiejkolwiek sprawie. Alice próbowała wymyślić jeszcze jakiś temat do rozmowy, jednak nic nie przychodziło jej do głowy. Od tak dawna mówiły wyłącznie o tym. Cisza pomiędzy nimi wzrastała.

– Mamo, jakie to uczucie?

– Co masz na myśli?

– Mieć Alzheimera. Czy w tej chwili czujesz, że cię dotyka?

– Nie czuję się w tej chwili zagubiona oraz nie powtarzam się, jednak zaledwie kilka minut temu nie potrafiłam przypomnieć sobie słów *serek topiony* oraz nie byłam w stanie włączyć się do rozmowy z tobą i twoim ojcem. Wiem, że to wyłącznie kwestia czasu, zanim ponownie tego doświadczę, a odstępy, kiedy to następuje, są coraz krótsze i doświadczenia te przybierają na intensywności. Tak więc, nawet kiedy czuję się dobrze, wiem, że tak nie jest. To nie jest koniec, tylko przerwa. Nie mogę zaufać swojemu ciału.

Przestraszyła się, że wyjawiła zbyt wiele. Nie chciała wystraszyć córki. Lydia jednak nie wzdrygnęła się i nadal wykazywała zainteresowanie, więc Alice odetchnęła z ulgą.

– Więc wiesz, kiedy to się dzieje?

– Na ogół tak.

– Tak jak wtedy, kiedy nie potrafiłaś sobie przypomnieć nazwy serka topionego?

– Wiem, czego szukam, jednak mój mózg nie potrafi do tego dotrzeć. To zupełnie tak, jakbyś chciała się napić wody, jednak twoja ręka nie chciała podnieść szklanki. Prosisz ją ładnie, wygrażasz, jednak ta ani drgnie. W końcu udaje ci się ją wprawić w ruch, jednak zamiast szklanki chwytasz solniczkę lub przewracasz szklankę i rozlewasz wodę po całym stole. Zdarza się również, że zanim uda ci się zmusić rękę, by chwyciła za szklankę i podniosła ją do twoich ust, pragnienie ustępuje. Chwila potrzeby przeminęła.

– To brzmi jak tortury, mamo.

– Tak właśnie jest.

– Tak bardzo mi przykro, że zachorowałaś.

– Dziękuję ci.

Lydia wyciągnęła rękę ponad talerzami, szklankami oraz latami dzielącego ich dystansu i chwyciła dłoń matki. Alice uścisnęła ją i się uśmiechnęła. W końcu znalazły coś, o czym jeszcze mogły porozmawiać.

ALICE OBUDZIŁA SIĘ na kanapie. Ostatnio często zdarzało jej się zdrzemnąć, nawet dwa razy w ciągu dnia. Chociaż jej uwaga oraz energia znacznie zyskały dzięki dodatkowemu odpoczynkowi, powrót do rzeczywistości stawał się irytujący. Spojrzała na zegar na ścianie – piętnaście po czwartej. Nie potrafiła sobie przypomnieć, o której przysnęła. Pamiętała, że jadła lunch. Kanapkę, jakąś kanapkę. Z Johnem. To musiało być około południa. Pamiętała też, że czytała książkę, która teraz uciskała ją w biodro. Musiała usnąć podczas lektury.

Dwadzieścia po czwartej. Lydia kończyła próbę o siódmej. Usiadła i nasłuchiwała. Usłyszała wrzask skrzeczących na plaży mew i oczami wyobraźni spoglądała na ich padlinożerne polowanie, szaloną pogoń za pozostawionymi przez beztroskich, opalonych plażowiczów okruszkami. Wstała i wyruszyła na własne polowanie, mniej szalone – w poszukiwaniu Johna. Spojrzała na podjazd. Nie było samochodu. Już miała rzucić pod jego adresem jakieś przekleństwo za to, że nie zostawił jej żadnej wiadomości, gdy nagle znalazła przypiętą magnesem do lodówki kartkę.

Ali – pojechałem na przejażdżkę, według wracam John

Usiadła ponownie na kanapie i podniosła książkę. Była to *Rozważna i romantyczna* Jane Austen, jednak nie otworzyła jej. Nie miała ochoty teraz czytać. Była w połowie lektury *Moby Dicka*, którego gdzieś zapodziała. Przewrócili z Johnem dom do góry nogami w jego poszukiwaniu, jednak bezskutecznie. Przeszukali, wydawać by się mogło, każde dziwaczne miejsce, w którym tylko i wyłącznie obłąkana osoba mogłaby zostawić książkę – lodówkę i zamrażarkę, spiżarkę, szuflady w komodzie, bieliźniarkę, a nawet kominek. Jednak bez rezultatu. Najprawdopodobniej zostawiła ją na plaży. Miała nadzieję, że tak właśnie było. Wtedy oznaczałoby to, że zgubiła ją przed Alzheimerem.

John obiecał, że kupi jej nowy egzemplarz. Może pojechał do księgarni. Miała nadzieję, że tak właśnie było. Gdyby przyszło jej czekać dłużej, zapomniałaby całą treść, którą do tej pory przeczytała i musiałaby zacząć wszystko od nowa. Tyle pracy. Na samą myśl o tym poczuła, jak ogarnia ją zmęczenie. Żeby nie tracić czasu, zajęła się Jane Austen, którą zawsze lubiła. Jednak ta pozycja nie przykuwała jej uwagi.

Poszła na górę do sypialni Lydii. Z trójki swoich dzieci, o najmłodszej córce wiedziała najmniej. Na komodzie leżał turkusowy oraz srebrny pierścionek, skórzany naszyjnik oraz drugi – kolorowy, wystający z tekturowego pudełka i ozdobiony koralikami. Obok pudełka znajdowała się sterta spinek do włosów oraz tacka na dymiące kadzidełko. Lydia miała w sobie coś z hipiski.

Ubrania walały się po całej podłodze, niektóre były poskładane, większość jednak leżała w nieładzie.

W szufladach komody nie zostało ich już zbyt wiele. Nie pościeliła łóżka. Lydia miała w sobie coś z flejtucha.

Tomiki poezji oraz sztuki teatralne zdobiły półki biblioteczki – *Dobranoc, mamusiu*, *Kolacja z przyjaciółmi*, *Dowód*, *Antologia Spoon River*, *Agnes od Boga*, *Anioły w Ameryce*, *Oleanna*. Lydia była aktorką.

Wzięła do ręki kilka sztuk i przejrzała je pobieżnie. Każda miała zaledwie około osiemdziesięciu, dziewięćdziesięciu stron i każda ze stron była ledwie zapisana tekstem. *Może łatwiej i przyjemniej pójdzie mi czytanie sztuk? Będę mogła później o nich porozmawiać z Lydią!* Chwyciła za *Dowód*.

Na stoliku nocnym leżał pamiętnik Lydii, iPod, podręcznik o metodzie aktorskiej Sanforda Meisnera oraz zdjęcie w ramce. Alice podniosła pamiętnik. Zawahała się, jednak tylko nieznacznie. Nie mogła sobie pozwolić na luksus, jakim był czas. Siedząc na łóżku, zaczytywała się, strona po stronie, w zwierzeniach i marzeniach swojej córki. Czytała o problemach i przełomach na zajęciach z aktorstwa, o obawach i nadziejach towarzyszących jej podczas przesłuchań, o rozczarowaniach i o radości płynącej z castingów. Czytała o pasji i nieustępliwości młodej kobiety.

Przeczytała również o Malcolmie, którego Lydia poznała podczas zajęć w czasie wspólnej gry na scenie dramatycznej i w którym się zakochała. Raz sądziła nawet, że zaszła w ciążę, jednak myliła się. Ulżyło jej, nie była jeszcze gotowa na założenie rodziny. Najpierw chciała odnaleźć swoje miejsce w świecie.

Alice przyglądała się bacznie Lydii oraz mężczyźnie na zdjęciu. Ich uśmiechnięte twarze wzruszyły ją. Byli szczęśliwi. Zrozumiała, że córka była kobietą.

– Ali, gdzie jesteś? – zawołał John.

– Na górze!

Odstawiła pamiętnik oraz zdjęcie z powrotem na stolik nocny i po cichu zeszła na dół.

– Gdzie byłeś? – zapytała Alice.

– Pojechałem na przejażdżkę.

W obu rękach John trzymał białe plastikowe torebki.

– Kupiłeś mi nowy egzemplarz *Moby Dicka*?

– W pewnym sensie.

Wręczył Alice jedną z torebek. W środku znajdowały się płyty DVD – *Moby Dick* z Gregorym Peckiem i Orsonem Wellesem, *Król Lear* z Laurencem Olivierem, *Casablanca*, *Lot nad kukułczym gniazdem* oraz *Dźwięki muzyki* – jej ulubione filmy.

– Pomyślałem, że tak będzie ci o wiele łatwiej, no i możemy obejrzeć je razem.

Uśmiechnęła się.

– Co jest w drugiej torbie?

Była podekscytowana, zupełnie jak dziecko w świąteczny poranek. John wyciągnął z torby opakowanie popcornu oraz paczkę orzechów w czekoladzie.

– Czy możemy zacząć od *Dźwięków muzyki*? – zapytała.

– Oczywiście.

– Kocham cię, John!

Objęła go ramionami.

– Ja ciebie też kocham, Ali.

Oplatając go rękoma, wtuliła się twarzą w jego pierś i napawała się jego zapachem. Chciała powiedzieć coś jeszcze, powiedzieć, ile dla niej znaczył, jednak nie potrafiła znaleźć odpowiednich słów. Przytulił ją nieco mocniej. On wiedział. Stali nieruchomo, wtulając się w siebie w milczeniu przez dłuższą chwilę.

– Zrób popcorn, a ja w tym czasie włączę już film i spotkamy się na kanapie – powiedział John.

– Okay.

Podeszła do mikrofalówki, otworzyła jej drzwiczki i wybuchnęła śmiechem. Musiała.

– Znalazłam *Moby Dicka*!

Od kilku godzin Alice była sama w domu. W czasie porannej samotności piła zieloną herbatę, trochę czytała i uprawiała jogę na trawniku przed domem. Przybrawszy pozycję leżącego psa, napełniła płuca rozkosznym porannym oceanicznym powietrzem, czerpiąc dziwną, niemal bolesną przyjemność płynącą z rozciągniętych ścięgien podkolanowych i mięśni pośladkowych. Kątem oka, utrzymując ciało w tej samej pozycji, obserwowała, jak jej lewy mięsień trójgłowy napręża się – wyrzeźbiony, piękny. Całe jej ciało prezentowało się majestatycznie i zdrowo.

Fizycznie była w swojej szczytowej formie. Zdrowe odżywianie się oraz codzienna gimnastyka przekładały się na siłę w mięśniach trójgłowych, giętkość w biodrach, silne łydki oraz rytmiczny oddech w czasie sześciokilometrowego biegu. Oczywiście był jeszcze umysł. Oporny, nieposłuszny, osłabiony. Zażywała Aricept, Namendę, tajemniczą testową pigułkę Amylixu, Lipitor, witaminy C i E oraz aspirynę dla dzieci. Połykała również dodatkową porcję przeciwutleniaczy pod postacią jagód, czerwonego wina oraz gorzkiej czekolady. Piła zieloną herbatę. Spróbowała ginkgo biloba. Medytowała i rozwiązywała łamigłówki. Myła zęby lewą, niedominującą ręką. Gdy była zmęczona, spała. Jednak żadne z tych działań nie przyniosło widocznych rezultatów. Może jej zdolności poznawcze pogorszyłyby się znacznie, gdyby zrezygnowała z ćwiczeń, Ariceptu czy też jagód. Może gdyby nie stawiała oporu, jej demencja przybrałaby na sile w zastraszającym tempie. Może. A może to nie miało jednak na nic wpływu. Tego nie mogła stwierdzić, chyba że odstawiłaby leki, wyeliminowała czekoladę i wino oraz zdecydowałaby się siedzieć bezczynnie na tyłku przez następny miesiąc. To nie był eksperyment, któremu zamierzała się poddać.

Przybrała postawę wojowniczki. Zrobiła wydech i nabrała w płuca jeszcze więcej powietrza, akceptując dyskomfort oraz wyzwanie rzucone jej koncentracji i wytrzymałości. Była zdeterminowana, aby utrzymać ciało w tej pozycji, zdeterminowana, aby walczyć.

John wynurzył się z kuchni. Był zaspany i przypominał zombie, jednak ubrany był w strój do biegania.

– Chcesz się najpierw napić kawy? – zapytała Alice.

– Nie, pobiegajmy, napiję się, jak wrócimy.

Każdego ranka przebiegali trzy kilometry wzdłuż Main Street aż do centrum miasta i z powrotem. Ciało Johna nabrało teraz wyraźnego kształtu i z łatwością potrafił przebiec wyznaczoną trasę, jednak ani przez chwilę nie sprawiało mu to przyjemności. Biegał z nią, zrezygnowany, nie uskarżając się na nic, z tym samym entuzjazmem i zapałem, z jakim przychodziło mu zapłacić rachunki lub zrobić pranie. A ona go za to kochała.

Biegła za nim, pozwalając mu narzucić tempo, obserwując męża i przysłuchując się mu, zupełnie jak gdyby był cudownym muzycznym instrumentem – jego kołyszącym się niczym wahadła łokciom, rytmicznym wydechom, uderzeniom jego adidasów o piaszczysty chodnik. Splunął, a ona się zaśmiała. Nie zapytał dlaczego.

Byli już w połowie drogi powrotnej, kiedy podbiegła obok niego. W pełnym współczucia kaprysie właśnie miała mu powiedzieć, że nie musi już z nią więcej biegać, jeśli nie chce, że sama da sobie radę. Wtedy na rozwidleniu skręcili w prawo w Mill

Road, drogę prowadzącą do domu, a ona skręciłaby w lewo. Alzheimer nie lubi, gdy się go lekceważy.

Gdy znaleźli się już z powrotem w domu, podziękowała mu, pocałowała go w jego spocony policzek, a następnie pobiegła, nie wziąwszy prysznica, do Lydii, która nadal siedziała w piżamie, pijąc kawę na werandzie. Co rano wraz z córką dyskutowały przy misce płatków zbożowych z jagodami lub też rogalu sezamowym z serkiem topionym, popijając kawę i herbatę, o sztuce, którą Alice właśnie czytała. Instynkt jej nie zawiódł. O wiele większą radość sprawiało jej czytanie sztuk niż powieści i biografii. Dyskusje z Lydią, czy to o scenie pierwszej, akcie pierwszym czy też o całej sztuce, okazały się być cudownym i skutecznym sposobem na wzmacnianie pamięci. Omawiając z nią poszczególne sceny, postaci oraz fabułę, Alice dostrzegła głębię intelektualną córki, jej bogate zrozumienie ludzkich potrzeb, emocji i zmagania się z nimi. Dostrzegła Lydię. I pokochała ją.

Dzisiaj omawiały scenę z *Aniołów w Ameryce*. Obie z ochotą zadawały sobie pytania i wzajemnie na nie odpowiadały, prowadząc dwustronną konwersację, równorzędną i zabawną. Ponieważ Alice nie musiała rywalizować z Johnem, kto pierwszy się wysłowi, miała czas, by się zastanowić, i nie pozostawała dzięki temu w tyle.

– Jak się czułaś, odgrywając tę scenę z Malcolmem? – zapytała Alice.

Lydia spojrzała na nią tak, jakby pytanie zupełnie wytrąciło ją z równowagi.

– Co?

– Nie odgrywaliście razem z Malcolmem tej sceny na zajęciach?

– Czytałaś mój pamiętnik?

Alice poczuła ścisk w żołądku. Sądziła, że to Lydia powiedziała jej o Malcolmie.

– Kochanie, przepraszam.

– Nie mogę uwierzyć, że to zrobiłaś! Nie miałaś prawa!

Lydia odsunęła krzesło i wybiegła, zostawiając matkę samą przy stole, zszokowaną i z bólem brzucha. Kika minut później Alice usłyszała odgłos zatrzaskiwanych drzwi wejściowych.

– Nie martw się, przejdzie jej – powiedział John.

Przez cały poranek chciała zająć się czymś innym. Starała się sprzątać, pielęgnować ogródek, czytać, jednak jedyne, co jej naprawdę wychodziło, to zamartwianie się. Martwiła się, że zrobiła coś niewybaczalnego. Martwiła się, że właśnie straciła szacunek, zaufanie i miłość córki, którą dopiero teraz tak naprawdę zaczynała poznawać.

Po lunchu Alice i John poszli na plażę. Alice pływała, dopóki jej ciało nie opadło z sił i nie ogarnęło jej zmęczenie. Szalejący ból brzucha w końcu ustał, położyła się na leżaku, zamykając oczy i medytując.

Przeczytała, że częsta medytacja może zwiększyć grubość kory mózgowej oraz zmniejszyć wycieńczenie warstwy korowej związane z procesem starzenia. Lydia medytowała codziennie, a kiedy Alice wyraziła zainteresowanie, nauczyła ją tego. Bez względu na to, czy wpływało to na grubość kory mózgowej, czy też nie, Alice ceniła sobie czas spokoju i koncentracji, gdy skutecznie wyciszała się pośród bałaganu, hałasu i zmartwień panujących w jej własnej głowie. Przynosiło to dosłowne ukojenie umysłu.

Po około dwudziestu minutach powróciła do pozycji, która nie wprawiała jej w senność, odprężona, pełna sił, rozgrzana. Ponownie weszła do wody, tym razem wyłącznie po to, by się zamoczyć i ochłodzić rozgrzane ciało. Gdy z powrotem wróciła na leżak, usłyszała siedzącą na kocu obok nich kobietę, rozmawiającą o fantastycznej sztuce, którą właśnie obejrzała w Monomoy Theatre. Szalejący ból brzucha powrócił.

Wieczorem John usmażył na grillu cheeseburgery, a Alice zrobiła sałatkę. Lydia nie wróciła na kolację.

– Na pewno przeciągnęła im się próba – pocieszył ją John.

– Ona mnie nienawidzi.

– Nieprawda.

Po kolacji Alice wypiła jeszcze dwie lampki wina, natomiast John pochłonął kolejne trzy szkockie z lodem. Lydii wciąż nie było. Po tym, jak Alice zaaplikowała swojemu żołądkowi wieczorną dawkę pigułek, oboje usiedli na kanapie z miską popcornu oraz pudełkiem orzechów w czekoladzie i obejrzeli *Króla Leara*.

John obudził ją. Telewizor był wyłączony, a w domu panowała ciemność. Musiała usnąć przed końcem filmu. I tak nie pamiętała zakończenia. Zaprowadził ją na górę do sypialni.

Stała przy łóżku ze łzami w oczach, ręką zasłaniając usta złożone w niedowierzający grymas. Promieniujący ból głowy i brzucha uderzył ponownie. Pamiętnik Lydii leżał na jej poduszce.

– Przepraszam za spóźnienie – powiedział Tom, wchodząc do środka.

– Okay, skoro Tom już jest, Charlie i ja chcielibyśmy się z wami czymś podzielić – oznajmiła Anna. – Jestem w piątym tygodniu ciąży i spodziewamy się bliźniaków!

W ślad za uściskami, całusami oraz gratulacjami posypał się grad podekscytowanych pytań i odpowiedzi, chwila przerwy i i znów to samo. Choć zdolność Alice do nadążania za tokiem złożonej konwersacji wśród wielu rozmówców zanikała, wzrosła za to jej wrażliwość na to, co nie zostało ujęte w słowa, wrażliwość na język ciała oraz na niewypowiedziane emocje. Przed kilkoma tygodniami opowiedziała o tym zjawisku Lydii, która wyjawiła jej, że to umiejętność godna pozazdroszczenia w zawodzie aktora. Przyznała, że ona oraz kilku innych aktorów musieli się niezwykle skoncentrować, aby odseparować się od języka werbalnego, po to, aby szczerze doświadczyć tego, co na scenie odkrywali i przeżywali inni grający. Alice nie do końca pojmowała różnicę, jednak uwielbiała Lydię za to, że postrzegała jej upośledzenie jako pożądaną umiejętność.

John wyglądał na szczęśliwego i podekscytowanego, jednak Alice dostrzegła, że ujawnił jedynie część swoich emocji, najprawdopodobniej starając się uszanować obawy Anny. Nawet bez jej ostrożności był przesądny, jak to wielu biologów miało w zwyczaju. Otwarcie nie chciał przymierzać się do dzielenia skóry na tych dwóch małych niedźwiadkach. Jednak nie mógł się już doczekać. Pragnął wnucząt.

Pod powłoką szczęścia i podekscytowania, Alice dostrzegła u Charliego grubą warstwę zdenerwowania, pod którą skrywał jeszcze grubszą warstwę przerażenia. Alice pomyślała, że widać to jak na dłoni, jednak

Anna wydawała się być tego nieświadoma, a nikt inny tego nie skomentował. Czy była po prostu świadkiem normalnych obaw towarzyszących przyszłemu ojcu? Czy Charliego przerażała myśl o wykarmieniu dwójki dzieci i uiszczeniu podwójnego czesnego jednocześnie? To by wyjaśniało jedynie pierwszą warstwę. Czy był również przerażony wizją dwójki dzieci na uczelni oraz żony z otępieniem umysłowym?

Lydia i Tom stali obok siebie, rozmawiając z Anną. Patrzyła na nich – miała wspaniałe dzieci, które już dorosły. Lydia wyglądała na rozpromienioną; cieszyła się z dobrej nowiny oraz z tego, że cała rodzina zebrała się, aby zobaczyć ją na scenie.

Tom uśmiechał się szczerze, jednak Alice dostrzegła, że dręczy go delikatny niepokój, jego oczy oraz policzki były lekko zapadnięte. On sam wydawał się bardziej kościsty. Czy to z powodu szkoły? Z powodu dziewczyny? Zorientował się, że mu się przygląda.

– Jak się czujesz, mamo? – zapytał.

– Na ogół dobrze.

– Naprawdę?

– Tak, naprawdę czuję się świetnie.

– Wydajesz się taka milcząca.

– Mówicie zbyt szybko i wszyscy na raz – wyjaśniła Lydia.

Uśmiech zniknął z jego twarzy. Wyglądał, jakby miał się zaraz rozpłakać. Schowany w błękitnej torbie BlackBerry zawibrował na biodrze Alice, przypominając jej o zażyciu wieczornej porcji pigułek. Chciała poczekać jeszcze kilka minut. Nie chciała ich brać teraz, nie w obecności Toma.

– Lydio, o której jutro zaczyna się to twoje przedstawienie? – zapytała Alice, trzymając w ręku Black-Berry.

– O ósmej.

– Mamo, nie musisz tego planować. Nie myślisz chyba że zapomnimy cię ze sobą zabrać? – powiedział Tom.

– Jak nazywa się sztuka, na którą idziemy? – zainteresowała się Anna.

– *Dowód* – odpowiedziała Lydia.

– Denerwujesz się? – zapytał Tom.

– Trochę, wiesz, to jest premiera i wy tam będziecie. Jednak zapomnę o waszej obecności, jak tylko znajdę się na scenie.

– Lydio, o której zaczyna się twoje przedstawienie? – zapytała Alice.

– Mamo, dopiero co o to pytałaś. Nie martw się tym – odpowiedział Tom.

– O ósmej, mamo – odparła cierpliwie Lydia. – Tom, wcale nie pomagasz.

– Nie, to ty nie pomagasz. Dlaczego ma się przejmować zapamiętaniem czegoś, o czym wcale nie musi pamiętać?

– Nie będzie musiała się tym przejmować, jeżeli ustawi sobie przypomnienie. Po prostu jej na to pozwól – powiedziała Lydia.

– Nie powinna polegać na tym swoim organizerze. Powinna ćwiczyć swoją pamięć, kiedy tylko nadarzy się okazja – rzuciła Anna.

– Więc jak? Powinna zapamiętać godzinę mojej sztuki czy też całkowicie polegać na nas? – zapytała Lydia.

– Powinnaś ją zachęcać, aby się bardziej koncentrowała i zwracała większą uwagę na szczegóły. Powinna sama spróbować przypomnieć sobie informacje, a nie iść na łatwiznę – oznajmiła Anna.

– Ona nie jest leniwa – powiedziała Lydia.

– Ty i całe to BlackBerry pozwalacie jej na to. Sama zobacz – mamo, o której zaczyna się jutro przedstawienie Lydii? – zapytała Anna.

– Nie wiem, dlatego ją zapytałam – mruknęła Alice.

– Odpowiedziała ci dwukrotnie, mamo. Postaraj się sobie przypomnieć.

– Anno, przestań ją przepytywać – powiedział Tom.

– Zamierzałam zapisać to w BlackBerry, jednak mi przerwałaś.

– Nie proszę cię o to, żebyś zaglądała do Black-Berry. Proszę cię, abyś przypomniała sobie godzinę, o której mówiła Lydia.

– No cóż, nie starałam się zapamiętać godziny, ponieważ zamierzałam ustawić sobie przypomnienie.

– Mamo, po prostu pomyśl przez chwilę. O której zaczyna się jutro przedstawienie Lydii?

Nie znała odpowiedzi, jednak wiedziała, że musi przywołać biedną Annę do porządku.

– Lydio, o której zaczyna się jutro twoje przedstawienie? – zapytała Alice.

– O ósmej.

– Zaczyna się o ósmej, Anno.

PIĘĆ MINUT PRZED ÓSMĄ zajęli miejsca w drugim rzędzie na środku sali. Monomoy Theatre było kameralnym miejscem, wewnątrz znajdowało się jedynie sto krzeseł, a scena oddalona była o niecały metr od widowni.

Alice nie mogła się doczekać, aż zgasną światła. Czytała tę sztukę i omawiała ją szczegółowo z Lydią. Pomagała jej nawet przy próbach. Lydia odgrywała rolę Catherine, córki geniusza matematyki, który popadł w obłęd. Alice nie mogła się doczekać, aż ujrzy ją na żywo.

Od pierwszej sceny gra aktorska była głęboka, prawdziwa oraz wielowymiarowa, a wymyślony świat stworzony przez aktorów całkowicie ją pochłonął. Catherine twierdziła, że odkryła przełomowy dowód, jednak ani jej ukochany, ani też niemająca z nią stałego kontaktu siostra nie byli tym faktem zainteresowani i oboje poddawali w wątpliwość jej zdrowie psychiczne. Zadręczała się, że tak jak jej genialny ojciec, również i ona może ulec szaleństwu. Alice doświadczała bólu, zdrady oraz strachu na równi z nią. Była zafascynowana od początku sztuki – i to uczucie nie opuściło jej aż do samego końca.

Po wszystkim aktorzy wyszli do publiczności. Catherine uśmiechała się promiennie. John wręczył jej kwiaty oraz wymownie ją przytulił.

– Byłaś wspaniała, całkowicie fantastyczna! – powiedział John.

– Dziękuję! Czyż to nie wspaniała sztuka?

Pozostali również ją przytulali, całowali i chwalili za występ.

– Byłaś genialna, z przyjemnością się ciebie oglądało – oznajmiła Alice.

– Dziękuję.

– Zobaczymy cię jeszcze tego lata w jakimś przedstawieniu? – zapytała zatroskana matka.

Zanim odpowiedziała, przez dłuższą chwilę wpatrywała się w Alice z przykrością w oczach.

– Nie, to jedyna moja rola.

– Przyjechałaś tylko na sezon letni?

Pytanie wyraźnie ją zasmuciło. Jej oczy wypełniły się łzami.

– Tak, pod koniec sierpnia wracam do Los Angeles, jednak zamierzam często wracać, by odwiedzać rodzinę.

– Mamo, to Lydia, twoja córka – powiedziała Anna.

Dobre funkcjonowanie neuronu zależy od jego zdolności do komunikacji z innymi neuronami. Badania dowiodły, iż elektryczna oraz chemiczna stymulacja aksonów i dendrytów wspiera niezbędne procesy komórkowe. Neurony, które nie mogą się skutecznie połączyć z innymi neuronami, zanikają. Bezużyteczny i porzucony neuron umiera.

WRZESIEŃ 2004

Pomimo że na Harvardzie oficjalnie rozpoczął się semestr jesienny, pogoda wcale na to nie wskazywała. Gdy Alice jechała we wrześniowy, parny poranek na Harvard Yard, na termometrze było niemal dwadzieścia siedem stopni. Zawsze bawił ją widok pierwszoroczniaków spoza Nowej Anglii, którzy przyjeżdżali tu na studia. To właśnie dzięki nim jesień w Cambridge budziła w niej skojarzenia nie tylko z kolorowymi liśćmi, zbiorami jabłek i meczami futbolowymi, ale także z wełnianymi szalami i swetrami. Wprawdzie w Cambridge nikogo nie zdziwiłoby pojawienie się przymrozków, jednak na ogół o tej porze roku można było usłyszeć dźwięki nieustannie skrzypiącej klimatyzacji i rozmowy rozgorączkowanych miejscowych dyskutujących o drużynie Red Sox. A jednak każdego roku nowi studenci przemierzali nieśmiało ulice Harvard Square, okryci zbyt grubą warstwą wełny i polaru, obładowani torbami wypchanymi artykułami piśmienniczymi oraz bluzami sygnowanymi logo Harvardu. Biedne, spocone maleństwa.

Alice miała na sobie bawełnianą koszulkę z krótkim rękawem oraz czarną spódnicę do kolan, jednak zanim zdążyła wejść do gabinetu Erika Wellmana, poczuła, jak pot spływa jej po plecach. Choć gabinet Erika znajdował się bezpośrednio nad jej pokojem, był tej samej wielkości i dokładnie tak samo umeblowany, a z jego okna rozpościerał się ten sam widok na Charles River i Boston, to biuro Erika wydawało się bardziej imponujące. Za każdym razem, kiedy przekraczała próg jego gabinetu, czuła się jak studentka i to uczucie towarzyszyło jej zwłaszcza dzisiaj, kiedy to została wezwana przez niego na „krótką rozmowę".

– Jak spędziłaś wakacje? – zapytał Eric.

– Odpoczywając. A ty?

– W porządku, ale minęły zbyt szybko. Wszystkim nam ciebie brakowało podczas czerwcowej konferencji.

– Wiem, też żałuję, że mnie tam nie było.

– Zanim rozpoczną się nowe zajęcia, chciałem z tobą porozmawiać na temat oceny twoich zajęć w minionym semestrze.

– Ach tak, nie miałam jeszcze czasu się tym zająć.

Sterta arkuszy ocen z zajęć z Motywacji i emocji leżała gdzieś w jej gabinecie, w teczce związanej gumką. Oceny wystawiane przez studentów były całkowicie anonimowe i jedynymi osobami, które miały do nich dostęp, byli wykładowca przedmiotu oraz dziekan wydziału. W przeszłości czytała je jedynie z czystej próżności. Wiedziała, że była świetnym wykładowcą, a oceny wystawione przez jej studentów zawsze bezapelacyjnie to potwierdzały. Jednak nigdy wcześniej Eric nie poprosił jej, aby mu je przedstawiła. Obawiała się, że po raz pierwszy nie spodoba jej się to, co zobaczy.

– Proszę, możesz zrobić to teraz, to ci zajmie tylko chwilę.

Wręczył jej kopię ocen z podsumowaniem na pierwszej stronie.

W skali od jeden, oznaczającej „zdecydowanie się nie zgadzam", do pięć, oznaczającej „zgadzam się zdecydowanie":

Zajęcia przeprowadzane przez wykładowcę stały na wysokim poziomie.

Same czwórki i piątki.

Zajęcia przyczyniły się znacznie do zrozumienia przeze mnie materiału.

Czwórki, trójki i dwójki.

Wykładowca pomógł mi w zrozumieniu trudnych zagadnień i złożonych poglądów.

Ponownie, czwórki, trójki i dwójki.

Wykładowca zachęcał mnie do zadawania pytań oraz przedstawiania odmiennych poglądów.

Dwóch studentów wystawiło jej jedynkę.

W skali od jeden do pięciu, od słabej do znakomitej, wystaw ogólną ocenę wykładowcy.

Głównie trójki. Jeśli dobrze pamiętała, w tej kategorii nigdy wcześniej nie otrzymała oceny niższej niż czwórka.

Cała strona z podsumowaniem pokryta była trójkami, dwójkami i jedynkami. Nawet nie próbowała siebie przekonać, że to, co właśnie zobaczyła, nie było wyłącznie dokładną i wiarygodną oceną wystawioną przez jej studentów, pozbawioną cienia jakiejkolwiek złośliwości. Jej zdolności nauczycielskie ucierpiały bardziej, niż była tego świadoma. Mogła jednak pójść o zakład, że daleko jej było do najgorzej ocenionego wykładowcy na tym wydziale. Być może jej okręt szybko tonął, jednak nie sięgnął jeszcze dna.

Spojrzała na Erika, przygotowując się, by wypić piwo, którego naważyła. Może nie był to jej ulubiony smak, jednak nie przepełniał on też jej ust goryczą.

– Gdyby na podsumowaniu nie było twojego nazwiska, nawet nie zaprzątałbym sobie tym głowy. Ocena jest zadowalająca, i choć nie do takiej mnie przyzwyczaiłaś, to nadal nie jest to katastrofa. Jednakże to pisemne oceny w szczególności dają do myślenia, więc pomyślałem, że powinniśmy o tym porozmawiać.

Alice nie wyszła poza stronę z podsumowaniem. Eric podniósł swoje notatki i przeczytał je na głos.

– *Opuszcza dużą część materiału, więc i my ją opuszczamy, jednak wymaga od nas jej znajomości na egzaminie.*

– *Wydaje się nie znać materiału, którego naucza.*

– *Zajęcia to strata czasu. Wystarczyło przeczytać podręcznik.*

– *Z trudem nadążałem za jej tokiem rozumowania. Chyba nawet ona się w nim pogubiła. Zajęcia nie zbliżyły się nawet do poziomu, który prezentowała na kursie wstępnym.*

– *Raz przyszła na zajęcia i ich nie rozpoczęła. Po prostu siedziała w milczeniu przez kilka minut, a następnie wyszła. Innym razem zaprezentowała ten sam wykład, co przed tygodniem. Nigdy nie pozwoliłabym sobie na zmarnowanie czasu doktor Howland i tego samego oczekuję w zamian.*

Słuchała z drżeniem serca. Nawet w najgorszych snach nie wyobrażała sobie większego bólu od tego, który dotknął ją w tej chwili.

– Alice, znamy się nie od dziś.

– To prawda.

– Zaryzykuję, będę bezpośredni i niedyskretny. Czy w domu wszystko w porządku?

– Tak.

– W takim razie, jak ty się czujesz? Czy to z powodu stresu i przygnębienia?

– Nie, to nie to.

– Niezręcznie jest mi cię o to pytać, jednak masz może problem z alkoholem lub innymi używkami?

Wysłuchała już wystarczająco dużo. *Nie mogę żyć z reputacją zestresowanej, cierpiącej na depresję narkomanki. Cierpienie z powodu demencji odznacza się mniejszym piętnem niż to.*

– Eric, choruję na Alzheimera.

Jego twarz zbladła. Spodziewał się usłyszeć o niewierności Johna. Miał już w kieszeni wizytówkę dobrego psychiatry. W każdej chwili mógł zorganizować dla niej wsparcie lub też załatwić odwyk w McLean Hospital. Jednak na to, co usłyszał, nie był przygotowany.

– Zdiagnozowano go u mnie w styczniu. Z trudem przychodziło mi nauczanie w zeszłym semestrze, jednak nie zdawałam siebie sprawy, że aż tak bardzo było to po mnie widać.

– Przykro mi, Alice.

– Mnie również.

– Nie spodziewałem się tego.

– Ja też nie.

– Myślałem, że to przejściowe kłopoty, coś, z czym sobie poradzisz. W tym przypadku nie mamy jednak do czynienia z tymczasowym problemem.

– Nie, nie mamy.

Alice przyglądała mu się. Dla wszystkich na Wydziale był niczym ojciec: opiekuńczy, hojny, jednak pragmatyczny i wymagający zarazem.

– Rodzice płacą czterdzieści tysięcy rocznie, nie sądzę, by dobrze to przyjęli.

Nie, z pewnością nie. Nie po to astronomiczne sumy wypływały z ich portfeli, aby ich dzieci uczył ktoś z Alzheimerem. Oczami wyobraźni widziała oburzenie i komunikaty podawane w wieczornych wiadomościach wyrażające ogólny protest.

– Poza tym, dwójka studentów z twojej grupy kwestionuje swoje oceny. Obawiam się, że takich przypadków byłoby tylko więcej.

W ciągu dwudziestopięcioletniej kariery nauczycielskiej nikt nigdy nie zakwestionował wystawionej przez nią oceny. Ani jeden student.

– Sądzę, że nie powinnaś dłużej uczyć, jednak uszanuję twoje stanowisko. Co zamierzasz?

– Planowałam zostać do końca roku, a potem wziąć urlop naukowy, jednak mając na uwadze to, jak bardzo objawy choroby zaczęły przeszkadzać mi w pracy, obawiam się, że muszę przyznać ci rację. Nie chcę być złym nauczycielem, Eriku. Nie jestem taka.

– Wiem o tym. Co powiesz na urlop zdrowotny, a następnie urlop naukowy?

Chciał się jej pozbyć i to natychmiast. Mogła poszczycić się wybitną pracą naukową oraz doświadczeniem akademickim, a co ważniejsze, stałym etatem. Z prawnego punktu widzenia – nie mogli jej zwolnić. Jednak nie o to jej chodziło. Choć nie chciała porzucać kariery na Harvardzie, toczyła przecież walkę z chorobą Alzheimera, a nie z Erikiem czy Uniwersytetem.

– Nie jestem gotowa, by odejść, jednak, jak już powiedziałam, zgadzam się z tobą, że nie powinnam dłużej uczyć. Chciałabym jedynie pozostać opiekunem Dana i czynnie uczestniczyć w seminariach i spotkaniach.

Nie jestem już wykładowcą.

– Wydaje mi się, że możemy to jakoś zorganizować. Chciałbym, abyś porozmawiała z Danem, wyjaśniła mu, co się dzieje, żeby to on podjął decyzję w tej kwestii. Z przyjemnością wam pomogę, jeśli uznacie to za stosowne. Również, co jest oczywiste, nie powinnaś przyjmować pod opiekę żadnych nowych doktorantów. Dan będzie ostatni.

Nie jestem już naukowcem.

– Nie powinnaś też przyjmować zaproszeń na odczyty i konferencje innych uniwersytetów. Reprezentowanie Harvardu w twoim stanie nie jest najlepszym pomysłem. Zauważyłem, że zaprzestałaś już większości podróży, więc najprawdopodobniej zdajesz już sobie z tego sprawę.

– Tak, oczywiście.

– W jaki sposób zamierzasz poinformować o tym Wydział? Ponownie chciałbym podkreślić, że uszanuję każde twoje stanowisko, cokolwiek postanowisz.

Miała zaprzestać nauczania, badań, podróży oraz wykładów. Ludzie to zauważą. Będą się domyślać, szeptać i plotkować. Dojdą do wniosku, że jest zestresowaną, cierpiącą na depresję narkomanką. Być może część z nich już tak uważa.

– Powiem im. Powinni to usłyszeć ode mnie.

17 września 2004

Drodzy przyjaciele i współpracownicy,
po głębokim namyśle, z wielkim żalem postanowiłam zrezygnować z pełnienia funkcji nauczyciela, naukowca, a także z obowiązków wynikających z reprezentowania Harvardu. W styczniu bieżącego roku zdiagnozowano u mnie chorobę Alzheimera o wczesnym początku.

*Pomimo że choroba wciąż jest we wczesnym sta-
dium, ostatnio jej objawy w znacznym stopniu odbiły
się na moim życiu zawodowym i uczyniły niemożli-
wym sprostanie wysokim wymaganiom piastowanego
dotychczas przeze mnie stanowiska.*

*Mimo że nie spotkacie mnie więcej na katedrze
w sali wykładowej ani też sporządzającej wniosek
o dotację na badania naukowe, pozostanę opiekunem
Dana Maloneya w jego pracy doktorskiej oraz nadal
będę brała udział w seminariach i spotkaniach, gdzie,
mam nadzieję, wciąż będę czynnym i mile widzianym
uczestnikiem.*

Z wyrazami ogromnej sympatii oraz szacunku,
Alice Howland

W PIERWSZYM TYGODNIU semestru zimowego
Marty przejął wszystkie obowiązki nauczycielskie
Alice. Kiedy spotkała się z nim, aby przekazać mu
program nauczania oraz materiały do wykładów,
przytulił ją i powiedział, jak bardzo jest mu przykro.
Zapytał ją, jak się czuje i czy mógłby coś dla niej
zrobić. Podziękowała mu i odpowiedziała, że czuje się dobrze. Gdy tylko dostał to, po co przyszedł,
opuścił jej gabinet tak szybko, jak tylko mógł.

W sumie ten sam scenariusz dotyczył każdej osoby na Wydziale, która ją odwiedziła.

– Tak bardzo mi przykro, Alice.

– Nie mogę w to uwierzyć.

– Nie miałam pojęcia.

– Czy jest coś, co mogę dla ciebie zrobić?

– Jesteś tego pewna? Nic po tobie nie widać.

– Tak mi przykro.

– Tak mi przykro.

Następnie zostawiali ją samą tak szybko, jak tylko było to możliwe. Byli dla niej niezmiernie uprzejmi, kiedy do niej zaglądali, jednak to nie zdarzało się zbyt często. Głównym powodem był ich napięty rozkład zajęć oraz raczej luźny grafik Alice. Równie znaczącą przyczyną było to, że tak właśnie postanowili. Spotkanie z nią oznaczało konfrontację z jej umysłową słabością oraz nieuniknioną myślą, że w najmniej spodziewanym momencie ich także mogłoby to spotkać. Wizyty u niej były przerażające. Tak więc przez większość czasu, poza zebraniami i seminariami, nikt jej nie odwiedzał.

Dzisiaj odbywało się pierwsze w semestrze jesiennym seminarium z psychologii. Leslie, jedna ze słuchaczek studiów doktoranckich Erika, stała pewna siebie i gotowa przy mównicy, z tytułowym slajdem wyświetlonym już na ekranie: *W poszukiwaniu odpowiedzi: jak uwaga wpływa na zdolność rozpoznawania tego, co widzimy*. Alice również czuła się pewna siebie i gotowa, siedząc na pierwszym krześle przy stole, naprzeciw Erika. Zaczęła jeść swój lunch, calzone z bakłażanem i zieloną sałatę, podczas gdy Eric i Leslie zajęci byli rozmową, a pokój powoli się zapełniał.

Po kilku minutach Alice zauważyła, że wszystkie krzesła, oprócz tego przy niej, były zajęte, a ludzie zaczęli się gromadzić z tyłu sali, gdzie musieli stać. Miejsca siedzące przy stole były zawsze pożądane. Nie tylko dlatego, że tak było wygodniej oglądać prezentację. Siedzenie eliminowało również niewygodne żonglowanie talerzami, sztućcami, napojami, długopisami oraz notatnikami. Najwyraźniej wspomniana żonglerka okazywała się mniej niewygodna, niż zajęcie miejsca obok niej. Patrzyła na wszystkich, którzy na nią nie patrzyli. W pokoju tłoczyło się około pięćdziesięciu osób, ludzi, których znała od wielu lat, ludzi, których uważała za rodzinę.

Dan wpadł do sali z rozczochranymi włosami, w rozpiętej koszuli, z okularami zamiast soczewek. Zatrzymał się na chwilę, następnie ruszył w kierunku wolnego krzesła obok Alice i oznaczył je jako swoje, kładąc notebooka na stole.

– Pisałem przez całą noc. Muszę coś zjeść, zaraz wracam.

Wystąpienie Leslie trwało okrągłą godzinę. Był to dla Alice ogromny wysiłek, jednak wysłuchała jej uważanie do samego końca. Gdy Leslie wyświetliła ostatni slajd prezentacji, zaprosiła wszystkich do dyskusji. Alice zaczęła jako pierwsza.

– Tak, doktor Howland? – powiedziała Leslie.

– Wydaje mi się, że nie uwzględniłaś grupy kontrolnej, która zmierzyłaby realny wpływ czynników rozpraszających. Można byłoby wtedy dowieść, że niektóre z nich, z jakichś powodów, nie są dostrzegane, oraz że sam fakt, że istnieją, nie powoduje rozpraszania. Można by też zbadać zdolność podmiotów do jednoczesnego dostrzegania i poddawania się czynnikom rozpraszającym lub też przeprowadzić badanie, w którym zamienilibyśmy czynnik rozpraszający w obiekt badania.

Wielu z obecnych przy stole przytaknęło głową. Dan wykrztusił z siebie *mhm* z ustami pełnymi calzone. Zanim Alice skończyła swoją myśl, Leslie chwyciła za długopis i pośpiesznie sporządziła notatkę.

– Tak. Leslie, wróć na chwilę do slajdu przedstawiającego ogólny zarys badania – poprosił Eric.

Alice rozejrzała się po sali. Oczy wszystkich zebranych wpatrzone były w ekran. Słuchali uważnie, jak Eric rozwodził się nad komentarzem Alice. Wielu nadal przytakiwało. Poczuła się jak zwycięzca i była zadowolona z siebie. Fakt, że miała Alzheimera, nie oznaczał wcale, że nie była już zdolna do analitycznego myślenia. Fakt, że miała Alzheimera, nie oznaczał, że nie zasługiwała, aby siedzieć wśród nich. Fakt, że miała Alzheimera, nie oznaczał, że nie zasługiwała już, aby zostać wysłuchaną.

Pytania i odpowiedzi zajęły następne minuty. Alice skończyła swoje calzone i sałatkę. Dan wstał i wrócił z dokładką. Leslie zająknęła się podczas udzielania odpowiedzi na nieprzyjemne pytanie ze strony nowego doktoranta Marty'ego. Na ekranie wyświetlany był ogólny zarys badania. Alice przeczytała go i podniosła dłoń.

– Tak, doktor Howland? – zapytała Leslie.

– Wydaje mi się, że nie uwzględniłaś grupy kontrolnej, która zmierzyłaby efektywność czynników rozpraszających. Możliwe, że niektóre z nich nie są dostrzegane. Można by zbadać zdolność podmiotów do równoczesnego poddawania się i wpływania na czynniki rozpraszające lub też zamienić czynnik rozpraszający w obiekt badania.

To była słuszna uwaga. To była, prawdę mówiąc, jedyna właściwa droga do przeprowadzenia tego doświadczenia, a jej praca nie mogłaby zostać opublikowana bez sprawdzenia tej możliwości. Alice była tego pewna. Jednak nikt poza nią nie wydawał się tego dostrzegać. Spojrzała na wszystkich, którzy na nią nie patrzyli. Mowa ich ciała wskazywała na zakłopotanie i strach. Ponownie przeczytała informacje z ekranu. Wyniki nie mogły zostać opublikowane, bez spełnienia tego warunku. Fakt, że miała Alzheimera, nie oznaczał, że nie potrafiła myśleć analitycznie. Fakt, że miała Alzheimera, nie oznaczał, że nie wiedziała, o czym mówi.

– No tak, dziękuję – odparła Leslie.

Nie sporządziła jednak żadnych notatek, nie spojrzała Alice w oczy, a na jej twarzy nie było widać choć krzty wdzięczności.

NIE MIAŁA ŻADNEJ GRUPY, którą mogłaby nauczać, żadnych ocen do wystawienia, żadnych badań do przeprowadzenia, żadnych konferencji, w których by uczestniczyła, nie została również zaproszona na żaden wykład. I tak miało być już zawsze. Poczuła, jak największa część jej samej, część, którą ceniła i o którą pieczołowicie dbała, wywyższona na majestatycznym piedestale, umarła. A pozostałe, mniejsze, mniej podziwiane cząstki jej osobowości jęczały, użalając się nad sobą, zastanawiając się, cóż one znaczą bez niej.

Wyjrzała przez olbrzymie okno swojego gabinetu i zobaczyła ludzi uprawiających jogging, biegnących po krętej ścieżce wzdłuż Charles River.

– Znajdziesz dzisiaj chwilę, by ze mną pobiegać? – zapytała.

– Może – odpowiedział John.

On również wyjrzał przez okno, popijając kawę. Zastanawiała się, co widział. Czy jego oczy były skierowane na biegnącą parę, czy też wpatrywał się w coś zupełnie innego.

– Żałuję, że nie spędziliśmy razem więcej czasu – powiedziała.

– Co masz na myśli? Przecież byliśmy razem całe lato.

– Nie, nie chodzi mi o lato, ale o całe nasze życie. Myślałam o tym i żałuję, że poświęcaliśmy sobie tak mało czasu.

– Ali, mieszkamy razem, pracujemy w tym samym miejscu, spędziliśmy nasze całe życie razem.

Na początku tak było. Żyli wspólnie. Jednak po latach to się zmieniło. Pozwolili, by to się zmieniło. Myślała o rozłące spowodowanej urlopem naukowym, podziale pracy przy dzieciach, podróżach, ich wyjątkowemu oddaniu się pracy. Od dłuższego czasu żyli obok siebie.

– Myślę, że zbyt często się mijaliśmy.

– Ja tak nie czuję, Ali. Lubię nasze życie, sądzę, że zachowaliśmy w nim równowagę pomiędzy niezależnością podążania za własnymi pasjami i życiem razem.

Pomyślała o jego pogoni za swoją pasją, o jego badaniach, które zawsze były ważniejsze od niej. Nawet kiedy jego doświadczenia nie powiodły się,

kiedy dane nie były spójne, kiedy hipoteza okazywała się błędna, jego miłość do pracy nigdy nie
osłabła. Czas, zaangażowanie, uwaga oraz energia,
którą w to wkładał, zawsze inspirowały ją do jeszcze
większego wysiłku. I tak też robiła.

– Nie mijamy się, Ali. Jestem przy tobie.

Spojrzał na zegarek i dopił resztę kawy.

– Muszę pędzić na zajęcia.

Podniósł torbę, wyrzucił kubek do kosza i podszedł do niej. Pochylił się, ujął jej głowę w dłonie
i pocałował delikatnie. Spojrzała na niego i zmusiła
swoje usta do słabego uśmiechu, powstrzymując łzy
na tyle długo, by zdążył opuścić gabinet.

Żałowała, że nie była jego pasją.

Siedziała w swoim gabinecie, oglądając mieniący się w słońcu korek samochodów wzdłuż Memorial Drive, podczas gdy ktoś inny prowadził zajęcia z jej studentami. Sączyła herbatę. Miała przed
sobą cały dzień i nic do roboty. Poczuła wibracje
w okolicach biodra. Była ósma rano. Wyjęła Black-
Berry z błękitnej torby.

Alice, odpowiedz na poniższe pytania:

1. Jaki mamy miesiąc?
2. Gdzie mieszkasz?

3. Gdzie znajduje się twój gabinet?
4. Kiedy urodziła się Anna?
5. Ile masz dzieci?

Jeżeli odpowiedź na któreś z pytań sprawia ci problemy, odszukaj w swoim komputerze plik o nazwie Motyl i natychmiast zastosuj się do umieszczonych tam instrukcji:
1. Wrzesień
2. 34 Poplar Street, Cambridge
3. William James Hall, pokój 1002
4. 14 września
5. Troje

Sączyła herbatę, obserwując mieniący się w słońcu korek samochodów wzdłuż Memorial Drive.

PAŹDZIERNIK 2004

Usiadła na łóżku, zastanawiając się, co robić. Był środek nocy, za oknami wciąż panowała ciemność. Nie czuła się zdezorientowana. Wiedziała, że powinna teraz spać. John leżał na plecach tuż obok niej, chrapiąc. Jednak ona nie potrafiła zasnąć. Ostatnio miała problem z przesypianiem całej nocy, najprawdopodobniej z powodu częstych drzemek w ciągu dnia. A może właśnie często ucinała sobie drzemkę za dnia, ponieważ w nocy nie mogła usnąć? Wpadła w zaklęty krąg, w pułapkę, z której nie potrafiła się uwolnić. Być może, gdyby zwalczyła potrzebę popołudniowej drzemki, przespałaby noc i wyłamała się z piekielnego schematu. Jednak każdego dnia, nim nastał wieczór, czuła się tak wyczerpana, że zawsze oddawała się chwili odpoczynku na kanapie. Ta chwila relaksu zawsze kusiła ją do zaśnięcia.

Pamiętała, że kiedy dzieci miały około dwóch lat, miała z nimi podobny problem. Bez popołudniowej drzemki były nieznośne aż do wieczora, natomiast po drzemce stały się rozbudzone do późnych godzin nocnych. Nie pamiętała, jak sobie wtedy z tym poradziła.

Przy wszystkich pigułkach, które zażywam, przynajmniej jedna musi wywoływać skutek uboczny w postaci senności. Ach, chwila. Mam przecież receptę na tabletki nasenne.

Wstała z łóżka i zeszła na dół. Chociaż była pewna, że recepty tam nie było, opróżniła najpierw błękitną torbę. Dokumenty, BlackBerry, klucze. Otworzyła portmonetkę. Karta kredytowa, karta debetowa, prawo jazdy, identyfikator z Harvardu, ubezpieczenie zdrowotne, dwadzieścia dolarów i parę drobnych.

Opróżniła jasnobeżową misę, w której trzymali pocztę. Rachunki za prąd, rachunki za gaz, rachunki za telefon, raty kredytu, jakieś pismo z uczelni, rachunki ze sklepu.

Otworzyła i opróżniła zawartość szuflad w biurku i w szafie na dokumenty w jej gabinecie. Wyjęła czasopisma i gazety z koszyków w salonie. Przeczytała kilka stron czasopisma „The Week" i zagięła stronę z reklamą katalogu wysyłkowego z ładnymi swetrami. Spodobał jej się ten w odcieniu morskim.

Otworzyła szufladę z rupieciami. Baterie, śrubokręt, taśma klejąca, klej, klucze, kilka ładowarek do telefonu, zapałki i inne rzeczy. Prawdopodobnie od lat nikt nie sprzątał tej szuflady. Wyjęła ją i wysypała zawartość na kuchenny stół.

– Ali, co robisz? – zapytał John.

Zaskoczona widokiem męża, spojrzała na jego rozczochrane włosy i zmrużone oczy.

– Szukam...

Spojrzał w dół na porozrzucane po całym stole przedmioty. Baterie, zestaw do szycia, klej, centymetr, kilka ładowarek do telefonu, śrubokręt.

– Szukam czegoś.

– Ali, jest po trzeciej. Robisz tylko bałagan. Nie możesz tego poszukać rano?

Był poirytowany. Nie lubił, gdy mu się przeszkadzało w trakcie snu.

– Dobrze.

Położyła się do łóżka i starała się przypomnieć sobie, czego szukała. Był wciąż środek nocy. Wiedziała, że powinna spać. John usnął od razu i po chwili chrapał. Nie miał problemów z zasypianiem, tak jak ona dawniej. Jednak teraz nie potrafiła zasnąć. Ostatnio miała problem z przesypianiem całej nocy, najprawdopodobniej z powodu częstych drzemek w ciągu dnia. A może właśnie często ucinała sobie drzemkę za dnia, ponieważ w nocy nie mogła usnąć? Wpadła w zaklęty krąg, w pułapkę, z której nie potrafiła się uwolnić.

Chwila, moment. Wiem, jak sobie z tym poradzić. Mam przecież te pigułki od doktor Moyer. Gdzie ja je zostawiłam?

Wstała i zeszła na dół.

Nie miała dzisiaj żadnych spotkań ani seminariów. Żaden podręcznik, czasopismo czy poczta w jej gabinecie nie wzbudzały w niej zainteresowania. Dan nie miał jeszcze dla niej nic do przeczytania. Jej skrzynka odbiorcza była pusta. Codzienna poczta od Lydii przychodziła dopiero po południu. Obserwowała ruch uliczny przez okno. Samochody mknęły po zakrętach Memorial Drive, a kilku sportowców biegło wzdłuż krętej rzeki. Wierzchołki sosen kołysały się na jesiennym wietrze.

Z pojemnika na dokumenty w szafie, oznaczonego jako „Przedruki Howland", wyjęła wszystkie teczki. Była autorką ponad setki opublikowanych artykułów. Trzymała w dłoniach artykuły naukowe, komentarze oraz recenzje, skróconą wersję bogactwa jej myśli i opinii. Sporo ważyły. Jej myśli i opinie miały dużą wagę. Przynajmniej kiedyś. Tęskniła za swoimi badaniami, rozmyślaniem o nich, za własnymi pomysłami i spostrzeżeniami, za nauką.

Odstawiła stertę teczek i wyjęła z biblioteczki swój podręcznik *Od molekuł do umysłu*. Również był ciężki. To było osiągnięcie, które napawało ją największą dumą. Jej słowa i myśli połączone z myślami Johna, tworzące coś wyjątkowego, przekazujące wiedzę i wpływające na słowa i myśli innych. Zakładała, że kiedyś napiszą kolejny. Przekartkowała strony, nie zagłębiając się w treść. Tego również nie miała ochoty czytać.

Spojrzała na zegarek. Wieczorem mieli wraz z Johnem pobiegać. Jednak do tego czasu jeszcze daleko. Postanowiła pójść do domu.

Ich dom znajdował się zaledwie trzy kilometry od miejsca pracy, więc dotarła do niego szybko i bez problemów. Co teraz? Weszła do kuchni, by zrobić sobie herbatę. Nalała do czajnika wody z kranu, odstawiła go z powrotem na kuchenkę i przekręciła kurek z gazem. Poszła po herbatę, ale na blacie nie było pojemnika w którym ją trzymała. Otworzyła szafkę, w której trzymała kubki do kawy, ale nie było ich w szafce – zamiast tego wpatrywała się w trzy półki z talerzami. Otworzyła szafkę po prawej stronie, w której spodziewała się zobaczyć rząd szklanek, jednak zamiast nich ujrzała miski i kubki.

Wyjęła wszystko co tam znalazła i postawiła na blacie. Następnie wyjęła talerze i położyła je obok misek i kubków. Otworzyła następną szafkę. W tej również nic nie było na swoim miejscu. W krótkim czasie na blacie pojawiły się talerze, miski, kubki, szklanki do soku, szklanki do wody, kieliszki do wina, garnki, patelnie, pokrywki, ścierki oraz srebro stołowe. Całą kuchnię zastała wywróconą do góry nogami. *Hm, gdzie to było poukładane wcześniej?* Gwiżdżący czajnik nie pozwolił jej spokojnie pozbierać myśli. Przekręciła kurek z gazem.

Usłyszała, jak ktoś otwiera drzwi wejściowe. *O Boże, John wrócił wcześniej.*

– John, dlaczego poprzestawiałeś rzeczy w kuchni? – krzyknęła.

– Alice, co ty robisz?

Kobiecy głos ją zaskoczył.

– Ach, to ty, Lauren, przestraszyłaś mnie.

To była jej sąsiadka z naprzeciwka. Lauren nic nie odpowiedziała.

– Przepraszam, może usiądziesz? Właśnie robiłam sobie herbatę.

– Alice, to nie jest twoja kuchnia.

– Co?

Rozejrzała się dookoła – ciemne granitowe blaty, brzozowe szafki, białe kafle na podłogach, okno nad zlewem, zmywarka po prawej stronie zlewu, dwa piekarniki. Chwila, przecież nie miała dwóch piekarników, prawda? Dopiero teraz zauważyła lodówkę. Dowód winy. Zbiór zdjęć przyczepionych magnesami do drzwi lodówki przedstawiał Lauren, jej męża, kota i dzieci, których Alice nie rozpoznawała.

– Och, Lauren, co ja zrobiłam z twoją kuchnią? Pomogę ci odstawić wszystko z powrotem na miejsce.

– Nie trzeba, Alice. Czy wszystko w porządku?

– Nie, raczej nie.

Chciała uciec do domu, do własnej kuchni. Nie mogłyby po prostu o tym zapomnieć? Czy naprawdę musiała się teraz wdawać w rozmowę pod tytułem *Mam Alzheimera?* Nienawidziła tego.

Alice próbowała wyczytać coś z twarzy Lauren. Jej sąsiadka wyglądała na zakłopotaną i przerażoną. Wyraz jej twarzy wydawał się mówić: *Ona chyba oszalała.* Alice zamknęła oczy i wzięła głęboki oddech.

– Mam Alzheimera.

Otworzyła oczy. Wyraz twarzy Lauren nie uległ zmianie.

Teraz, za każdym razem, gdy wchodziła do kuchni, sprawdzała najpierw lodówkę, tak dla pewności. Żadnych zdjęć Lauren. Była we właściwym domu. W razie dodatkowych wątpliwości John zostawił przyczepioną magnesem do lodówki kartkę, gdzie napisał dużymi czarnymi literami:

ALICE,
NIE WYCHODŹ BIEGAĆ BEZE MNIE.

MOJA KOMÓRKA: 617–555–1122
ANNA: 617–555–1123
TOM: 617–55–1124

John kazał jej przyrzec, że nie wyjdzie biegać bez niego. Dała mu swoje słowo. Oczywiście, mogła o tym zapomnieć.

Jej kostce i tak najprawdopodobniej przydałby się odpoczynek. Skręciła ją, schodząc z krawężnika w ubiegłym tygodniu. Jej zmysł postrzegania przestrzennego ostatnio szwankował. Obiekty czasami wydawały się być bliżej lub dalej, lub ogólnie mówiąc, były gdzie indziej, niż być powinny. Poszła do okulisty. Z jej wzrokiem było wszystko w porządku. Miała wzrok dwudziestolatki. Problem nie leżał w jej rogówce, soczewce czy też w siatkówce. Usterka występowała gdzieś w procesie wizualizacji informacji, gdzieś w jej korze potylicznej, jak powiedział John. Najwyraźniej miała wzrok studentki oraz korę potyliczną emerytki.

Żadnego biegania bez Johna. Mogłaby się zgubić lub zrobić sobie krzywdę. Jednak ostatnimi czasy nie biegała razem z Johnem. Często podróżował, a kiedy nie był poza miastem, wychodził wcześnie rano i wracał późno. Gdy wracał, zawsze był zbyt zmęczony. Nie znosiła być od niego uzależniona w kwestii jej ulubionego sportu, zwłaszcza od kiedy nie mogła na niego liczyć.

Chwyciła za telefon i zadzwoniła pod numer zapisany na lodówce.

– Halo?

– Pobiegamy dzisiaj? – zapytała.

– Nie wiem, może, mam teraz spotkanie. Zadzwonię do ciebie później – powiedział John.

– Ja naprawdę muszę pobiegać.

– Zadzwonię później.

– Kiedy?

– Kiedy będę mógł.

– Dobrze.

Odłożyła telefon, wyjrzała przez okno, a następnie spojrzała na buty do biegania na jej nogach. Zdjęła je i rzuciła nimi o ścianę.

Starała się być wyrozumiała. Musiał pracować. Jednak dlaczego nie rozumiał, że ona musi pobiegać? Jeżeli coś tak prostego, jak regularne ćwiczenia, naprawdę powstrzymuje rozwój choroby, to powinna biegać tak często, jak tylko jest to możliwe. Za każdym razem, kiedy odpowiadał jej: *Nie dzisiaj*, mogła tracić więcej neuronów, niż była w stanie ocalić. Niepotrzebnie umierała przez to szybciej. On ją zabijał.

Chwyciła za telefon ponownie.

– Tak? – zapytał John przyciszonym, rozdrażnionym głosem.

– Obiecaj mi, że dzisiaj pobiegamy.

– Przepraszam na chwilkę – rzucił do kogoś innego. – Proszę cię, Alice, oddzwonię do ciebie, jak tylko skończę spotkanie.

– Muszę dzisiaj pobiegać.

– Nie wiem, o której dzisiaj wrócę do domu.

– No i?

– Dlatego jestem zdania, że powinniśmy ci kupić bieżnię.

– Niech cię szlag! – krzyknęła, odkładając słuchawkę.

To raczej nie było wyrozumiałe z jej strony. Ostatnio często wpadała w gniew. Nie wiedziała, czy to był objaw jej posuwającej się choroby, czy też usprawiedliwiona reakcja. Nie potrzebowała bieżni. Potrzebowała jego. Może nie powinna być tak uparta. Może ona również siebie zabijała?

Zawsze mogła gdzieś wyjść bez niego. Oczywiście, to „gdzieś" musiało być „bezpiecznym miejscem". Mogła iść do pracy. Jednak ona nie chciała tam iść. W pracy czuła się znudzona, ignorowana i wyobcowana. Czuła się tam śmieszna. Nie pasowała już do tego środowiska. W całej tej wystawnej majestatyczności Harvardu nie było miejsca dla wykładowcy psychologii kognitywnej z uszkodzoną psychiką poznawczą.

Usiadła w fotelu w salonie, próbując wymyślić, co ze sobą począć. Żaden pomysł nie przychodził jej do głowy. Próbowała wyobrazić sobie jutrzejszy dzień, przyszły tydzień, nadchodzącą zimę. Nic istotnego nie przychodziło jej do głowy. Czuła się znudzona, ignorowana i wyobcowana. Popołudniowe słońce, niczym w filmach Tima Burtona, rzucało makabryczne cienie, które ślizgały się, falowały na podłodze, wspinały się po ścianach. Przyglądała się rozpływającym się cieniom w zapadającym w ciemność pokoju. Zamknęła oczy i pogrążyła się we śnie.

ALICE STAŁA W SYPIALNI, naga, jeśli nie liczyć pary skarpetek na nogach oraz bransoletki Bezpieczny Powrót i przeklinając, mocowała się z kawałkiem ubrania naciągniętym na głowę. Walka z tkaniną oplatającą jej głowę wyglądała jak cielesny i poetycki zarazem obraz cierpienia, niczym taniec współczesny Marthy Graham. Wydała z siebie długi okrzyk.

– Co się dzieje? – zapytał John, wbiegając do pokoju.

Spojrzała na niego oczami pełnymi przerażenia przez dziurę w poskręcanej odzieży.

– Już dłużej nie mogę! Nie wiem, jak mam na siebie włożyć ten pieprzony sportowy stanik. Nie pamiętam, jak się zakłada stanik, John! Nie potrafię założyć własnego stanika!

Podszedł do niej i przyjrzał się jej głowie.

– Ali, to nie jest stanik, to majtki.

Wybuchnęła śmiechem.

– To nie jest śmieszne – powiedział John.

Zaśmiała się jeszcze głośniej.

– Przestań, to nie jest śmieszne. Posłuchaj, jeżeli chcesz pobiegać, to musisz się pośpieszyć i wreszcie się ubrać. Nie mam zbyt wiele czasu.

Wyszedł z sypialni, nie mogąc patrzeć, jak stoi naga z majtkami na głowie, śmiejąc się z własnego absurdalnego szaleństwa.

ALICE WIEDZIAŁA, ŻE MŁODA KOBIETA siedząca naprzeciw była jej córką, jednak fakt, że nie była tego do końca pewna, napawał ją niepokojem. Wiedziała, że miała córkę imieniem Lydia, jednak informacja ta była bardziej wiedzą akademicką niż bezwarunkowym rozumieniem, faktem, z którym się zgadzała, informacją, którą otrzymała i uznała za prawdziwą.

Spojrzała na Toma i Annę, którzy również siedzieli przy stole i automatycznie potrafiła powiązać ich twarze ze wspomnieniami o swojej najstarszej córce i synu. Potrafiła przywołać obraz Anny w ślubnej sukni, na Wydziale Prawa, na uniwersytecie, w todze na zakończeniu szkoły średniej oraz w śnieżnobiałej koszuli nocnej, którą upierała się nosić każdego dnia, kiedy miała trzy lata. Pamiętała Toma w stroju akademickim, w gipsie, kiedy złamał nogę na nartach, z aparatem korekcyjnym, w stroju małej ligi oraz w jej ramionach, gdy był niemowlęciem.

Równie dobrze mogłaby ujrzeć historię Lydii, jednak, jakimś sposobem, kobieta siedząca naprzeciw niej nie była nierozerwalnie połączona ze wspomnieniami o jej najmłodszym dziecku. To sprawiało, że czuła się niespokojna i boleśnie świadoma tego, że jej stan ulegał pogorszeniu, że jej przeszłość zlewała się z teraźniejszością. Przerażające było to, że nie miała najmniejszych problemów z rozpoznaniem mężczyzny siedzącego obok Anny, jako jej męża Charliego, który stał się częścią ich rodziny zaledwie przed kilkoma laty. Wyobraziła sobie swojego Alzheimera jako demona w jej głowie, pędzącego zuchwale bezsensowną ścieżką destrukcji, przełączającego wściekle przewody z „Lydia teraz" do „Lydia wtedy", pozostawiając połączenie „Charlie" całkowicie nienaruszone.

W restauracji panował tłok i gwar. Odgłosy z innych stolików rozpraszały jej uwagę, a muzyka grana w tle to wybijała się na pierwszy plan, to cichła. Głosy Anny i Lydii brzmiały dla niej jednakowo. Wszyscy używali zbyt wielu zaimków. Z trudem starała się nadążyć za tym, kto właśnie mówił i o czym rozmawiano.

– Kochanie, wszystko w porządku? – zapytał Charlie.

– To przez te zapachy – odpowiedziała Anna.

– Chcesz wyjść na chwilę na zewnątrz? – zapytał.

– Pójdę z nią – powiedziała Alice.

Alice przeszedł dreszcz, gdy tylko opuściły przytulne ciepło restauracji. Obie zapomniały zabrać ze sobą płaszczy. Anna chwyciła jej dłoń i wyciągnęła ją z kręgu młodych palaczy kręcących się przy drzwiach.

– Ach! Świeże powietrze – powiedziała Anna, wykonując głęboki wdech i wydech.

– I cisza – dodała Alice.

– Jak się czujesz, mamo?

– W porządku – odpowiedziała Alice.

Anna potarła dłoń Alice, wciąż trzymając ją za rękę.

– Bywało lepiej – przyznała.

– U mnie to samo – rzuciła Anna. – Czy ty też miewałaś nudności, gdy byłaś ze mną w ciąży?

– Mhm.

– Jak sobie z tym radziłaś?

– Po prostu się nie przejmuj. To wkrótce ustąpi. Nim się zorientujesz, dzieci już tutaj będą. Nie mogę się ich doczekać.

– Ja też – odpowiedziała Anna. Jednak w jej głosie nie było słychać tej samej radości, co w głosie Alice. Jej oczy nagle wypełniły się łzami.

– Mamo, ciągle jest mi niedobrze i jestem wyczerpana. Za każdym razem, kiedy o czymś zapominam, boję się, że to pierwsze objawy choroby.

– Ależ kochanie, to nic, to tylko zmęczenie.

– Tak, wiem, wiem. Tylko że kiedy pomyślę o tym, że już dłużej nie uczysz i o tym, co tracisz...

– Nie myśl o tym. To powinien być dla ciebie ekscytujący okres. Proszę cię, pomyśl o tym, co zyskujemy.

Alice uścisnęła mocno jej dłoń i delikatnie położyła drugą rękę na brzuchu Anny. Anna uśmiechała się, jednak łzy wciąż płynęły z jej oczu.

– Po prostu nie wiem, jak sobie z tym poradzę. Praca, dwoje dzieci i...

– I Charlie. Nie zapominaj o sobie i Charliem. Dbaj o to, co jest między wami. Zachowaj we wszystkim równowagę – pomiędzy tobą a nim, twoją karierą, twoimi dziećmi, wszystkim, co kochasz. Nie bierz niczego za pewnik, a dasz sobie radę. Charlie ci w tym pomoże.

– Lepiej dla niego, żeby mi pomógł – pogroziła Anna.

Alice zaniosła się śmiechem. Anna wytarła oczy wierzchem dłoni i odetchnęła z wyraźną ulgą.

– Dzięki, mamo. Już mi lepiej.

– Cieszę się.

W restauracji usiadły z powrotem na swoich miejscach i zjadły kolację. Młoda kobieta naprzeciwko Alice, jej najmłodsze dziecko, Lydia, zastukała nożem w pusty kieliszek do wina.

– Mamo, chcielibyśmy ci teraz wręczyć prezent.

Lydia wręczyła jej małą, prostokątną paczkę owiniętą w złoty papier. Musiała mieć duże znaczenie.

Alice odpakowała pudełko. W środku znajdowały się trzy płyty DVD – *Dzieci Howlandów*, *Alice i John* oraz *Alice Howland*.

– To video-wspomnienia dla ciebie. *Dzieci Howlandów* to zbiór wywiadów z Anną, Tomem i ze mną. Nagrałam je w lecie. To nasze wspomnienia o tobie, o naszym dzieciństwie oraz o dorastaniu. Płyta z tatą to jego wspomnienia o tym, jak się poznaliście i o waszych randkach, ślubie oraz o wakacjach i wielu innych rzeczach. Jest tam kilka naprawdę świetnych historii, których żadne z naszej trójki nie znało. Trzeciej płyty jeszcze nie nakręciłam. To wywiad z tobą na temat twojej historii, o ile będziesz chciała to zrobić.

– Zdecydowanie chcę to zrobić. Podoba mi się ten pomysł. Dziękuję wam, nie mogę się doczekać, kiedy je obejrzę.

Kelnerka przyniosła im kawę, herbatę oraz ciasto czekoladowe ze świeczką na środku. Wszyscy zaśpiewali *Sto lat*. Alice zdmuchnęła palący się płomień i pomyślała życzenie.

LISTOPAD 2004

Filmy, które w lecie zakupił dla niej John, spotkał ten sam los, co porzucone książki. Nie była już w stanie nadążać za wątkiem czy też zapamiętać bohaterów, jeśli nie pojawiali się w każdej scenie. Rozumiała krótkie fragmenty, jednak po napisach końcowych w pamięci zachowywała jedynie ogólny sens filmu. *Film był zabawny*. Kiedy John lub Anna oglądali go wraz z nią, często w trakcie seansu zanosili się śmiechem, podskakiwali z przerażenia lub wzdrygali się z obrzydzeniem, reagując w oczywisty, instynktowny sposób na wydarzenia na ekranie, których ona nie rozumiała. Mogła się wtedy do nich przyłączyć i zataić fakt, jak bardzo była zagubiona. Oglądanie filmów uświadamiało jej, jak bardzo była zagubiona.

Płyty DVD nagrane przez Lydię pojawiły się w samą porę. Każda historia opowiedziana przez Johna i dzieci trwała zaledwie kilka minut, tak więc mogła je spokojnie oglądać, nie musiała bowiem skupiać uwagi na jednej, wybranej, i nie musiała zapamiętywać jej, by zrozumieć pozostałe opowieści. Oglądała je w kółko. Nie pamiętała wszystkiego, o czym mówili, jednak czuła się z tym normalnie, ponieważ żadne z jej dzieci, a nawet John, również nie pamiętali wszystkich szczegółów. A kiedy Lydia poprosiła wszystkich, aby opisali to samo wydarzenie, każde z nich zapamiętało je nieco inaczej, pomijając niektóre fragmenty, wyolbrzymiając z kolei inne, podkreślając swój indywidualny punkt widzenia. Nawet biografie nieprzesiąknięte chorobą były narażone na luki i wypaczenia.

Tylko raz obejrzała video *Alice Howland*. Kiedyś była niesłychanie elokwentna, nie odczuwała najmniejszych problemów przy wysławianiu się przy kimkolwiek. Obecnie nadużywała wyrażenia *jak mu tam było* i zbyt często się powtarzała. Była jednak wdzięczna, że ma to nagranie swoich wspomnień, przemyśleń i informacji, zarejestrowanych i zebranych w jednym miejscu, bezpiecznych przed molekularnym chaosem Alzheimera. Któregoś dnia obejrzą to jej wnuki i powiedzą: *To babcia, kiedy jeszcze mogła mówić i nie miała problemów z pamięcią*.

Skończyła oglądać nagranie *Alice i John*. Siedziała na kanapie z kocem na kolanach wsłuchując się w ciszę, która sprawiała jej przyjemność. Wzięła oddech i przez kilka minut nie myślała o niczym innym poza dźwiękiem tykającego na kominku zegara. Wtem tykanie nabrało znaczenia i jej oczy otworzyły się.

Spojrzała na wskazówki. Była za dziesięć dziesiąta. *O Boże, co ja jeszcze tu robię?* Zrzuciła koc na podłogę, wepchnęła stopy w buty, wbiegła do gabinetu i zamknęła torbę z laptopem. *Gdzie moja błękitna torebka?* Nie ma jej na krześle, ani na biurku, w szufladzie ani w torbie na laptopa. Pobiegła do sypialni. Nie było jej na łóżku, na stoliku nocnym, nie było jej również na komodzie, w szafie czy też na biurku. Stała w przedpokoju, odtwarzając w głowie miejsca, w których była, gdy nagle ją dostrzegła, wiszącą na klamce od drzwi do łazienki. Otworzyła ją. Znalazła w niej telefon komórkowy, ale nie było kluczy. Zawsze je tutaj wkładała, a właściwie zawsze planowała je tam odłożyć. Czasami jednak wkładała je do szuflady w biurku, do szuflady ze srebrem stołowym, do szuflady z bielizną, do szkatułki na biżuterię, skrzynki na listy lub do którejś z licznych kieszeni. Czasami po prostu zostawiała je w dziurce od klucza. Na samą myśl o tym, jak wiele czasu zajmowało jej codzienne poszukiwanie poprzestawianych rzeczy, ogarniała ją złość.

W pośpiechu zeszła z powrotem do salonu. Nie było tam kluczy, jednak znalazła na fotelu płaszcz. Założyła go i włożyła ręce do kieszeni. Są!

Pognała przez przedpokój w kierunku drzwi frontowych, jednak zatrzymała się, nim dosięgła klamki. To było najdziwniejsze. Tuż przed drzwiami w podłodze znajdowała się olbrzymia dziura. Była szeroka na cały przedpokój i miała około dwóch i pół metra długości, a wewnątrz panowała ciemność. Nie można było przez nią przejść. Deski podłogowe były wypaczone i skrzypiały, więc rozmawiała ostatnio z Johnem na temat ich wymiany. Czyżby John zatrudnił fachowca? Czy ktoś tutaj dzisiaj był? Nie mogła sobie tego przypomnieć. Bez względu na powód, dopóki dziura w podłodze nie zostanie załatana, dopóty nie było mowy o wyjściu frontowymi drzwiami.

Gdy była w połowie drogi do tylnego wyjścia, zadzwonił telefon.

– Cześć, mamo. Wpadnę około siódmej i przywiozę kolację.

– Dobrze – odpowiedziała Alice nieznacznie podniesionym tonem.

– To ja, Anna.

– Przecież wiem.

– Tata dopiero jutro wraca z Nowego Jorku, pamiętasz? Zostanę dzisiaj u was na noc. Niestety, nie wyrwę się z pracy przed siódmą, więc zaczekaj na mnie. Może zapisz to sobie na tablicy na lodówce.

Spojrzała na tablicę.

NIE WYCHODŹ BIEGAĆ BEZE MNIE.

Rozdrażniona, chciała wykrzyczeć do słuchawki, że nie potrzebuje opiekunki i że sama świetnie daje sobie radę w swoim własnym domu. Zamiast tego wzięła głęboki wdech.

– Dobrze, do zobaczenia.

Odłożyła słuchawkę, zadowolona, że wciąż potrafiła kontrolować swoje emocje. Któregoś dnia, już niedługo, nie będzie umiała. Cieszyła się z wizyty Anny oraz z tego, że nie będzie sama.

Miała na sobie płaszcz, a błękitna torebka oraz torba z laptopem zwisały z jej ramienia. Wyjrzała przez okno w kuchni.

Było wietrznie, wilgotno i szaro. Poranek? Nie miała ochoty wychodzić, a zarazem nie miała ochoty siedzieć w pracy, bo tam czuła się znudzona, ignorowana i wyobcowana. Nie pasowała już do tego miejsca.

Zdjęła obie torby oraz płaszcz i poszła do gabinetu, jednak nagły łomot i brzęk sprawił, że zawróciła z powrotem do przedpokoju. Przez otwór w drzwiach właśnie dostarczono pocztę, która teraz leżała na szczycie dziury, w jakiś sposób unosząc się nad nią. Musiała utrzymywać równowagę na ukrytej belce lub też desce podłogowej, której ona nie widziała. *Fruwająca poczta. Mózg mi się zlasował!* Wróciła z powrotem do gabinetu, próbując zapomnieć o sprzeciwiającej się sile grawitacji dziurze w przedpokoju. Okazało się to zaskakująco trudne.

Siedziała w gabinecie, obejmując rękoma kolana, obserwując przez okno powoli zbliżający się ku końcowi dzień, czekając, aż Anna przyjedzie z kolacją, a John wróci z Nowego Jorku, tak by mogła wyjść pobiegać. Siedziała i czekała na gorsze. Miała już tego serdecznie dość.

Była jedyną osobą, jaką znała na Harvardzie, która chorowała na Alzheimera o wczesnym początku. Była jedyną osobą, jaką znała, która w ogóle chorowała na Alzheimera o wczesnym początku. Z całą pewnością nie była jedyna na świecie. Musiała poszukać sobie nowych znajomych. Musiała odnaleźć się w tym nowym dla siebie świecie, w świecie demencji.

Wpisała „choroba Alzheimera o wczesnym początku" w Google. Jej oczom ukazało się mnóstwo faktów i statystyk.

Szacuje się, iż w Stanach Zjednoczonych jest około pięćset tysięcy osób, u których zdiagnozowano chorobę Alzheimera o wczesnym początku.

Chorobą Alzheimera o wczesnym początku określa się Alzheimera u osób poniżej sześćdziesiątego piątego roku życia.

Objawy mogą pojawić się u trzydziesto- i czterdzie-
stolatków.

Wyświetliła stronę z listą objawów, genetyczny-
mi czynnikami zagrożenia, przyczynami oraz infor-
macjami o leczeniu. Otworzyła stronę z artykułami
na temat badań i odkrytych leków. Nie było tam nic,
o czym by nie wiedziała.

Wpisała do wyszukiwarki dodatkowe słowo
„wsparcie".

Znalazła fora, linki, materiały, tablicę ogłoszeń
oraz chat-roomy. Wszystko przeznaczone dla opiekunów. Wśród tematów znajdowały się: odwiedziny
w domach opieki, pytania odnośnie lekarstw, informacje o radzeniu sobie ze stresem, urojeniami, nocnym błąkaniem się, demencją oraz depresją. Opiekunowie zadawali pytania i wzajemnie sobie na nie
odpowiadali, znajdując pocieszenie i radząc się na
temat rozwiązywania problemów z ich osiemdzie-
sięciojednoletnimi matkami, siedemdziesięcioczte-
roletnimi mężami oraz osiemdziesięciopięcioletnimi
babciami chorującymi na Alzheimera.

A co ze wsparciem dla chorujących na Alzheimera?
Gdzie są pozostali pięćdziesięciojednoletni z demencją?
Gdzie są ludzie, z których diagnoza wyssała życie, gdy
znajdowali się u szczytu kariery? Nie negowała tego,
że Alzheimer był tragedią w każdym wieku. Nie za-

przeczała, że opiekunowie potrzebowali wsparcia. Nie zaprzeczała, że cierpieli. Wiedziała, że John cierpiał. *Jednak co ze mną?*

Przypomniała sobie o wizytówce pracownika opieki społecznej z Mass General Hospital. Odszukała ją i wykręciła podany na niej numer.

– Denise Daddario.

– Dzień dobry, mówi Alice Howland. Jestem pacjentką doktora Davisa, który dał mi pani wizytówkę. Mam pięćdziesiąt jeden lat i przed rokiem zdiagnozowano u mnie Alzheimera o wczesnym początku. Zastanawiałam się, czy w szpitalu jest jakaś grupa wsparcia dla ludzi z Alzheimerem?

– Obawiam się, że nie. Mamy grupę wsparcia, jednak wyłącznie dla opiekunów. Większość naszych pacjentów chorujących na Alzheimera nie byłaby w stanie uczestniczyć w tego rodzaju spotkaniach.

– Jednak niektórzy by mogli.

– Tak, jednak obawiam się, że nie mamy wystarczającej liczby chętnych oraz środków, jakie szpital musiałby zapewnić na utworzenie i poprowadzenie tego rodzaju spotkań.

– O jakich środkach mówimy?

– Cóż, nasza grupa wsparcia dla opiekunów, czyli od dwunastu do piętnastu osób, spotyka się co tydzień na kilka godzin. Mamy zarezerwowaną salę, kawę, ciasto, dwie osoby z personelu do pomocy oraz gościa, który wygłasza przemówienie raz w miesiącu.

– A nie można zorganizować wolnego pokoju, w którym pacjenci we wczesnej fazie demencji mogliby się spotykać i porozmawiać o tym, przez co właśnie przechodzą?

Na litość boską, przecież kawę i pączki mogę sama przynieść.

– Potrzebny byłby ktoś z personelu do pilnowania, a niestety w tej chwili nie mamy nikogo takiego.

A co z jednym z dwójki osób z personelu, którzy pomagają przy grupie wsparcia dla opiekunów?

– Czy może mi pani podać dane kontaktowe pacjentów z wczesną fazą demencji, abym mogła spróbować zorganizować coś na własną rękę?

– Obawiam się, że nie mogę pani udzielić takiej informacji. Może zechce się pani umówić na spotkanie i porozmawiać w cztery oczy? Może w piątek o dziesiątej, siedemnastego grudnia?

– Nie, dziękuję.

Hałas przy drzwiach frontowych obudził ją z drzemki na kanapie. W domu panowała ciemność i chłód. Drzwi frontowe zaskrzypiały, otwierając się.

– Przepraszam za spóźnienie.

Alice podniosła się i poszła do przedpokoju. Stała tam Anna z dużą, brązową, papierową torbą w jednej dłoni i stosem poczty w drugiej. Stała na dziurze!

– Mamo, wszystkie światła są pogaszone. Spałaś? Nie powinnaś drzemać w ciągu dnia o tak późnej porze, inaczej w nocy nigdy nie zaśniesz.

Alice podeszła do niej i przykucnęła. Położyła dłoń na dziurze. Nie wyczuwała pustej przestrzeni. Przejechała palcami po puszystym czarnym dywaniku. Jej czarnym dywaniku w przedpokoju. Był tutaj od lat. Uderzyła w niego otwartą dłonią tak mocno, że wydobyty dźwięk odbił się echem po domu.

– Mamo, co robisz?

Była zbyt zmęczona, aby udzielić upokarzającej odpowiedzi na pytanie Anny, ręka piekła ją z bólu, a na dodatek nieznośny zapach orzechów ziemnych wydobywający się z torby przyprawiał ją o mdłości.

– Zostaw mnie w spokoju!

– Mamo, już dobrze. Chodź, pójdziemy do kuchni i zjemy kolację.

Anna odłożyła pocztę na ziemię i sięgnęła po rękę matki, tę, która wciąż piekła. Alice odepchnęła córkę i krzyknęła z bólu.

– Został mnie w spokoju! Wynoś się z mojego domu! Nienawidzę cię! Nie chcę cię tutaj!

Jej słowa zabolały Annę o wiele mocniej, niż gdyby Alice uderzyła ją ręką. Mimo płynących z oczu łez, twarz Anny przybrała wyraz spokojnej determinacji.

– Przyniosłam kolację, umieram z głodu i nigdzie się stąd nie ruszam. Idę do kuchni, żeby zjeść, a później kładę się spać.

Alice stała w przedpokoju; wściekłość i wola walki przepływały wzburzone korytarzami jej żył. Otworzyła drzwi, ciągnąc za sobą dywanik. Krzyczała ze wszystkich sił i się przewróciła. Wstała, a następnie ciągnęła, wykręcała oraz mocowała się z nim, dopóki całkowicie nie znalazł się na zewnątrz. Następnie kopnęła go i wrzeszczała dziko, dopóki nie sturlał się po schodach i nie opadł bez ruchu na chodnik.

Alice, odpowiedź na powyższe pytania:

1. Jaki mamy miesiąc?
2. Gdzie mieszkasz?
3. Gdzie znajduje się twój gabinet?
4. Kiedy urodziła się Anna?
5. Ile masz dzieci?

Jeśli odpowiedź na któreś z pytań sprawia ci problemy, odszukaj w swoim komputerze plik o nazwie Motyl i natychmiast zastosuj się do umieszczonych tam instrukcji:

1. Listopad
2. Cambridge
3. Harvard
4. Wrzesień
5. Troje

GRUDZIEŃ 2004

Praca Dana liczyła sto czterdzieści dwie strony, nie wliczając w to źródeł. Od dawna Alice nie czytała niczego tak pokaźnego. Usiadła na kanapie z czerwonym długopisem za uchem oraz z różowym markerem w prawej dłoni. Czerwonego długopisu używała do korekty, natomiast różowego markera do podkreślenia tekstu, który już przeczytała. Podkreślała nim wszystko, co uważała za ważne, tak więc gdy musiała się cofać, mogła ograniczyć powtórne czytanie do zaznaczonych na kolorowo słów.

Utknęła w martwym punkcie na stronie dwudziestej szóstej, która była już nasycona różem. Alice czuła się zmęczona i potrzebowała odpoczynku. Wyobrażała sobie, jak różowe słowa na kartkach papieru przemieniają się wewnątrz jej głowy w lepką, różową watę cukrową. Im więcej czytała, tym więcej słów musiała podkreślać, aby zrozumieć i zapamiętać to, o czym czytała. Im więcej podkreślała, tym bardziej jej głowa wypełniała się różową, cukrową papką, która oklejała i zapychała obwody jej mózgu, uniemożliwiając jej zrozumienie i zapamiętanie tego, co czytała.

Od dwudziestej szóstej strony przestała rozumieć cokolwiek.

Beep, beep.

Rzuciła pracę Dana na stolik i podeszła do komputera stojącego w gabinecie. Dostała nową wiadomość od Denise Daddario.

Droga Alice,
podzieliłam się twoim pomysłem z innymi chorującymi na Alzheimera o wczesnym początku na naszym oddziale oraz z ludźmi z Brigham i Women's Hospital. Skontaktowały się ze mną trzy osoby, które chętnie się z Tobą spotkają. Upoważniły mnie, abym przekazała Ci ich dane kontaktowe (są w załączniku).

Możesz się również skontaktować z Mass Alzheimer's Association, gdzie mogą znać inne osoby, które być może będą chciały się z Tobą spotkać.

Poinformuj mnie proszę o rezultatach i daj znać, jeżeli w czymś jeszcze będę mogła Ci pomóc. Przykro mi, że oficjalnie nie możemy nic więcej dla Ciebie zrobić.

Powodzenia!
Denise Daddario

Otworzyła załącznik.

Mary Johnson, lat pięćdziesiąt siedem, otępienie czołowo-skroniowe

Cathy Roberts, lat pięćdziesiąt osiem, choroba Alzheimera o wczesnym początku

Dan Sullivan, lat pięćdziesiąt trzy, choroba Alzheimera o wczesnym początku

Oto jej nowi znajomi. Czytała ich imiona w kółko. *Mary, Cathy oraz Dan. Mary, Cathy oraz Dan.* Poczuła podniecenie zmieszane z lekkim strachem. Podobny lęk towarzyszył jej, gdy po raz pierwszy poszła do przedszkola, na uniwersytet czy też kiedy kończyła szkołę. Jak wyglądali? Czy wciąż byli czynni zawodowo? Od jak dawna żyją z diagnozą? Czy ich objawy były takie same, łagodniejsze czy też gorsze niż jej? Czy byli do niej podobni? *Co, jeśli moja choroba jest już o wiele bardziej zaawansowana niż ich?*

Drodzy Mary, Cathy i Dan,
nazywam się Alice Howland. Mam pięćdziesiąt jeden lat i Alzheimera o wczesnym początku, którego zdiagnozowano u mnie w ubiegłym roku. Przez ponad dwadzieścia pięć lat wykładałam psychologię poznawczą na Uniwersytecie Harvardzkim, jednak we wrześniu pozbawiono mnie mojego stanowiska z powodu choroby.

Obecnie przebywam w domu i czuję się naprawdę samotna. Zadzwoniłam do Denise Daddario z MGH

po informacje dotyczące grupy wsparcia dla osób we
wczesnym stadium demencji. Niestety, nie przewidzia-
no grupy wsparcia dla nas, a jedynie dla opiekunów.
Denise podała mi jednak Wasze nazwiska.

Chciałabym Was wszystkich zaprosić do siebie
w najbliższą sobotę, piątego grudnia o czternastej. Wasi
opiekunowie również są mile widziani. W załączniku
znajdziecie mój adres oraz mapę dojazdu.

Nie mogę się doczekać, kiedy Was poznam,

Alice

Mary, Cathy oraz Dan. Mary, Cathy oraz Dan.
Dan. Praca Dana! Czeka na moje zredagowanie.
Wróciła na kanapę w salonie i otworzyła pracę na
stronie dwudziestej szóstej. Wzburzona rzeka różu
pędziła przez jej czaszkę. Rozbolała ją głowa. Była
ciekawa, czy ktoś już jej odpisał. Porzuciła *coś tam*
Dana, zanim skończyła myśl.

Kliknęła na skrzynkę wiadomości przychodzą-
cych. Nic nie przyszło.

Beep, beep.

Podniosła telefon.
– Halo?

Sygnał zgłoszenia. Miała nadzieję, że to Mary, Cathy albo Dan. *Dan. Praca Dana!*

Z powrotem na kanapie, z markerem w dłoni wyglądała na skoncentrowaną i poważną, jednak jej oczy nie skupiały się na tekście. Zamiast tego, rozmarzyła się.

Czy to możliwe, aby Mary, Cathy oraz Dan po przeczytaniu dwudziestu sześciu stron wciąż rozumieli ich treść i pamiętali wszystko, co właśnie przeczytali? *Co jeśli jestem jedyną osobą, która bierze dywanik w przedpokoju za dziurę?* Co jeśli była jedyną osobą, której stan pogarszał się? Czuła, jak wpada w otchłań demencji.

– Jestem sama, jestem sama, jestem sama – zajęczała, a za każdym razem, słysząc swoje słowa, coraz bardziej pochłaniała ją otchłań samotności.

Beep, beep.

Dzwonek do drzwi sprawił, że wzięła się w garść. Czyżby już tu byli? Czy zaprosiła ich na dzisiaj?

– Jedną chwilę!

Idąc, przetarła oczy rękawami, przeczesała potargane włosy palcami, wzięła głęboki wdech i otworzyła drzwi. Nikogo nie było.

Słuchowe i wizualne halucynacje były codziennością u połowy osób ze zdiagnozowanym Alzheimerem, jednak jak dotąd Alice nie doświadczyła żadnych z nich. A może jednak? Kiedy była sama, nie mogła przecież w stu procentach stwierdzić, czy to, czego doświadczała, było prawdziwą rzeczywistością, czy też rzeczywistością Alzheimera. Wszystkie jej dezorientacje, konfabulacje, urojenia oraz wszelkie inne obłąkania, czy jak im tam było, nie były podkreślone na różowo, nie różniły się wcale od tego, co normalne, rzeczywiste i właściwe. Ze swojej perspektywy po prostu nie była w stanie tego odróżnić. Dywanik był dziurą. Ten dźwięk był dzwonkiem do drzwi.

Ponownie sprawdziła pocztę w komputerze. Otrzymała nową wiadomość.

Cześć, mamo,
co u Ciebie? Byłaś wczoraj na seminarium? Biegałaś?
Zajęcia z aktorstwa były jak zwykle wspaniałe. Dzisiaj
miałam kolejne przesłuchanie do reklamy banku. Zo-
baczymy, co z tego wyjdzie. Co u taty? Będzie w ten
weekend w domu? Wiem, że ostatni miesiąc był ciężki.
Trzymaj się. Niedługo wracam!

Całusy,
Lydia

Beep, beep.

Podniosła telefon.

– Halo?

Sygnał zgłoszenia. Otworzyła szufladę na dokumenty, wrzuciła telefon do środka, usłyszała, jak uderza o metalowy spód pod setką papierów i zamknęła ją. *Zaraz, może to moja komórka?*

– Komórka, komórka, komórka – śpiewnie recytowała, krążąc po mieszkaniu i starając się nie zapomnieć o celu poszukiwań.

Szukała wszędzie, jednak niczego nie znalazła. Domyśliła się, że musi odnaleźć błękitną torbę. Zmieniła słowa piosenki.

– Błękitna torba, błękitna torba, błękitna torba.

Odnalazła ją na kuchennym blacie. Komórka znajdowała się w środku, jednak była wyłączona. Może ten dźwięk to włączany lub wyłączany alarm samochodowy na zewnątrz? Ponownie usiadła na kanapie i otworzyła pracę Dana na stronie dwudziestej szóstej.

– Halo? – odezwał się męski głos.

Alice rozejrzała się z szeroko otwartymi oczami i nasłuchiwała, zupełnie jakby właśnie została wezwana przez ducha.

– Alice? – zapytał bezcielesny głos.

– Tak?

– Alice, czy jesteś gotowa do wyjścia?

W progu salonu stał John ze wzrokiem pełnym wyczekiwania. Ulżyło jej, jednak potrzebowała więcej informacji.

– Chodźmy. Umówiliśmy się z Bobem i Sarą na kolację i już jesteśmy spóźnieni.

Kolacja. Właśnie sobie uświadomiła, że umierała z głodu. Nie pamiętała, aby jadła dzisiaj cokolwiek. Może dlatego nie była w stanie przeczytać pracy Dana. Może musiała coś zjeść. Jednak myśl o kolacji i rozmowie w głośnej restauracji męczyła ją jeszcze bardziej.

– Nie chcę nigdzie wychodzić. Miałam dziś ciężki dzień.

– Ja też miałem ciężki dzień. Zjedzmy razem w miłej atmosferze.

– Idź sam. Ja wolę zostać w domu.

– No chodź, będzie fajnie, zobaczysz. Nie poszliśmy na imprezę do Erika. Wyjście z domu dobrze ci zrobi i wiem, że Bob i Sara chcieliby się z tobą zobaczyć.

Nie, nie chcieliby. Poczują ulgę, że mnie tam nie będzie. Jestem różowym słoniem z waty cukrowej w składzie porcelany. Wszystkich wprawiam w zakłopotanie. Zamieniam kolację w szalony występ cyrkowy, w którym wszyscy żonglują współczuciem, wymuszonymi uśmiechami oraz drinkami i talerzami.

– Nie chcę iść. Przekaż im, że jest mi przykro, ale nie czuję się na siłach.

Beep, beep.

Zauważyła, że John również usłyszał ten dźwięk, więc poszła za nim do kuchni. Otworzył z trzaskiem drzwiczki od mikrofalówki i wyjął ze środka kubek.

– Jest lodowata. Mam ją podgrzać?

Tamtego poranka musiała zrobić herbatę i zapomniała ją wypić. Następnie musiała ją wsadzić do mikrofalówki, aby ją podgrzać i zostawiła ją tam.

– Nie, dzięki.

– W porządku, Bob i Sara prawdopodobnie już czekają na miejscu. Jesteś pewna, że nie chcesz iść?

– Jestem pewna.

– Nie zabawię długo.

Pocałował ją i wyszedł. Stała w kuchni, tam gdzie ją zostawił, trzymając w dłoniach kubek zimnej herbaty.

SZŁA DO ŁÓŻKA, a Johna wciąż jeszcze nie było w domu. Zanim poszła na górę, jej uwagę przykuło niebieskie światełko komputera. Weszła do gabinetu i bardziej z rutyny niż z ciekawości sprawdziła pocztę.

Droga Alice,

nazywam się Mary Johnson i mam pięćdziesiąt siedem lat. Otępienie czołowo-skroniowe zdiagnozowano u mnie przed pięcioma laty. Mieszkam w North Shore, więc niedaleko od Ciebie. To taki wspaniały pomysł – z przyjemnością do Ciebie przyjadę. Mój mąż Barry mnie przywiezie, jednak nie jestem pewna, czy będzie

chciał zostać. Oboje przeszliśmy na wcześniejszą eme-
ryturę i całe dnie spędzamy w domu. Myślę, że będzie
chciał sobie ode mnie odpocząć. Do zobaczenia wkrótce,

Mary

Witaj Alice,
nazywam się Dan Sullivan i mam pięćdziesiąt trzy lata.
Chorobę Alzheimera o wczesnym początku zdiagnozo-
wano u mnie trzy lata temu. Alzheimer występował już
w mojej rodzinie. Moja matka, dwaj wujowie oraz jedna
z ciotek także chorowali, a czworo kuzynostwa również
ma teraz Alzheimera, tak więc spodziewałem się tego
i żyłem z tą myślą odkąd byłem dzieckiem. Zabawne,
ale ani diagnoza, ani życie z tą wiedzą wcale niczego
nie ułatwiły. Moja żona wie, gdzie mieszkasz – nieda-
leko MGH, niedaleko Harvardu. Moja córka poszła na
Harvard. Co wieczór modlę się, aby nie zachorowała.

Dan

Witaj Alice,
dziękuję Ci za e-mail i za zaproszenie. Alzheimera
o wczesnym początku zdiagnozowano u mnie, tak jak
u ciebie, w ubiegłym roku. Poczułam niemal ulgę. My-
ślałam, że wariuję. Traciłam wątki rozmów, miałam
trudności z wysławianiem się, zapominałam drogi do

domu, nie potrafiłam wypisać książeczki czekowej i my-
liłam się w rozkładach zajęć dzieci (mam piętnastoletnią
córkę i trzynastoletniego syna). Miałam zaledwie czter-
dzieści sześć lat, kiedy pojawiły się pierwsze objawy,
więc nikt nie przypuszczał, że to może być Alzheimer.

Myślę, że lekarstwa bardzo mi pomogły. Przyjmuję
Aricept i Namendę. Miewam lepsze i gorsze dni. W te
lepsze, ludzie i moja rodzina udają, że jestem absolutnie
zdrowa, a nawet wmawiają mi, że wszystko sobie wy-
myśliłam! Nie jestem aż tak zdesperowana, aby zwra-
cać na siebie uwagę! Później przychodzi kiepski dzień
i nie potrafię skoncentrować się na słowach i czynno-
ściach złożonych. Czuję się również samotna. Nie mogę
się doczekać, kiedy Cię poznam.

Pozdrawiam,
Cathy Roberts

PS Słyszałaś o Dementia Advocacy and Support
Network International? Zajrzyj na ich stronę: www.
dasininternational.org. To wspaniała strona dla ludzi
takich jak my, we wczesnym stadium oraz o wczesnym
początku, na której można porozmawiać, wyżalić się,
otrzymać wsparcie oraz podzielić się wiedzą.

Oto byli jej nowi znajomi. I właśnie do niej jechali.

MARY, CATHY ORAZ DAN zdjęli płaszcze i usadowili się w salonie. Ich małżonkowie nie zdjęli wierzchniego okrycia, rzucili *Do widzenia* na odchodnym i wyszli wraz z Johnem na kawę do Jerry'ego.

Mary miała blond włosy sięgające policzków i okrągłe czekoladowo-brązowe oczy, schowane za parą okularów w ciemnej oprawie. Cathy miała bystrą, przyjemną twarz oraz oczy, które uśmiechały się szybciej, niż robiły to usta. Alice polubiła ich od razu. Dan miał wąsy, łysiał i był solidnej budowy. Mogliby być wykładowcami z innego miasta, członkami klubu książki lub jej przyjaciółmi.

– Czy macie ochotę na coś do życia? – zapytała Alice.

Wpatrywali się w nią i w siebie nawzajem, zwlekając z odpowiedzią. Czy byli zbyt nieśmiali, czy zbyt uprzejmi, by jako pierwsi zabrać głos?

– Alice, czy miałaś na myśli *do picia*? – zapytała Cathy.

– Tak, a co powiedziałam?

– Powiedziałaś: *do życia*.

Jej twarz oblała się rumieńcem. Mylenie słów nie było najlepszym pierwszym wrażeniem, jakie chciała na nich zrobić.

– W sumie to poproszę filiżankę życia. Moja od dawna była niemal pusta i przydałaby mi się dolewka – powiedział Dan.

Roześmiali się i to ich natychmiast do siebie zbliżyło. Przyniosła kawę i herbatę, a Mary rozpoczęła swoją historię.

– Przez dwadzieścia dwa lata byłam pośrednikiem nieruchomości. Nagle zaczęłam zapominać o umówionych spotkaniach, dniach otwartych. Przychodziłam oglądać z klientami domy i zapominałam o tym, żeby zabrać ze sobą klucze. Jadąc z klientką samochodem, gubiłam się w drodze do nieruchomości w okolicy, którą znałam jak własną kieszeń. Krążyłam w kółko przez czterdzieści pięć minut, podczas gdy powinno mi to zająć mniej niż dziesięć. Mogę sobie jedynie wyobrazić, co klientka musiała o mnie pomyśleć. Łatwo wpadałam w złość i wybuchałam gwałtownie, odreagowując na kolegach z biura. Zawsze byłam spokojna i lubiana, a tu nagle stałam się znana z porywczości. Rujnowałam swoją reputację, a ona była dla mnie wszystkim. Lekarz przepisał mi środki przeciwdepresyjne, a kiedy nie przyniosły rezultatów, przepisywał kolejne i kolejne.

– Przez długi czas myślałam, że to przez przemęczenie i przez to, że miałam zbyt wiele na głowie – powiedziała Cathy. – Pracowałam jako farmaceutka w niepełnym wymiarze godzin, wychowując dwoje dzieci, prowadząc dom, pędząc z jednego miejsca w drugie. Miałam zaledwie czterdzieści sześć lat, więc nigdy nie przyszło mi do głowy, że to mogła być demencja. Nagle, pewnego dnia w pracy, nie byłam w stanie rozpoznać nazwy leku i nie wiedziałam, jak odmierzyć jego odpowiednią dawkę. Właśnie wtedy uświadomiłam sobie, że mogłam podać komuś złą dawkę lub nawet zły lek. Właściwie mogłam nawet kogoś przypadkiem zabić. Zdjęłam więc fartuch, wyszłam wcześniej do domu i już nigdy tam nie wróciłam. Byłam zdruzgotana. Sądziłam, że odchodzę od zmysłów.

– A ty, Dan? Jakie były pierwsze objawy, które spostrzegłeś? – zapytała Mary.

– Kiedyś lubiłem majsterkować. Nagle, któregoś dnia nie wiedziałem już, jak naprawić rzeczy, które wcześniej byłem w stanie naprawić. Zawsze utrzymywałem porządek w swoim warsztacie, wszystko było na swoim miejscu. Teraz panuje tam totalny bałagan. Kiedy nie mogłem czegoś znaleźć, oskarżałem przyjaciół o to, że nabałaganili, pożyczyli moje narzędzia i że mi ich nie zwrócili. Jednak to zawsze byłem ja. Byłem strażakiem. Zacząłem zapominać, jak nazywają się kumple z jednostki. Nie potrafiłem dokończyć wypowiadanego zdania. Zapomniałem, jak się robi kawę. To samo zaobserwowałem u mojej mamy, kiedy byłem nastolatkiem. Ona też miała Alzheimera o wczesnym początku.

Dzielili się historiami o ich pierwszych objawach, wysiłku, jaki włożyli w to, aby uzyskać prawidłową diagnozę oraz tym, jak sobie radzili z życiem z demencją. Przytakiwali sobie wzajemnie, śmiali się i płakali, słuchając historii o utraconych kluczach, myślach oraz marzeniach. Alice czuła się swobodnie i odniosła wrażenie, że po raz pierwszy od dawna ktoś jej wysłuchał. Poczuła się normalna.

– Alice, czy twój mąż wciąż pracuje?

– Tak. W tym semestrze jest pochłonięty swoimi badaniami oraz zajęciami na uczelni. Dużo podróżuje. Było mi z tym ciężko. Jednak w przyszłym roku oboje bierzemy roczny urlop naukowy. Muszę więc uzbroić się w cierpliwość i wytrwać do końca przyszłego semestru, wtedy cały rok będziemy mogli spędzić razem.

– Wytrzymasz, to już niedługo – powiedziała Cathy.

Tylko kilka miesięcy.

ANNA POSŁAŁA LYDIĘ do kuchni, aby zrobiła pudding z białej czekolady. Będąc w zaawansowanej ciąży, mając już za sobą okres porannych mdłości, Anna jadła nieustannie, zupełnie jakby chciała nadrobić stracone kalorie.

– Chcę wam coś powiedzieć – oznajmił John. – Zaproponowano mi posadę szefa programu badań nad nowotworami w Sloan-Kettering.

– Gdzie to jest? – wydusiła z siebie Anna, z ustami wypełnionymi żurawiną w czekoladzie.

– W Nowym Jorku.

Nikt się nie odezwał. W radiu Dean Martin śpiewał *Marshmallow World*.

– Chyba mi nie powiesz, że to rozważasz? – zapytała Anna.

– Rozważam. Byłem już u nich jesienią kilka razy i muszę wam powiedzieć, że jest to dla mnie wymarzona posada.

– A co z mamą? – zapytała Anna.

– Już nie pracuje i rzadko kiedy chodzi jeszcze na uczelnię.

– Ale ona musi tu zostać – oznajmiła Anna.

– Nie, nie musi. Będzie ze mną.

– Na litość boską! Przychodzę w nocy, abyś mógł popracować dłużej i zostaję na noc za każdym razem, kiedy jesteś poza miastem, a Tom przychodzi w weekendy, kiedy tylko może – powiedziała Anna.

– Nie jesteśmy przy niej przez cały czas, ale…

– Zgadza się, nie ma was przy niej przez cały czas. Nie widzicie, jak jej stan z każdym dniem się pogarsza. Udaje, że wie o wiele więcej niż w rzeczywistości. Wydaje wam się, że za rok będzie w ogóle wiedziała, że mieszkamy w Cambridge? Już w tej chwili traci orientację, jeżeli jesteśmy trzy przecznice od domu. Równie dobrze możemy zamieszkać w Nowym Jorku i powiedzieć jej, że to Harvard Square, bo i tak nie zauważyłaby różnicy.

– Zauważyłaby, tato – odparł Tom. – Proszę cię, nie mów tak.

– I tak nie przeprowadzimy się przed wrześniem, minie jeszcze dużo czasu.

– Nieważne, daleko czy nie, ona musi tutaj zostać. Jej stan znacznie się pogorszy, jeżeli się wyprowadzicie – powiedziała Anna.

– Też tak uważam – poparł ją Tom.

Mówili o niej w taki sposób, zupełnie jakby nie siedziała w fotelu obok, zaledwie kilka kroków od nich. Mówili o niej, w jej obecności, jakby była głucha. Mówili o niej, w jej obecności, bez jej udziału, jakby miała Alzheimera.

– Taka okazja się więcej nie powtórzy, zrozumcie mnie.

– Chcę, aby mama mogła zobaczyć bliźniaki – stwierdziła Anna.

– Nowy Jork nie jest tak daleko, zresztą kto powiedział, że zawsze będziecie mieszkać w Bostonie?

– Być może ja będę – powiedziała Lydia.

Lydia stała w drzwiach pomiędzy salonem a kuchnią. Alice nie zauważyła jej i nagła obecność córki w pokoju zaskoczyła ją.

– Złożyłam podanie na Uniwersytet Nowojorski, Brandeis, Uniwersytet Browna i Yale. Jeżeli dostanę się na Uniwersytet Nowojorski, a wy z mamą przeprowadzicie się do Nowego Jorku, to mogę z wami zamieszkać i wam pomóc. Jeżeli zostaniecie w Bostonie, a ja dostanę się na Brandeis lub Uniwersytet Browna, to też mogę wam pomagać – oznajmiła Lydia.

Alice chciała powiedzieć Lydii, że wybrała świetne uczelnie. Chciała ją zapytać o przedmioty, które najbardziej ją interesowały. Chciała jej powiedzieć, że była z niej dumna. Jednak dzisiaj droga, jaką jej myśli przebywały od neuronów do ust, była zbyt długa. Jakby miały do pokonania kilometry w otchłani ścieków, zanim dopłyną do powierzchni i zostaną usłyszane, a po drodze większość z nich i tak gdzieś utonie.

– To świetnie, Lydio – powiedział Tom.

– A więc to tak. Masz zamiar skupić się na swoim życiu, zupełnie jakby mama nie miała Alzheimera, a my nie mamy w tym temacie nic do powiedzenia? – zapytała Anna.

– Codziennie się dla niej poświęcam – odpowiedział John.

Zawsze ją kochał, jednak ona mu to ułatwiała. Czas, jaki im razem pozostał, był dla niej bezcenny. Nie wiedziała, jak długo jeszcze będzie w stanie opierać się chorobie, postanowiła jednak wytrwać do ich urlopu. Ich ostatni wspólny urlop. Nie zamieniłaby tego na nic w świecie.

Ale najwyraźniej on tak. Jak on mógł? To pytanie odbijało się echem w jej głowie. Jak on mógł?

Odpowiedź, którą znalazła, rozdarła jej serce. Jedno z nich będzie musiało poświęcić wszystko.

Alice, odpowiedz na poniższe pytania:

1. Jaki mamy miesiąc?
2. Gdzie mieszkasz?
3. Gdzie znajduje się twój gabinet?
4. Kiedy urodziła się Anna?
5. Ile masz dzieci?

Jeżeli odpowiedź na któreś z pytań sprawia ci problemy, odszukaj w swoim komputerze plik o nazwie Motyl i natychmiast zastosuj się do umieszczonych tam instrukcji:

1. Grudzień
2. Harvard Square
3. Harvard
4. Kwiecień
5. Troje

STYCZEŃ 2005

– Mamo, obudź się. Jak długo już śpi?

– Jakieś osiemnaście godzin.

– Czy zdarzało jej się to już wcześniej?

– Kilka razy.

– Martwię się, tato. Co jeśli wzięła wczoraj za dużo pigułek?

– Nie wzięła, sprawdziłem jej fiolki i dozownik.

Alice słyszała ich konwersację i rozumiała, co mówili, jednak była tym tylko umiarkowanie zainteresowana. Zupełnie jakby podsłuchiwała rozmowę nieznajomych o kobiecie, której nie znała. Nie chciała się obudzić. Nie była świadoma, że spała.

– Ali? Słyszysz mnie?

– Mamo, to ja, Lydia, obudź się.

Kobieta imieniem Lydia mówiła coś o wezwaniu lekarza. Mężczyzna imieniem Tata odpowiedział, żeby pozwolić kobiecie imieniem Ali jeszcze trochę pospać. Rozmawiali na temat zamówienia czegoś z kuchni meksykańskiej i postanowili zjeść kolację w domu. Być może zapach jedzenia obudziłby kobietę imieniem Ali. Wtem głosy ustały. Wszędzie zapanowała ciemność i cisza.

Szła piaszczystą ścieżką wiodącą przez gęsty las. Wspinała się po wijących się szlakach, które wyprowadziły ją na skraj lasu, a następnie na stromy, odsłonięty klif. Podeszła do krawędzi i rozejrzała się. Ocean pod nią był całkowicie zamarznięty, a brzeg schowany pod wysoką zaspą śniegu. Widok, który się jej ukazał, wydawał się być pozbawiony życia, bezbarwny, niemożliwie spokojny oraz cichy. Krzyknęła, starając się przywołać Johna, jednak z jej ust nie wydobył się żaden dźwięk. Odwróciła się, by zawrócić, jednak ścieżka i las zniknęły. Spojrzała na swoje blade, chude kostki i bose stopy. Pozbawiona wyjścia, była gotowa, by skoczyć.

Siedziała na leżaku, zakopując i odkopując stopy w ciepłym, delikatnym piasku. Przyglądała się Christinie, swojej najlepszej przyjaciółce z przedszkola, która wciąż miała pięć lat, jak puszcza latawiec. Żółte i różowe stokrotki na stroju kąpielowym Christiny, niebieskie i fioletowe skrzydła latawca w kształcie motyla, błękit nieba, złoto słońca, czerwony lakier na paznokciach jej nóg, każdy z otaczających ją kolorów był o wiele bardziej jaskrawy i o wiele bardziej rzucał się w oczy niż wszystko, co kiedykolwiek wcześniej widziała.

Gdy przyglądała się Christinie, przepełniała ją radość oraz miłość nie tyle do przyjaciółki z dzieciństwa, co do krzykliwych i zapierających dech w piersiach kolorów jej kostiumu kąpielowego i latawca.

Jej siostra Anne oraz Lydia, obie w wieku około szesnastu lat, leżały obok siebie na ręczniku w czerwono-biało-niebieskie paski. Ich lśniące karmelowe ciała w różowych bikini połyskiwały na słońcu. Błyszczały niczym postacie z bajek, hipnotyzując ją.

– Gotowa? – zapytał John.

– Trochę się boję.

– Teraz albo nigdy.

Wstała, a on przypiął jej tułów do uprzęży pomarańczowego spadochronu przywiązanego za motorówką. Regulował i dopasowywał sprzączki, dopóki nie poczuła się wygodnie i bezpiecznie. Przytrzymał ją za ramiona, aby niewidzialna siła nie porwała jej w górę.

– Gotowa?

– Tak.

Puścił ją i z zawrotną szybkością wzbiła się w niebo. Podróżowała, unoszona oślepiającymi wirami błękitu, purpury, lawendy oraz fuksji. Ocean pod nią zmieniał się jak w kalejdoskopie, mieniąc się odcieniami turkusu, akwamaryny i fioletu.

Latawiec Christiny uwolnił się i zatrzepotał na wietrze. To była najpiękniejsza rzecz, jaką Alice kiedykolwiek widziała i pragnęła jej bardziej niż czegokolwiek wcześniej. Sięgnęła ręką po sznurek, jednak silny podmuch wiatru obrócił nią. Spojrzała za siebie, ale widok przesłonił jej spadochron w kolorze ciepłego oranżu. Uświadomiła sobie, że nie potrafi nim sterować. Spojrzała w dół na jaskrawe punkciki, które były jej rodziną. Zastanawiała się, czy piękny i gwałtowny wicher kiedykolwiek zaprowadzi ją do nich z powrotem.

Lydia leżała zwinięta w kłębek na pościeli po drugiej stronie łóżka. Słabe cienie odbijały się na tle przygaszonego światła w pokoju.

– Czy ja śpię? – zapytała Alice.

– Nie, nie śpisz.

– Jak długo spałam?

– Kilka dni.

– O nie! Przepraszam.

– W porządku, mamo. Dobrze jest usłyszeć twój głos. Myślisz, że mogłaś wziąć zbyt wiele tabletek?

– Nie pamiętam. Mogłam. Nie chciałam.

– Martwię się o ciebie.

Alice przyjrzała się dokładnie jej twarzy. Rozpoznała ją instynktownie, bez wysiłku czy świadomego namysłu, tak jak ludzie rozpoznają dom, w którym się wychowali, głos rodziców czy kształt własnych dłoni. O dziwo, trudność sprawiało jej rozpoznanie Lydii w całości.

– Jesteś taka piękna – powiedziała Alice. – Tak bardzo się boję, że gdy spojrzę na ciebie, nie będę wiedziała, kim jesteś.

– Myślę, że nawet jeśli któregoś dnia nie będziesz wiedziała, kim jestem, nadal będziesz wiedziała, że cię kocham.

– Co jeśli spojrzę na ciebie i nie będę wiedziała, że jesteś moją córką i że mnie kochasz?

– Wtedy powiem ci o tym i mi uwierzysz.

Alice spodobała się ta odpowiedź. *Jednak, czy zawsze będę ją kochać? Czy moja miłość do niej pochodzi z mojej głowy, czy też z mojego z serca?* Naukowa część niej wierzyła, że emocje pochodzą ze złożonych obwodów limbicznych mózgu, obwodów, które w chwili obecnej były uwięzione w okopach, na wojnie, której nikt nie przeżyje. Matczyna część z kolei wierzyła w to, że miłość, którą obdarzała córkę, była bezpieczna przed chaosem dewastującym jej mózg, ponieważ pochodziła z jej serca.

– Jak się czujesz, mamo?

– Nie za dobrze. Ten semestr był ciężki, musiałam żyć bez mojej pracy, bez Harvardu, z postępującą chorobą i bez twojego ojca, którego prawie nigdy nie było w domu. Ten semestr był naprawdę ciężki.

– Tak mi przykro. Żałuję, że nie było mnie przy tobie częściej. Następnej jesieni będę bliżej was. Myślałam nad powrotem do domu, ale właśnie dostałam rolę we wspaniałej sztuce. To mała rola, ale...

– W porządku. Ja również żałuję, że tak rzadko się widujemy, jednak nigdy nie pozwoliłabym ci na to, abyś dla mnie zrezygnowała ze swojego życia.

Pomyślała o Johnie.

– Twój tata chce się przeprowadzić do Nowego Jorku. Dostał propozycję w Sloan-Kettering.

– Wiem.

– Nie chcę tam jechać.

– Nie wyobrażam sobie, że pojedziesz.

– Nie mogłabym tam mieszkać. Bliźnięta urodzą się w kwietniu, tutaj.

– Nie mogę się już doczekać, kiedy zobaczę te maleństwa.

– Ja również.

Alice wyobraziła sobie, jak trzyma je w ramionach, ich ciepłe ciałka, ich malutkie, zwinięte paluszki i pulchne, delikatne stópki, ich podpuchnięte, okrągłe oczka. Zastanawiała się, czy będą podobne do niej, czy też może do Johna. I ten zapach. Nie mogła się już doczekać zapachu jej wspaniałych wnucząt.

Większość dziadków rozpływa się nad wyobrażeniami o życiu swoich wnuków, myślą o uczęszczaniu na przedstawienia oraz przyjęcia urodzinowe, na rozdania świadectw i śluby. Wiedziała, że nie będzie jej dane w tym uczestniczyć. Jednak będzie mogła przytulić i rozkoszować się ich zapachem, i niech szlag ją trafi, jeżeli zamiast tego będzie samotnie siedziała gdzieś w Nowym Jorku.

– Co u Malcoma?

– W porządku. Niedawno braliśmy udział w Memory Walk[3] w Los Angeles.

– Jaki on jest?

Uśmiech na twarzy Lydii wyprzedził jej odpowiedź.

– Jest wysoki, przystojny i trochę nieśmiały.

– Jaki jest przy tobie?

– Jest uroczy. Uwielbia mój umysł, jest bardzo dumny z mojego aktorstwa, cały czas się mną przed kimś przechwala, co bywa krępujące. Polubiłabyś go.

– Jaka ty jesteś przy nim?

Lydia zastanawiała się nad odpowiedzią przez dłużą chwilę.

– Jestem sobą.

– To dobrze.

Alice uśmiechnęła się i uścisnęła dłoń Lydii. Pomyślała o tym, aby zapytać ją, co to dla niej oznaczało, aby opisała siebie, aby jej przypomniała, jednak myśl wyparowała, nim zdążyła ją wymówić.

---

[3] Coroczna, ogólnonarodowa akcja, mająca na celu szerzenie wiedzy oraz zbiórkę pieniędzy na walkę z chorobą Alzheimera – przyp. tłum.

– O czym przed chwilą rozmawiałyśmy? – zapytała Alice.

– O Malcolmie, o Memory Walk? O Nowym Jorku? – podpowiedziała Lydia.

– Chodzę tu na spacery i czuję się bezpiecznie. Nawet jeśli troszkę zabłądzę, w końcu spostrzegę coś znajomego, a większość ludzi w sklepach mnie zna i zawsze wskazują mi właściwy kierunek. Dziewczyna od Jerry'ego zawsze wie, gdzie trzymam dokumenty i klucze. I mam tutaj przyjaciół z grupy wsparcia. Potrzebuję ich. Nie mogę się przeprowadzić. Straciłabym resztę niezależności, która mi pozostała. Ta nowa praca. Twój ojciec przez cały czas będzie poza domem. Jego też stracę.

– Mamo, musisz o tym wszystkim powiedzieć tacie.

Miała rację. Jednak o wiele łatwiej było powiedzieć o tym jej.

– Lydio, jestem z ciebie taka dumna.

– Dziękuję.

– Na wypadek, gdybym zapomniała, wiedz, że cię kocham.

– Ja ciebie też kocham, mamo.

– Nie chcę się przeprowadzać do Nowego Jorku – powiedziała Alice.

– Mamy jeszcze czas, nie musimy teraz podejmować decyzji – odparł John.

– Chcę podjąć decyzję teraz. Chcę coś ustalić. Chcę mieć w tej kwestii jasność, póki jeszcze mogę. Nie chcę się przeprowadzać do Nowego Jorku.

– A jeśli Lydia też tam będzie?

– A co, jeśli jej nie będzie? Powinieneś był to omówić ze mną na osobności, zanim ogłosiłeś to dzieciom.

– Tak zrobiłem.

– Nie, nie zrobiłeś.

– Tak zrobiłem i to więcej niż raz.

– A więc nie pamiętam? Tak, to brzmi przekonująco.

Wzięła oddech przez nos i wypuściła powietrze ustami, pozwalając, by spokój pomógł jej się wyrwać z tej dziecinnej sprzeczki.– John, wiem, że spotykałeś się z ludźmi ze Sloan-Kettering, jednak nigdy nie sądziłam, że są to spotkania, na których zachęcali cię do przyjęcia u nich posady. Powiedziałabym coś, gdybym wcześniej o tym wiedziała.

– Powiedziałem ci, po co tam jechałem.

– Dobrze. Czy zgodzą się, abyś wziął roczny urlop naukowy i rozpoczął pracę we wrześniu przyszłego roku?

– Nie, potrzebują kogoś już teraz. I tak zgodzili się, abym pozostał tu do końca roku z uwagi na to, że muszę dokończyć parę spraw w laboratorium.

– Czy nie mogą zatrudnić kogoś tymczasowo, tak abyś mógł wziąć ze mną urlop i po nim rozpocząć pracę?

– Nie.

– Czy chociaż ich o to pytałeś?

– Posłuchaj, w branży jest naprawdę wielka konkurencja i wszystko zmienia się zbyt szybko. Jesteśmy blisko wielkiego odkrycia – pukamy do drzwi, za którymi znajduje się lek na raka. Firmy farmaceutyczne są zainteresowane naszymi badaniami. A wszystkie zajęcia i administracyjne pierdoły na Harvardzie po prostu mnie hamują. Jeżeli tego nie zrobię, stracę swoją jedyną szansę na odkrycie czegoś, co naprawdę ma znaczenie.

– To nie jest twoja jedyna szansa. Jesteś błyskotliwy i nie masz Alzheimera. Przed tobą będzie jeszcze wiele nadarzających się okazji.

Spojrzał na nią, nie odzywając się ani słowem.

– Przyszły rok jest moją jedyną szansą, John, nie twoją. Przyszły rok jest moją ostatnią szansą na to, abym mogła cieszyć się życiem. Nie sądzę, aby pozostało mi wiele czasu na bycie sobą. Chcę przeżyć ten czas z tobą. Nie mogę uwierzyć, że nie chcesz go spędzić razem ze mną.

– Chcę. Przecież będziemy razem.

– Gówno prawda i dobrze o tym wiesz! Nasze życie toczy się tutaj. Tom i Anna oraz maluchy, Mary,

Cathy, Dan i być może Lydia. Jeżeli przyjmiesz tę posadę, będziesz pracował na okrągło, wiesz o tym, a ja zostanę tam sama. Twoja decyzja nie ma nic wspólnego z chęcią bycia ze mną i zmusza mnie do pozostawienia wszystkiego, co kocham. Nie jadę.

– Nie będę pracował cały czas, obiecuję. Co jeśli Lydia również zamieszka w Nowym Jorku? Co jeśli raz w miesiącu przyjedziesz na tydzień do Anny i Charliego? Zawsze możemy coś wymyślić, abyś nie była sama.

– A co jeśli Lydia nie przeprowadzi się do Nowego Jorku? Co jeśli dostanie się na Brandeis?

– Dlatego też uważam, że powinniśmy z tym poczekać i podjąć decyzję, kiedy będziemy wiedzieć coś więcej.

– Chcę, abyś wziął roczny urlop naukowy.

– Alice, wybór jakiego muszę dokonać nie brzmi „przyjąć posadę w Sloan czy też wziąć roczny urlop naukowy", tylko „przyjąć posadę w Sloan czy zostać na Harvardzie". Ja po prostu nie mogę odpuścić sobie przyszłego roku.

Jej ciało zadrżało, a obraz Johna rozmył się pod napływem zgromadzonych w oczach łez.

– Ja już dłużej nie mogę! Błagam cię! Nie dam dłużej bez ciebie rady! Możesz przecież wziąć ten urlop. Gdybyś chciał, to byś mógł. Chcę, abyś go wziął.

– Co jeśli odrzucę tę ofertę i wezmę rok wolnego, a ty nawet nie będziesz wiedziała, kim jestem?

– A co jeśli będę, ale za dwa lata będzie już za późno? Jak możesz nawet rozważać spędzenie czasu, który nam razem pozostał, schowany gdzieś w tym twoim pieprzonym laboratorium? Ja bym ci tego nigdy nie zrobiła.

– Nigdy bym cię o to nie poprosił.

– Nie musiałbyś.

– Nie sądzę, abym mógł to zrobić, Alice. Przykro mi, po prostu nie wydaje mi się, abym wytrzymał przez cały rok w domu, siedząc i przyglądając się, jak ta choroba mi ciebie odbiera. Nie zniósłbym widoku tego, że nie wiesz, jak się ubrać i jak włączyć telewizor. Kiedy jestem w laboratorium, nie muszę patrzeć, jak obklejasz karteczkami wszystkie drzwi i szafki. Zrozum, nie mogę zostać w domu i przyglądać się, jak twój stan się pogarsza. To mnie zabija.

– Nie, John, to zabija mnie, nie ciebie. To mi się pogarsza, bez znaczenia, czy jesteś przy mnie w domu, czy też ukrywasz się w pracy. Tracisz mnie. Ja siebie tracę. Jednak jeżeli w przyszłym roku nie weźmiesz razem ze mną tego urlopu, no cóż, wtedy to ty jesteś stracony. Choruję na Alzheimera. Jaką masz na to, kurwa, wymówkę?

WYJMOWAŁA PUSZKI, kartony, butelki, szklanki, naczynia, miski, garnki oraz patelnie. Upychała wszystko na kuchennym stole, a kiedy zabrakło już na nim miejsca, posłużyła się podłogą.

Wyjęła każdy płaszcz z szafy w przedpokoju, rozpięła i opróżniła wszystkie kieszenie. Znalazła pieniądze, stare bilety, chusteczki i wciąż nic. Po każdej rewizji osobistej rzucała niewinny płaszcz na podłogę.

Zrzuciła gwałtownie poduszki z kanapy i foteli. Opróżniła szufladę biurka oraz szafę na dokumenty. Opróżniła zawartość torby z książkami, torby na laptopa oraz błękitnej torby. Przeszukała sterty rzeczy, dotykając każdego przedmiotu palcami, by przywołać jego nazwę w głowie. I nic.

Nie pamiętała miejsc, które już wcześniej sprawdziła. Sterta przekopanych rzeczy była dowodem wcześniejszych poszukiwań. Wygląd domu wskazywał na to, że rozkopała już cały parter. Zlana potem, krążyła po domu rozgorączkowana. Nie poddawała się. Pobiegła na górę.

Przetrząsnęła kosz na bieliznę, stoliki nocne, komody, szafy, szkatułkę na biżuterię, kosz na brudną bieliznę, apteczkę. *Sypialnia na dole.* Pobiegła z powrotem po schodach, zlana potem, rozgorączkowana.

John stał w przedpokoju, po kostki w płaszczach.

– Co się tu, u diabła, stało? – zapytał.

– Szukam czegoś.

– Czego?

Nie potrafiła tego nazwać, jednak wierzyła, że gdzieś w jej głowie chowała się nazwa, którą znała.

– Dowiem się, gdy to znajdę.

– To jakiś totalny kataklizm. Wygląda, jakby się do nas włamano.

Nie pomyślała o tym. To by tłumaczyło, dlaczego nie potrafiła tego znaleźć.

– O Boże, może ktoś to ukradł.

– Nikt nas nie okradł. Rozniosłaś dom na kawałki.

Obok kanapy w salonie zauważyła nietknięty kosz z czasopismami. Zostawiła Johna i teorię o kradzieży w przedpokoju, a następnie podniosła ciężki kosz, wyrzuciła czasopisma na podłogę, poszperała w nich i odeszła. John poszedł za nią.

– Alice, przestań, nawet nie wiesz, czego tak właściwie szukasz.

– A właśnie, że wiem.

– No więc?

– Nie mogę powiedzieć.

– Jak to wygląda, do czego służy?

– Już ci mówiłam, że nie wiem i że będę wiedzieć, gdy to znajdę. Muszę to znaleźć, inaczej umrę.

Zastanowiła się nad własnymi słowami.

– Gdzie są moje leki?

Weszli do kuchni, przedzierając się przez kartony z płatkami śniadaniowymi oraz puszkami z zupą i tuńczykiem. John znalazł porozrzucane na podłodze recepty i fiolki z witaminami oraz dozownik do leków w misce na stole.

– Tutaj są – powiedział.

Pragnienie, potrzeba, od której wszytko zależało, nie zgasło.

– Nie, to nie to.

– To jakieś szaleństwo. Musisz to zakończyć. Wszędzie walają się śmieci.

Śmieci.

Otworzyła kosz na śmieci, wyjęła z niego worek i wyrzuciła zawartość.

– Alice!

Przeleciała palcami po skórkach z awokado, oślizłym tłuszczu z kurczaka, zużytych chusteczkach i ścierkach, pustych kartonach i opakowaniach oraz innych – jak im tam było – śmieciach. Zauważyła płytę *Alice Howland*. Trzymała mokre pudełko w rękach i przyglądała się mu. *Mhm, nie chciałam tego wyrzucić.*

– To jest to, to musi być to – powiedział John. – Cieszę się, że to odnalazłaś.

– Nie, to nie to.

– Posłuchaj mnie, śmieci są porozrzucane po całej podłodze. Po prostu przestań, usiądź i odpocznij. Jesteś szalona. Może kiedy przestaniesz i trochę odpoczniesz, przypomnisz sobie.

– Dobrze.

Może gdy usiądzie spokojnie, przypomni sobie, co to było i gdzie to zostawiła. Albo zapomni, że w ogóle czegoś szukała.

Śnieg, który padał od wczoraj i zasypał większość Nowej Anglii na co najmniej pół metra, właśnie ustał. Nie zauważyłaby tego, gdyby nie odgłos piszczących wycieraczek poruszających się na przemian to w lewo, to w prawo po suchej szybie samochodu. John wyłączył je. Ulice były odśnieżone, ale ich samochód był jedynym na drodze. Alice zawsze lubiła ciszę oraz spokój poprzedzające śnieżycę, jednak dzisiaj wytrącało ją to z równowagi.

John zaparkował przy Mount Auburn Cemetery. Skrawek miejsca parkingowego został odśnieżony, jednak sam cmentarz, ścieżki oraz nagrobki, spowijał gęsty puch.

– Bałem się, że wciąż może to tak wyglądać. Będziemy musieli przyjechać innym razem – powiedział.

– Nie, zaczekaj. Daj mi chwilę.

Wiekowe czarne drzewa z poskręcanymi żylakowatymi gałęziami, przykryte bielą, tworzyły iście magiczną scenerię. Dostrzegła kilka, jak przypuszczała, szarych, wyszukanych kamieni nagrobnych, które należały do niegdyś zamożnych i znaczących osób. Wznosiły się ponad połać śniegu, jednak nic poza tym. Całą resztę spowijał biały puch. Rozkładające się zwłoki w trumnach zakopane pod ziemią i kamieniami. Wszystko było czarno-białe, zamarznięte i martwe.

– John?

– Co?

Wypowiedziała jego imię głośniej, niż zamierzała, przerywając ciszę zbyt nagle, zaskakując go.

– Nic. Możemy już wracać. Nie chcę tu być.

Możemy wrócić później, w ciągu tygodnia, jeśli chcesz – powiedział John.

– Gdzie wrócić? – zapytała Alice.

– Na cmentarz.

– Ach tak.

Usiadła na kuchennym stole. John nalał wina do dwóch kieliszków i wręczył jej jeden. Z przyzwyczajenia zakręciła kieliszkiem. Notorycznie zapominała imienia córki, tej aktorki, jednak cały czas pamiętała, jak degustować wino, wiedziała też, że to lubiła. Dziwna choroba. Ceniła sobie ten wprawiający w błogość ruch wina w kieliszku, jego krwisty, czerwony kolor, intensywny smak winogron, dębu, ziemi oraz ciepła, które czuła, kiedy ciecz spływała do jej brzucha.

John stał naprzeciw otwartych drzwi lodówki. Wyjął kawałek sera, cytrynę, jakiś pikantny płyn i dwa czerwone warzywa.

– Co powiesz na enchiladę z kurczaka?

– W porządku.

Otworzył zamrażalnik i zaczął przeszukiwać jego zawartość.

– Mamy w ogóle kurczaka? – zapytał.

Nie odpowiedziała.

– O nie, Alice!

Odwrócił się, by pokazać jej co trzymał w dłoniach. To nie był kurczak.

– To twój BlackBerry, był w zamrażalniku.

Nacisnął na guziki, potrząsnął nim i potarł go.

– Wygląda na to, że dostała się do niego woda. Poczekajmy, aż się rozmrozi, jednak wydaje mi się, że już po nim – powiedział.

Wybuchnęła rozpaczliwym płaczem.

– Nie płacz, jeśli nie będzie działać, kupimy ci nowy.

Co za absurd. Dlaczego przejęłam się zepsutym elektronicznym organizerem? Może tak naprawdę opłakiwała śmierć swojej matki, siostry i ojca? Może ogarnęło ją wzruszenie, które czuła wcześniej, jednak na cmentarzu nie była w stanie odpowiednio go wyrazić? To miało większy sens. Ale nie, to nie było to. Może śmierć organizera symbolizowała stratę jej posady na Harvardzie i w ten sposób opłakiwała niedawny koniec swojej kariery? To również miało sens. Jednak to, co w tej chwili odczuwała, to nieodżałowany smutek z powodu śmierci telefonu.

LUTY 2005

Osunęła się na fotel obok Johna, zwrócona twarzą w stronę doktora Davisa, emocjonalnie i intelektualnie wykończona. Poddawano ją wielu testom neuropsychologicznym w tym niewielkim pokoju z tą kobietą, która poddaje ludzi testom neuropsychologicznym w tym niewielkim pokoju, od tak długiego i pełnego udręki czasu. Słowa, informacje i znaczenia pojawiające się w pytaniach kobiety, która przeprowadzała badanie oraz w odpowiedziach Alice, były niczym mydlane bańki, wypuszczane przez dzieci z plastikowych różdżek w wietrzny dzień. Odlatywały prędko i w odmiennych kierunkach, wymagając od niej niesamowitego skupienia. I nawet jeśli niektóre z nich udało jej się utrzymać w zasięgu wzroku przez zadowalający okres czasu, zbyt szybko następował *trzask*. Potem już tylko oddalały się w zapomnienie, zupełnie jakby ich nigdy nie było. A teraz doktor Davis trzymał różdżkę w dłoni.

– Dobrze, Alice, przeliteruj proszę słowo *mleko* od tyłu – powiedział.

Pół roku temu to polecenie wydawało się jej banalne, a nawet upokarzające, jednak dzisiaj to było poważne zadanie, które wymagało od niej olbrzymiego wysiłku. Poczuła się nieznacznie zakłopotana i upokorzona, nie tak bardzo, jak miało to miejsce pół roku wcześniej. Coraz częściej odczuwała rosnący dystans, dzielący ją od jej samoświadomości. Świadomość Alice – to, co wiedziała i rozumiała, co lubiła i czego nie lubiła, co odczuwała i jak postrzegała – była również niczym mydlana bańka, z tą różnicą, że wznosiła się wyżej i trudniej ją było rozpoznać, a przed wystrzeleniem w powietrze chroniła ją jedynie cieniutka membrana lipidowa.

Alice przeliterowała najpierw słowo *mleko* pod nosem, rozkładając w trakcie mówienia palce u lewej dłoni, po jednym przy każdej literze.

– O. – Zagięła mały palec u ręki. Przeliterowała ponownie, zatrzymując się na palcu serdecznym, który zagięła.

– K. – Powtórzyła proces od początku.

– E. – Trzymała kciuk oraz palec wskazujący niczym pistolet. Wyszeptała do siebie: *L, M*.

– L, M.

Uśmiechnęła się, podniosła lewą dłoń w geście zwycięstwa i spojrzała na Johna. Zakręcił obrączką i uśmiechnął się z przygnębieniem.

– Dobra robota – powiedział doktor Davis. Uśmiechnął się szeroko, wydając się być pod wrażeniem jej wyczynu. Alice lubiła go.

– A teraz chcę, abyś dotknęła prawego policzka lewą dłonią, a następnie wskazała okno.

Podniosła lewą dłoń do policzka. *Trzask!*

– Przepraszam, może pan powtórzyć jeszcze raz instrukcję? – zapytała Alice z lewą ręką tuż przy twarzy.

– Oczywiście – odpowiedział uprzejmie doktor Davis, zupełnie jak rodzic, który pozwala dziecku podejrzeć karty w grze lub też daje fory w wyścigu.

– Dotknij prawego policzka lewą dłonią, a następnie wskaż okno.

Jej lewa dłoń dotknęła prawego policzka, nim zdążył skończyć zdanie, a następnie wskazała ręką okno tak szybko, jak tylko mogła, po czym odetchnęła głośno.

– Dobrze, Alice – powiedział doktor Davis, ponownie się uśmiechając.

Z ust Johna nie wydobyła się żadna pochwała, oznaka zadowolenia czy dumy.

– Dobrze, teraz podaj mi nazwisko i adres, które podałem ci wcześniej.

Nazwisko i adres. Nic nie świtało jej w głowie, zupełnie jakby dopiero co obudziła się ze snu i wiedziała, że o czymś śniła, być może nawet myślała, że to był sen o konkretnej rzeczy, jednak bez względu na to, jak bardzo się nad tym zastanawiała, szczegóły snu wymykały się jej.

– John Jakiśtam. Przecież pan wie, że pyta mnie pan o niego za każdym razem i nigdy nie potrafię zapamiętać, gdzie ten facet mieszka.

– Okay, w takim razie strzelaj. Chodziło o Johna Blacka, Johna White'a, Johna Johnsa czy Johna Smitha?

Nie miała pojęcia, jednak nie miała też nic przeciwko tej propozycji.

– Smitha.

– Czy mieszkał na East Street, West Street, North Street czy South Street?

– South Street.

– Czy mieszkał w Arlington, Cambridge, Brighton czy Brookline?

– W Brookline.

– Okay, Alice, teraz ostatnie pytanie. Gdzie jest mój dwudziestodolarowy banknot?

– W pana portfelu.

– Nie, wcześniej gdzieś w pokoju ukryłem dwudziestodolarowy banknot. Pamiętasz, gdzie go położyłem?

– Zrobił pan to w mojej obecności?

– Tak. Przychodzi ci coś do głowy? Jeżeli go znajdziesz, to możesz go sobie zatrzymać.

– Gdybym to wiedziała, na pewno wymyśliłabym sposób, aby to zapamiętać.

– Jestem tego pewien. Czy coś ci przychodzi do głowy?

Dostrzegła, jak na ułamek sekundy jego wzrok skierował się w prawą stronę, tuż nad jej ramieniem, nim z powrotem skupił swoją uwagę na niej. Spojrzała w tamtym kierunku. Za nią znajdowała się tablica na ścianie, a na niej nagryzmolone czerwonym markerem trzy słowa: *Glutaminian. LTP. Apoptoza.* Czerwony marker leżał na półce, tuż obok złożonego dwudziestodolarowego banknotu. Zachwycona, podeszła do tablicy i podniosła swoją nagrodę.

Doktor Davis zachichotał.

– Gdyby wszyscy moi pacjenci byli tak bystrzy jak ty, to poszedłbym z torbami.

– Alice, nie możesz zatrzymać banknotu. Widziałaś, jak on na niego spojrzał – odezwał się John.

– Wygrałam go – oznajmiła Alice.

– W porządku, znalazła go – powiedział doktor Davis.

– Czy jej stan jest normalny? Od diagnozy i przyjmowania leków minął zaledwie rok – zapytał John.

– Cóż, mamy tutaj do czynienia z kilkoma sprawami. Choroba przypuszczalnie zaczęła się rozwijać na długo przed jej zdiagnozowaniem w styczniu ubiegłego roku. Zarówno Alice, jak i wasza rodzina oraz znajomi lekceważyliście wiele objawów lub też zrzucaliście winę na stres, brak snu, alkohol i tym podobne czynniki. Choroba może się rozwijać od co najmniej dwóch lat. Alice jest niesamowicie bystra.

Jeżeli przeciętna osoba, w uproszczeniu, posiada dziesięć synaps, które przewodzą impulsy nerwowe w postaci informacji, Alice ma ich co najmniej pięćdziesiąt. Jeżeli przeciętna osoba traci te dziesięć synaps, informacja, którą przewodzą, staje się dla nich niedostępna, zapomniana. Jednak nawet jeśli Alice traci tę dziesiątkę, wciąż ma czterdzieści możliwości dotarcia do celu. Tak więc jej anatomiczne straty nie są tak wyraźne i zauważalne.

– Do tej pory straciła już znaczniej więcej niż dziesięć synaps.

– Obawiam się, że tak. Jej pamięć świeża spada poniżej poziomu trzech procent, na którym byłaby w stanie rozwiązać testy, jej procesy językowe znacznie ucierpiały, traci również samoświadomość, czego niestety się spodziewaliśmy. Jednak Alice jest również bardzo zaradna. Wykazała się dzisiaj niesamowitą pomysłowością w odnajdowaniu odpowiedzi na pytania, których nie pamiętała.

– Mimo to było wiele pytań, na które nie potrafiła znaleźć właściwej odpowiedzi – powiedział John.

– Tak, to prawda.

– Jej stan pogarsza się i to w zastraszającym tempie. Czy możemy zwiększyć dawkę Ariceptu albo Namendy? – zapytał.

– Nie, Alice przyjmuje już maksymalną dawkę obu leków. Niestety, jest to postępująca, zwyrodnieniowa choroba, na którą nie ma lekarstwa. Jej stan będzie się pogarszał, bez względu na leki, jakimi dysponujemy.

– Więc nie ma znaczenia, czy dostanie placebo, czy też Amylix, bo i tak jej nie pomoże – powiedział John.

Doktor Davis zamilkł, zastanawiając się, czy przyznać mu rację.

– Wiem, że czuje się pan zniechęcony. Jednak często widziałem okresy nieoczekiwanej stabilizacji i tak może być w przypadku pańskiej żony.

Alice zamknęła oczy i w myślach zobaczyła, jak stoi pewnie i stabilnie na pięknej równinie. Potrafiła to sobie wyobrazić i to napawało ją nadzieją. Czy John tego nie widział? Czy on wciąż miał nadzieję, czy już dawno się poddał? Czy też jeszcze gorzej, w rzeczywistości miał nadzieję, że stan Alice tak szybko się pogorszy, że będzie mógł ją bezbronną i grzeczną zabrać jesienią do Nowego Jorku? Czy zdecyduje się stanąć z nią na równinie, czy też zepchnie ją w przepaść?

Skrzyżowała ręce, wyprostowała nogi i postawiła stopy mocno na podłodze.

– Alice, czy wciąż biegasz? – zapytał doktor Davis.

– Nie, przestałam jakiś czas temu z uwagi na napięty grafik Johna oraz mój brak koordynacji; nie dostrzegam krawężników ani wybojów na drodze i błędnie oceniam odległość. Zaliczyłam kilka paskudnych upadków. Nawet w domu cały czas zapominam o tym czymś wystającym pod drzwiami i potykam się o to za każdym razem, gdy wchodzę do jakiegoś pokoju. Mam całą masę siniaków.

– Okay, John, albo usuń to coś wystające pod drzwiami, albo pomaluj na kontrastujący kolor lub też przyklej jaskrawą taśmę, tak by Alice mogła to zauważyć. W przeciwnym razie będzie się zlewać z podłogą.

– W porządku.

– Alice, opowiedz mi o twojej grupie wsparcia – powiedział doktor Davis.

– Jest nas czworo. Spotykamy się raz w tygodniu na kilka godzin w naszych domach i piszemy też do siebie codziennie. Jest cudownie, rozmawiamy o wszystkim.

Doktor Davis oraz kobieta w małym pokoju zadawali jej dzisiaj wiele dociekliwych pytań – pytań, które miały za zadanie określić dokładny poziom zniszczeń w jej głowie. Jednak nikt poza Mary, Cathy i Danem nie rozumiał tego, co wciąż pozostało w niej żywe.

– Chcę wam podziękować za podjęcie inicjatywy i wypełnienie oczywistej luki w naszym systemie wsparcia. Jeżeli spotkam nowych pacjentów z Alzheimerem o wczesnym początku, to czy mogę ich z wami skontaktować?

– Oczywiście. Proszę im również powiedzieć o DASNI – Dementia Advocacy and Support Network International. To forum online dla ludzi z demencją. Poznałam tam ponad tuzin ludzi z całego kraju, z Kanady, Wielkiej Brytanii oraz Australii. W sumie, to nigdy ich tak właściwie nie spotkałam, wszystko odbywa się za pośrednictwem internetu, jednak czuję, jakbyśmy się znali lepiej niż z osobami, które spotykam w realnym życiu. Nie marnujemy czasu, ponieważ nie mamy go zbyt wiele. Rozmawiamy o sprawach istotnych.

John wiercił się na krześle i potrząsał nogą.

– Dziękuję ci, Alice, dołączę adres internetowy tej strony do naszej ulotki. A co z tobą, John? Rozmawiałeś z naszym pracownikiem społecznym albo uczestniczyłeś w spotkaniach grupy wsparcia dla opiekunów?

– Nie, niestety nie. Parę razy byłem na kawie ze współmałżonkami ludzi z jej grupy wsparcia, jednak z nikim więcej się nie widziałem.

– Być może warto, abyś zastanowił się nad wsparciem dla siebie samego. Co prawda ty nie chorujesz, jednak ponieważ jesteś z Alice, jej choroba dotyka również ciebie. Wiem, ile wysiłku kosztuje to rodziny chorych, którzy do mnie przychodzą.

Do twojej dyspozycji są Denise Daddario, pracownik społeczny oraz Grupa Wsparcia dla Opiekunów MGH. Massachusetts Alzheimer's Association ma również wiele lokalnych grup wsparcia dla opiekunów. Mamy odpowiednie środki, więc nie wahaj się z nich skorzystać.

– Dobrze.

– *Á propos* Alzheimer's Association, właśnie otrzymałem ich program corocznej konferencji poświęconej leczeniu demencji i zauważyłem, że Alice będzie wygłaszała przemowę – powiedział doktor Davis.

Konferencja poświęcona leczeniu demencji to krajowe spotkanie specjalistów zajmujących się opieką nad ludźmi z tym problemem oraz ich rodzinami. Neurolodzy, lekarze ogólni, geriatrzy, neuropsycholodzy, pielęgniarki oraz pracownicy socjalni zbierają się w jednym miejscu, aby wymienić się wiedzą na temat sposobów diagnozowania, leczenia i opieki nad pacjentami. Tak jak w przypadku grupy wsparcia Alice czy DASNI, z tym wyjątkiem, że jest ona większa i skierowana do ludzi bez demencji. Tegoroczne spotkanie miało się odbyć w przyszłym miesiącu w Bostonie.

– Tak – odpowiedziała Alice. – Miałam zapytać: czy pan też tam będzie?

– Tak i przypilnuję, aby posadzono mnie w pierwszym rzędzie. Musisz wiedzieć, Alice, że ja nigdy nie zostałem poproszony o wygłoszenie przemowy – powiedział doktor Davis. – Alice, jesteś niezwykle dzielną kobietą.

Komplement z jego ust, szczery i nieprotekcjonalny, po całym dniu bezlitosnych i wyczerpujących testów dodał jej wiary we własne siły. John zakręcił obrączką. Spojrzał na nią ze łzami w oczach i z uśmiechem, który wprawił ją w zakłopotanie.

MARZEC 2005

Alice stała na podium z wydrukowaną przemową w dłoni, spoglądając na ludzi siedzących w fotelach w wytwornej sali balowej hotelu. Kiedyś potrafiła spojrzeć na publiczność i odgadnąć z niemal paranormalną dokładnością liczbę osób zasiadających na widowni. Utraciła tę umiejętność. Widziała tylko wiele zwróconych ku niej twarzy. Organizatorka, jakkolwiek się nazywała, powiedziała jej, że na konferencję zgłosiło się ponad siedemset osób. Alice wygłaszała już w swoim życiu wiele przemówień do tak okazałej, a nawet większej publiczności. Wśród uczestników jej wcześniejszych wystąpień znajdowali się wybitni wykładowcy Ivy League[4], zdobywcy Nagrody Nobla oraz największe autorytety w dziedzinie psychologii i języka.

Dzisiaj John zajmował miejsce w pierwszym rzędzie. Cały czas zerkał za siebie przez ramię i zwijał nieustannie program w cienki rulon. Dopiero teraz zauważyła, że miał na sobie swój szary szczęśliwy

---

[4] Osiem prestiżowych uniwersytetów we wschodniej części Stanów Zjednoczonych – przyp. tłum.

T-shirt. Wkładał go jedynie wtedy, gdy ogłaszano końcowe wyniki jego badań. Uśmiechnęła się na widok tego przesądnego gestu.

Anna, Charlie oraz Tom siedzieli obok niego, rozmawiając ze sobą. Kilka miejsc dalej dostrzegła Mary i Cathy, którym towarzyszyli małżonkowie, oraz Dana z żoną. Pośrodku, w pierwszym rzędzie siedział doktor Davis z długopisem i notatnikiem w dłoni. Za nimi rozpościerał się ocean specjalistów od choroby Alzheimera. Być może nie była to największa czy też najznakomitsza widownia, przed jaką przyszło jej występować, jednak zważywszy na wszystkie swoje dotychczasowe przemówienia, miała nadzieję, że właśnie to wywrze na widowni największe wrażenie.

Nerwowo błądziła palcami po powierzchni wysadzanego kamieniami naszyjnika w kształcie motyla, który spoczywał na jej piersi. Odchrząknęła. Napiła się wody. Jeszcze raz dotknęła motyla na szczęście. *Dzisiaj jest wyjątkowa okazja, mamo.*

– Dzień dobry. Jestem doktor Alice Howland. Nie jestem jednak neurologiem ani lekarzem ogólnym. Doktorat uzyskałam w dziedzinie psychologii. Przez dwadzieścia pięć lat byłam wykładowcą akademickim na Harvardzie. Prowadziłam zajęcia z psychologii kognitywnej, przeprowadzałam badania w dziedzinie lingwistyki i wygłaszałam wykłady na całym świecie. Nie znalazłam się tu jednak dzisiaj, aby zabrać głos jako ekspert w dziedzinie psychologii czy języka. Jestem tu, aby zabrać głos jako ekspert w dziedzinie choroby Alzheimera. Nie leczę pacjentów, nie prowadzę badań klinicznych, nie badam mutacji DNA, nie doradzam pacjentom i ich rodzinom. Jestem ekspertem w tej dziedzinie, ponieważ przed rokiem zdiagnozowano u mnie chorobę Alzheimera o wczesnym początku. Mam dzisiaj zaszczyt przemawiać do państwa i chcę pokazać wam odmienne spojrzenie na to, jak wygląda życie z demencją. Wkrótce nie będzie to możliwe. A niedługo po tym nie będę nawet świadoma, że mam Alzheimera. Znalazłam się więc tutaj w samą porę. Osoby takie jak ja, znajdujące się w początkowym stadium tej choroby, nie są jeszcze całkowicie nieudolne. Potrafimy posługiwać się językiem, jesteśmy zdolni do wygłaszania opinii i przez dłuższy czas zachowujemy przytomność umysłu. Jednak nie jesteśmy wystarczająco kompetentni, aby nam zaufać, jeśli chodzi o wypełnianie naszych dotychczasowych obowiązków. Czujemy się jakbyśmy nie należeli do żadnego ze światów, niczym zawieszeni w próżni społecznej. Jest to niewyobrażalnie samotne i pełne frustracji miejsce. Nie pracuję już na Harvardzie. Nie recenzuję prac studentów ani nie prowadzę badań. Moja rzeczywistość całkowicie różni się od tej nie tak przecież dawnej, a na dodatek jest zniekształcona. Ścieżki nerwowe, których używam, by zrozumieć, co do mnie mówicie, co myślę i co dzieje się wokół mnie, są posklejane przez amyloid. Staram się odnaleźć właściwe słowa, jednak w efekcie wypowiadam zupełnie inne. Nie potrafię dokładnie określić odległości, w wyniku czego często przewracam różne rzeczy, potykam się oraz gubię drogę do domu. Co więcej, moja pamięć krótkotrwała wisi na kilku postrzępionych nitkach. Tracę minione dni. Jeżeli zapytacie mnie, co robiłam wczoraj, co się wydarzyło, co widziałam, czułam i usłyszałam, będę miała trudności z podaniem wam szczegółów. Kilka rzeczy mogę odgadnąć prawidłowo. Jestem w tym świetna. Jednak tak naprawdę, to nie będę tego wiedziała. Nie pamiętam niczego, co wydarzyło się wczoraj czy przedwczoraj. Nie mam również kontroli nad tym, które dni zachowuję w pamięci, a które są kasowane. Z Alzheimerem nie można się targować. Nie mam wpływu na to, czy pamiętam nazwiska prezydentów Stanów Zjednoczonych czy imiona moich dzieci. Nie mogę zamienić pamiętania stolic poszczególnych stanów na wspomnienia o mężu. Często obawiam się jutra. Co jeśli obudzę się i nie rozpoznam własnego męża? Co jeśli nie będę wiedziała, gdzie się znajduję albo nie rozpoznam odbicia w lustrze? Kiedy przestanę być sobą? Czy część mózgu odpowiedzialna za moje niepowtarzalne *ja* jest bezbronna w walce z chorobą? Czy też moja tożsamość jest czymś, co wykracza poza neurony, białka i wadliwe molekuły DNA? Czy moja osobowość i dusza są odporne na spustoszenie wywołane przez Alzheimera? Wierzę, że tak jest. Gdy zdiagnozują u ciebie Alzheimera, to jakby naznaczono cię szkarłatną literą *A*. Ludzie postrzegają mnie wyłącznie przez pryzmat mojej choroby. Przez długi czas sama tak o sobie myślałam i tak myśleli o mnie inni. Jednak nie jestem wyłącznie tym, co mówię, tym, co robię, lub tym, co pamiętam. Z całą pewnością jestem czymś znacznie więcej. Jestem żoną, matką i przyjaciółką, a wkrótce też i babcią. Nadal czuję, rozumiem i zasługuję na miłość oraz radość płynącą z tych relacji. Wciąż jestem aktywnym uczestnikiem społeczeństwa. Mój mózg nie pracuje już tak dobrze jak kiedyś, jednak mam uszy, które zawsze bezwarunkowo wysłuchają, ramiona, w które można się wypłakać oraz ręce, którymi przytulam innych cierpiących na demencję. Dzięki grupie wsparcia, dzięki Dementia Advocacy and Support Network International oraz dzięki dzisiejszemu przemówieniu pomagam innym chorującym na Alzheimera wieść lepsze życie z tą chorobą. Nie jestem umierająca. Żyję z Alzheimerem. Chcę przeżyć życie jak najlepiej potrafię. Chciałabym zachęcić do wczesnej diagnozy, by lekarze błędnie nie zakładali, że ludzie po czterdziestce i pięćdziesiątce doświadczający problemów z pamięcią i rozumieniem są przygnębieni, mają depresję albo przechodzą menopauzę. Im wcześniej nastąpi prawidłowa diagnoza, tym wcześniej można zacząć leczenie z nadzieją spowolnienia procesu choroby i odnalezienia skutecznego leku. Nadal wierzę w lek dla mnie, dla moich przyjaciół, dla mojej córki, która posiada moje zmutowane geny. Być może nigdy nie będzie mi dane odzyskać tego, co straciłam, jednak mogę utrzymać to, co mam, ponieważ nadal posiadam wiele. Proszę, nie postrzegajcie nas przez pryzmat naszej choroby i nie skreślajcie. Spójrzcie nam w oczy, mówcie bezpośrednio do nas. Nie panikujcie ani nie bierzcie tego do siebie, kiedy popełnimy błąd, bo z pewnością go popełnimy. Będziemy się powtarzać, będziemy przestawiać rzeczy i będziemy błądzić. Będziemy zapominać, jak się nazywacie i co powiedzieliście chwilę wcześniej. Będziemy się również starać wam to ze wszystkich sił wynagrodzić i przezwyciężyć nasze poznawcze ułomności. Zachęcam was, abyście nas wspierali, nie ograniczali. Jeżeli ktokolwiek ma uraz rdzenia kręgowego, jeżeli ktokolwiek stracił kończynę lub cierpi na zaburzenia czynnościowe w wyniku udaru, rodziny i specjaliści ciężko pracują nad rehabilitacją tej osoby, by znaleźć sposób, aby sobie z tym poradzić i żyć dalej pomimo tej straty. Pracujcie z nami. Pomóżcie nam rozwinąć narzędzia, byśmy mogli funkcjonować pomimo naszych zaników pamięci, języka oraz zdolności poznawczych. Zachęcam was do angażowania się w grupy wsparcia. Możemy sobie wzajemnie pomóc, chorzy i opiekunowie, w wydostaniu się z tej próżni. Moje dni wczorajsze zanikają, dni jutrzejsze są niepewne. Po co więc żyję? Żyję dniem dzisiejszym, żyję chwilą. Któregoś dnia zapomnę o tym, że przed wami stałam i że wygłosiłam to przemówienie. Nie oznacza to jednak, że nie żyłam każdą sekundą dnia dzisiejszego. Zapomnę o dzisiejszym dniu, jednak to nie oznacza, że nie miał on znaczenia. Nie wykładam już lingwistyki na Harvardzie ani nie biorę udziału w konferencjach psychologicznych. Ale oto stoję tu dzisiaj przed wami, wygłaszając najważniejszą przemowę w moim życiu. I mam Alzheimera. Dziękuję.

Po raz pierwszy, odkąd zaczęła przemówienie, spojrzała na publiczność spoza kartek papieru. Z obawy, że się pomyli, nie odważyła się zerwać kontaktu wzrokowego ze słowami do czasu, aż skończy. Ku jej autentycznemu zdziwieniu, wszyscy zgromadzeni stali, bijąc brawo. To było znacznie więcej, niż się spodziewała. Zależało jej jedynie na tym, aby przeczytać przemówienie do końca i nie zrobić z siebie idiotki.

Spojrzała na znajome twarze w pierwszym rzędzie i bez cienia wątpliwości wiedziała, że przekroczyła swoje skromne oczekiwania. Cathy, Dan oraz doktor Davis uśmiechali się promiennie. Mary przecierała oczy garścią różowych chusteczek. Anna, uśmiechając się, biła brawo i nawet na chwilę nie przestała, by wytrzeć łzy spływające jej po twarzy. Tom klaskał, wiwatował i wyglądał jakby ledwo się powstrzymywał od wbiegnięcia na podest w celu uściskania i pogratulowania jej. Ona również nie mogła się doczekać, kiedy zrobi to samo.

John stał z podniesioną głową, niespeszony, w swoim szczęśliwym szarym T-shircie, z niepozostawiającą żadnych wątpliwości miłością w oczach oraz radością wypisaną na twarzy. Bił brawo.

KWIECIEŃ 2005

Dla kogoś, kto nie chorował na Alzheimera, wysiłek konieczny do napisania przemówienia, do jego właściwego wygłoszenia, wysiłek potrzebny do uściśnięcia dłoni i prowadzenia klarownych rozmów, z wydawałoby się setką entuzjastycznych uczestników wykładu, musiał być ogromny. Dla kogoś z Alzheimerem był niewyobrażalny. Dzięki zastrzykowi adrenaliny, wspomnieniu oklasków oraz odzyskanej pewności siebie mogła przez jakiś czas funkcjonować. Nazywała się Alice Howland i była niezwykle dzielną kobietą.

Jednak przypływ adrenaliny nie trwał wiecznie, a wspomnienie zanikało. Straciła nieco pewności siebie, kiedy umyła zęby kremem nawilżającym. Straciła jej znacznie więcej, kiedy przez cały ranek próbowała dodzwonić się do Johna za pomocą pilota do telewizora. Straciła jej resztki, kiedy nieprzyjemny zapach ciała przypomniał jej, że nie kąpała się od tygodnia, jednak nie miała w sobie wystarczającej odwagi ani wiedzy potrzebnej do tego, by wejść do wanny. Nazywała się Alice Howland i była ofiarą Alzheimera.

Jej siła wyczerpała się i nie miała w zanadrzu żadnych zapasów. Jej euforia osłabła, a wspomnienie zwycięstwa i pewność siebie skradziono. Cierpiała pod naporem przytłaczającego, wyczerpującego jej ciało ciężaru. Spała do późna i nie wstawała z łóżka przez wiele godzin po przebudzeniu. Siedziała na kanapie i płakała bez większego powodu. Żadna ilość snu czy wypłakanych łez nie była w stanie zmienić tego stanu rzeczy.

John obudził ją z głębokiego snu, a następnie ubrał. Pozwoliła mu. Nie kazał jej się uczesać ani umyć zębów. Nie obchodziło jej to. Zaprowadził ją do samochodu. Oparła się czołem o zimną szybę. Świat na zewnątrz wyglądał szaroniebiesko. Nie wiedziała, gdzie jadą. Było jej to obojętne.

John wjechał na podziemny parking. Zostawili auto i weszli do budynku. Białe fluorescencyjne światło raniło jej oczy. Szerokie korytarze, windy, tabliczki na ścianach: RADIOLOGIA, CHIRURGIA, POŁOŻNICTWO, NEUROLOGIA. *Neurologia.*

Weszli do sali. Zamiast poczekalni, której się spodziewała, ujrzała śpiącą w łóżku kobietę. Miała zapuchnięte, zamknięte oczy oraz kroplówkę podłączoną do dłoni.

– Co jej jest? – wyszeptała Alice.

– Nic, po prostu jest zmęczona – odpowiedział John.

– Wygląda strasznie.

– Cicho, chyba nie chcesz, żeby cię usłyszała.

Pokój nie wyglądał wcale jak pokój szpitalny. Obok łóżka, w którym spała kobieta, znajdowało się kolejne, mniejsze i nieposłane, duży telewizor w rogu, śliczny wazon z żółtymi i różowymi kwiatami na stole, podłoga zrobiona była z twardego drewna. Może to wcale nie był szpital? To mógł być hotel. Jeśli tak, to dlaczego ta kobieta miała przyklejoną rurkę do dłoni?

Do pokoju wszedł przystojny młody mężczyzna z tacą pełną kawy. *Może to jej lekarz.* Miał na sobie czapkę Red Soksów, jeansy oraz koszulkę z nadrukiem Yale. *Może jest z obsługi hotelowej.*

– Moje gratulacje – wyszeptał John.

– Dziękuję. Minęliście się z Tomem. Przyjdzie jeszcze po południu. Proszę, kawa dla wszystkich, a dla Alice herbata. Pójdę po maleństwa.

Młodzieniec znał jej imię.

Młody mężczyzna wrócił, pchając wózek z dwiema plastikowymi, prostokątnymi tubami. W każdej tubie znajdowało się maleńkie dziecko, ich ciałka zostały całkowicie owinięte białymi kocykami, a główki przykryte białymi czapeczkami, tak że było widać jedynie ich twarzyczki.

– Obudzę ją. Nie chciałaby przespać momentu, w którym je poznacie – powiedział młody mężczyzna. – Kochanie, obudź się, mamy gości.

Kobieta budziła się niechętnie, jednak kiedy ujrzała Alice i Johna, podekscytowanie zagościło w jej zmęczonych oczach. Uśmiechnęła się i Alice rozpoznała jej twarz. *Mój Boże, to przecież Anna!*

– Gratulacje, kochanie, są piękne – powiedział John, pochylając się nad córką i całując ją w czoło.

– Dzięki, tato.

– Wyglądasz wspaniale. Jak się czujesz? – zapytał.

– Dziękuję, dobrze, jestem tylko zmęczona. Jesteście gotowi na przyjęcie nowych członków rodziny? To jest Allison Anne, a ten młody jegomość to Charles Thomas.

Młody mężczyzna podał Johnowi jedno z niemowląt. Podniósł drugie, to z różową wstążką na czapeczce i przedstawił je Alice.

– Chcesz ją wziąć na ręce? – zapytał młodzieniec.

Alice przytaknęła głową.

Trzymała maleńkie, śpiące niemowlę, główkę opierając na zgięciu łokcia, przytrzymując pupę w dłoni, opierając jego ciałko o swoją pierś z uchem przyłożonym do jego serca. Maleńkie, śpiące niemowlę brało maleńkie płytkie wdechy, przez maleńkie okrągłe nozdrza. Alice instynktownie pocałowała jego pucołowaty policzek.

– Anno, to twoje dzieci – powiedziała Alice.

– Tak, mamo, trzymasz w ręku swoją wnuczkę, Allison Anne – odpowiedziała Anna.

– Jest idealna. Kocham ją.

Moja wnuczka. Spojrzała na niemowlę z niebieską wstążką w ramionach Johna. Mój wnuk.

– Nie zachorują na Alzheimera jak ja? – zapytała Alice.

– Nie, mamo, nie zachorują.

Alice zrobiła głęboki wdech, zaciągając się przepysznym zapachem swojej prześlicznej wnuczki, i napełniło ją uczucie ulgi i spokoju, którego od tak dawna nie czuła.

– Mamo, dostałam się na Uniwersytet Nowojorski oraz na Brandeis.

– Ach, to takie ekscytujące, pamiętam to uczucie. Co będziesz studiować? – zapytała Alice.

– Aktorstwo.

– Wspaniale. Ja studiowałam na Harvardzie. Podobało mi się tam. Mówiłaś, że gdzie będziesz studiować?

– Jeszcze nie wiem. Dostałam się na NYU oraz na Brandeis.

– A gdzie chcesz studiować?

– Sama nie wiem. Rozmawiałam z tatą i on chce, abym poszła na NYU.

– A ty tego chcesz?

– Nie wiem. NYU ma lepszą renomę, jednak uważam, że dla mnie lepszy będzie Brandeis. Byłabym blisko Anny, Charliego i dzieci, Toma oraz was, jeśli zostaniecie.

– Gdzie zostaniemy? – zapytała Alice.

– No, w Cambridge.

– A gdzie miałabym niby wyjechać?

– Do Nowego Jorku.

– Nie zamierzam przeprowadzać się do Nowego Jorku.

Siedziały obok siebie na kanapie, składając dziecięce ubranka, oddzielając różowe od niebieskich. Telewizor wyświetlał obrazy bez dźwięku.

– Jeżeli zdecyduję się na Brandeis, a ty z tatą przeprowadzicie się do Nowego Jorku, wtedy będę czuła, że jestem nie tam, gdzie trzeba, że podjęłam złą decyzję.

Alice przestała składać ubranka i spojrzała na kobietę. Była młoda, szczupła, ładna. Była również zmęczona i rozdarta w sobie.

– Ile masz lat? – zapytała Alice.

– Dwadzieścia cztery.

– Dwadzieścia cztery. Uwielbiałam ten okres. Przed tobą całe życie. Mnóstwo możliwości. Jesteś mężatką?

Ładna, rozdarta wewnętrznie kobieta przestała składać ubranka i spojrzała na Alice. Miała oczy w kolorze masła orzechowego, skrywała się w nich szczerość i zakłopotanie.

– Nie, nie jestem mężatką.

– Masz dzieci?

– Nie.

– W takim razie powinnaś zrobić dokładanie to, na czym ci zależy.

– Ale co, jeśli tata zdecyduje się przyjąć posadę w Nowym Jorku?

– Nie możesz podejmować tego rodzaju decyzji w oparciu o to, co inni mogą zrobić lub nie. To jest twoja decyzja, twoja edukacja. Jesteś dorosła i nie musisz robić tego, co chce twój ojciec. Podejmij decyzję w oparciu o to, co będzie dla ciebie najlepsze.

– Dobrze, tak zrobię. Dziękuję ci.

Ładna kobieta o cudownych oczach w kolorze masła orzechowego zaśmiała się, westchnęła i wróciła do składania ubranek.

– Przebyłyśmy długą drogę, mamo.

Alice nie wiedziała, co miała na myśli.

– Wiesz – powiedziała – przypominasz mi moich studentów. Kiedyś byłam nauczycielem. Byłam w tym całkiem niezła.

– Nadal jesteś.

– Jak się nazywa uczelnia, na którą chcesz iść?

– Brendeis.

– Gdzie to jest?

– W Waltham, zaledwie kilka minut stąd.

– A co będziesz studiować?

– Aktorstwo.

– To cudownie. Będziesz występować w sztukach?

– Tak.

– Szekspira?

– Tak.

– Uwielbiam Szekspira, zwłaszcza tragedie.

– Ja również.

Ładna kobieta przysunęła się i przytuliła Alice. Pachniała świeżo i czysto niczym mydło. Jej uścisk przeniknął Alice, zupełnie jak spojrzenie jej oczu w kolorze masła orzechowego. Alice poczuła się szczęśliwa.

– Proszę cię, mamo, nie wyjeżdżaj do Nowego Jorku.

– Do Nowego Jorku? Nie bądź niemądra. Mieszkam tutaj. Dlaczego miałabym się przeprowadzać?

– NIE WIEM, JAK TO ROBISZ – powiedziała aktorka. – Siedziałam przy niej przez prawie całą noc i padam ze zmęczenia. O trzeciej nad ranem usmażyłam jej jajecznicę, tosta i zrobiłam herbatę.

– Byłam już wtedy na nogach. Gdybyś mogła karmić piersią, pomogłabyś mi w wykarmieniu maluchów – odparła matka niemowląt.

Matka siedziała na kanapie obok aktorki, karmiąc piersią dziecko ubrane na niebiesko. Alice trzymała w ramionach dziecko ubrane na różowo. Wszedł John, wykąpany i ubrany, trzymając kubek z kawą w jednej dłoni i gazetę w drugiej. Kobiety miały na sobie piżamy.

– Dzięki, Lyd, że wstałaś w nocy. Naprawdę brakowało mi snu – powiedział John.

– Tato, jak ty chcesz w Nowym Jorku dać sobie radę bez nas? – zapytała matka.

– Zatrudnię osobę do opieki. W sumie, to zaraz kogoś poszukam.

– Nie chcę, aby jacyś obcy ludzie się nią opiekowali. Oni jej nie przytulą ani nie będą jej kochać – powiedziała aktorka.

– Obca osoba nie będzie również znała jej przeszłości i wspomnień tak jak my. Czasami potrafimy wypełnić jej luki w pamięci i odczytać język ciała – dodała matka.

– Nie mówię, że nie będziemy się nią już wcale zajmować, po prostu staram się myśleć realistycznie i patrzę na to z praktycznego punktu widzenia. Nie musimy brać tego wszystkiego wyłącznie na nasze barki. Za kilka miesięcy pójdziesz do pracy i co wieczór będziesz wracała do dzieci, których przez cały dzień nie widziałaś.

– A ty rozpoczniesz studia – zwrócił się do Lydii.
– Cały czas opowiadasz, jak bardzo napięty jest twój rozkład zajęć. Tom w tej chwili właśnie operuje. Wszyscy będziecie zajęci bardziej niż kiedykolwiek

wcześniej, a wasza matka nigdy nie chciałaby, abyście poświęcili swoje życie dla niej. Nigdy nie chciała być dla was ciężarem.

– Ona nie jest dla nas ciężarem, jest naszą matką – odparła matka.

Rozmawiali zbyt szybko i używali zbyt wielu zaimków. W dodatku niemowlę w różowym ubranku zaczęło hałasować i płakać, rozpraszając ją. Alice nie mogła zrozumieć, o czym lub o kim rozmawiali. Jednak po wyrazie ich twarzy oraz tonie głosu wiedziała, że była to poważna kłótnia. Kobiety w piżamach były po tej samej stronie.

– Może lepiej będzie, jeśli wezmę dłuższy urlop macierzyński. Czuję się trochę zagoniona, a Charlie nie ma nic przeciwko, abym miała więcej wolnego. Wtedy będę mogła być blisko mamy.

– Tato, to nasza ostania szansa na spędzenie z nią czasu. Nie możesz wyjechać do Nowego Jorku, nie możesz nam tego odebrać.

– Posłuchaj mnie, gdybyś zdecydowała się na NYU zamiast na Brandeis, mogłabyś spędzić z nią tyle czasu, ile tylko byś chciała. Podjęłaś decyzję, ja podejmuję swoją.

– Dlaczego mama nie ma w tej kwestii prawa głosu? – zapytała matka.

– Ona nie chce jechać do Nowego Jorku – powiedziała aktorka.

– Nie wiesz, czego ona chce – rzucił John.

– Powiedziała, że nie chce tam jechać. Śmiało, zapytaj ją. To, że choruje na Alzheimera, nie oznacza, że nie wie, czego chce. O trzeciej nad ranem chciała jajecznicę z tostem i nie chciała płatków ani bekonu. Z całą pewnością nie chciała też wracać z powrotem do łóżka. Lekceważysz jej potrzeby tylko dlatego, że ma Alzheimera – powiedziała aktorka.

O! Rozmawiają o mnie.

– Nie lekceważę jej potrzeb. Robię, co w mojej mocy, aby podejmować słuszne decyzje dla nas obojga. Gdyby dostawała wszystko, co chce, nie prowadzilibyśmy nawet tej rozmowy.

– Co to ma, do cholery, znaczyć? – zapytała matka.

– Nic.

– Zachowujesz się, jakby jej już nie było, jakby czas, który jej pozostał, nie miał już dla niej znaczenia. Zachowujesz się jak samolubny dzieciak – oznajmiła matka.

Matka rozpłakała się, jednak nie wydawała się być smutna, lecz rozzłoszczona. Wyglądała i mówiła jak Anne, siostra Alice. Jednak to nie mogła być ona. To niemożliwe. Anne nie miała dzieci.

– Skąd masz pewność, że to ma dla niej znaczenie? Posłuchaj, nie chodzi wyłącznie o mnie. Dawna Alice, ta przed chorobą, nie chciałaby, abym zrezygnował. Nie chciałaby tu zostać w takim stanie – powiedział John.

– Co masz na myśli? – zapytała płacząca kobieta, która wyglądała i mówiła zupełnie jak Anne.

– Nic. Posłuchaj, rozumiem i doceniam wszystko, co mówisz, jednak staram się podjąć decyzję racjonalną, a nie opartą na emocjach.

– Dlaczego? Co jest złego w byciu emocjonalnym w tej sytuacji? Dlaczego postrzegasz to jako coś negatywnego? Dlaczego decyzja oparta na emocjach nie może być dobrą decyzją? – zapytała kobieta, która nie płakała.

– Jeszcze nie podjąłem ostatecznej decyzji i nie dam się wam z tego powodu zastraszyć. Nie wiecie wszystkiego.

– Więc powiedz nam, tato, powiedz nam o tym, czego nie wiemy – odparła zapłakana kobieta drżącym i przepełnionym groźbą głosem.

Jej groźba sprawiła, że zamilkł.

– Nie mam na to czasu, jestem umówiony.

Wstał i zakończył kłótnię, zostawiając kobiety i dzieci same. Wychodząc, zatrzasnął za sobą drzwi wejściowe, budząc dziecko w niebieskim ubranku, które dopiero co zasnęło w ramionach matki. Dziecko wybuchnęło płaczem. Jakby zarażona tymi emocjami, druga kobieta również się rozpłakała. Może poczuła się po prostu opuszczona? Teraz płakali już wszyscy – dziecko w różowym ubranku, dziecko w niebieskim ubranku, matka oraz kobieta obok niej. Wszyscy za wyjątkiem Alice. Ona nie czuła się smutna, zła, pokonana czy też przestraszona. Była głodna.

– Co jemy na kolację?

MAJ 2005

Po długim czekaniu w niekończącej się kolejce w końcu dotarli do lady.

– Dobrze, Alice, na co masz ochotę? – zapytał John.

– Wezmę to, co ty.

– Ja biorę waniliowe.

– To ja też.

– Nie chcesz waniliowych, chcesz czekoladowo-jakieśtam.

– Dobrze, w takim razie chcę czekoladowo-jakieśtam.

Wydawało jej się to dosyć proste i nieskomplikowane, jednak on był widocznie podenerwowany jej zmianą zdania.

– Dla mnie waniliowe, a dla niej czekoladowo-karmelowe z orzechami, duże porcje.

Z dala od sklepów i zatłoczonych ulic, usiedli na pokrytej graffiti ławce nad brzegiem rzeki, zajadając lody. Stadko gęsi skubało trawę zaledwie kilka kroków dalej. Ptaki trzymały głowy przy ziemi, pochłonięte swoim zajęciem, zupełnie nie zwracając na nich uwagi. Alice zachichotała, zastanawiając się, czy gęsi również pomyślały o nich.

– Alice, czy wiesz, jaki mamy miesiąc?

Tego dnia padało, jednak obecnie niebo było przejrzyste, a słońce oraz sucha ławka ogrzewały jej ciało. Tak dobrze było czuć ciepło. Na ziemi obok nich leżały różowe i białe kwiaty z dzikiej jabłoni, porozrzucane niczym konfetti.

– Mamy wiosnę.

– Jaki miesiąc wiosny?

Alice polizała swoje czekoladowo-jakieśtam lody i dokładnie zastanowiła się nad pytaniem. Nie pamiętała, kiedy ostatnio patrzyła w kalendarz. Upłynęło mnóstwo czasu od chwili, kiedy musiała być w konkretnym miejscu o konkretnej godzinie. A nawet jeśli musiała gdzieś być wyznaczonego dnia o określonej godzinie, to John wiedział o tym i pilnował, aby się tam znalazła. Nie używała organizera do wyznaczania spotkań i nie nosiła już na ręce zegarka.

No cóż, pomyślmy. Jakie mamy miesiące w roku?

– Nie wiem, jaki?

– Maj.

– Och!

– Wiesz, kiedy Anna obchodzi urodziny?

– W maju?

– Nie.

– No, więc wydaje mi się, że Anne obchodzi urodziny na wiosnę.

– Nie, nie Anne, pytam, kiedy urodziła się Anna.

Żółta ciężarówka zaskrzypiała głośno na pobliskim moście, strasząc Alice. Jedna z gęsi rozpostarła skrzydła i zagęgała na samochód, stając w ich obronie. Alice zastanawiała się, czy zachowanie ptaka było spowodowane odwagą, czy też był on po prostu w gorącej wodzie kąpany i szukał zaczepki. Zachichotała, rozmyślając o zadziornej gęsi.

Polizała swoje czekoladowo-jakieśtam lody, przyglądając się architekturze budynku z czerwonej cegły po drugiej stronie rzeki. Miał wiele okien oraz zegar ze staroświeckimi cyframi na złotej kopule. Wyglądał znajomo i sprawiał wrażenie istotnego.

– Co to za budynek? – zapytała Alice.

– To szkoła biznesu. Jest częścią Harvardu.

– Ach tak. Czy ja uczyłam w tym budynku?

– Nie, uczyłaś w innym budynku, ale po tej stronie rzeki.

– Och.

– Alice, gdzie mieści się twój gabinet?

– Mój gabinet? W Harvardzie.

– Tak, ale gdzie dokładnie?

– W budynku po tej stronie rzeki.

– W którym budynku?

– Nie wiem, w jakiejś sali. Wiesz, że już tam nie chodzę.

– Wiem.– W takim razie to bez znaczenia, gdzie się znajduje. Dlaczego nie skupimy się na rzeczach naprawdę ważnych?

– Właśnie próbuję.

Ujął jej dłoń – jego była cieplejsza niż jej. To było przyjemne uczucie. Dwie gęsi podreptały do rzeki, rozbijając gładką powierzchnię wody, w której nikt więcej nie pływał. Dla ludzi prawdopodobnie była zbyt zimna.

– Alice, czy chcesz tu zostać?

Jego brwi wyrażały powagę, a zmarszczki przy oczach pogłębiły się. To było dla niego ważne pytanie. Uśmiechnęła się zadowolona z siebie i pewna odpowiedzi.

– Tak. Przyjemnie mi się tutaj z tobą siedzi. I jeszcze nie skończyłam.

Podniosła swoje czekoladowo-jakieśtam lody, by mógł zobaczyć. Zaczęły się topić i kapały na jej dłoń.

– Dlaczego pytasz? Musimy już wracać? – zapytała.

– Nie. Mamy jeszcze czas.

CZERWIEC 2005

Alice siedziała przy komputerze, czekając, aż ekran monitora się przebudzi. Przed chwilą dzwoniła do niej zaniepokojona Cathy, by sprawdzić, jak się czuje. Powiedziała, że od jakiegoś czasu Alice nie odpowiadała na jej e-maile, że od wielu tygodni nie pojawiała się na forum i że znowu opuściła wczorajsze spotkanie grupy wsparcia. Dopiero gdy Cathy wspomniała o tym, Alice rozpoznała, kim była jej zaniepokojona rozmówczyni. Wspomniała również, że do grupy dołączyły dwie nowe osoby, dowiedziawszy się o spotkaniach od znajomych, którzy uczestniczyli w konferencji. Alice odpowiedziała jej, że to wspaniała wiadomość. Przeprosiła ją za to, że się przez nią niepokoiła i poprosiła, aby przekazała wszystkim, że czuje się dobrze.

Jednak prawdę powiedziawszy, jej stan był daleki od dobrego. Wciąż rozumiała tylko krótkie fragmenty tekstu, a klawiatura komputera była dla niej zaszyfrowaną mieszaniną liter. Prawdę mówiąc, utraciła zdolność tworzenia słów za pomocą komputera. Jej umiejętność posługiwania się językiem, cecha, która najbardziej odróżnia ludzi od zwierząt, zanikała, a ona coraz bardziej traciła poczucie człowieczeństwa. Już jakiś czas temu pożegnała się z dobrym samopoczuciem.

Sprawdziła pocztę. Siedemdziesiąt trzy nowe wiadomości. Zasypana e-mailami, nie odnajdywała w sobie siły, by na nie odpowiedzieć, więc zamknęła pocztę bez otwierania jakiejkolwiek z nich. Wpatrywała się w monitor, przy którym przyszło jej spędzić większość zawodowego życia. Trzy foldery układały się na pulpicie w pionowym rzędzie: „Dysk twardy", „Alice", „Motyl". Kliknęła na folder „Alice".

Wewnątrz znajdowały się kolejne foldery: „Streszczenia", „Moje dokumenty", „Zajęcia", „Konferencje", „Wykresy", „Projekty subwencji", „Dom", „John", „Dzieci" „Seminaria", „Od molekuł do umysłu", „Artykuły", „Prezentacje", „Studenci". Całe jej życie zorganizowane było w małe, uporządkowane ikony. Nie chciała zajrzeć do środka, bojąc się tego, że nie będzie pamiętać lub też nie będzie w stanie zrozumieć swojego dotychczasowego życia. Zamiast tego kliknęła na folder „Motyl".

Droga Alice,
napisałaś ten list, kiedy byłaś w pełni władz umysłowych. Jeżeli to czytasz i nie potrafisz odpowiedzieć na jedno lub więcej z poniższych pytań, oznacza to, że nie jesteś już sobą.

1. *Jaki mamy miesiąc?*
2. *Gdzie mieszkasz?*
3. *Gdzie znajduje się twój gabinet?*
4. *Kiedy urodziła się Anna?*
5. *Ile masz dzieci?*

Masz Alzheimera. Utraciłaś zbyt wiele siebie, zbyt wiele tego, co kochasz i nie wiedziesz życia, jakie chciałaś. Ta historia nie ma dobrego zakończenia, jednak ty wybrałaś takie, które będzie najbardziej godne, pełne szacunku i uczciwe wobec ciebie i twojej rodziny. Nie możesz już ufać swoim osądom, jednak możesz zaufać moim, dawnej sobie, tej z czasu zanim Alzheimer zabrał zbyt wielką część ciebie.

Miałaś niezwykłe i interesujące życie. Ty i twój mąż John posiadacie troje zdrowych i cudownych dzieci, które są kochane i dobrze sobie radzą, a ty zrobiłaś niezwykłą, pełną wyzwań, pasji oraz sukcesów karierę.

Ostania część twojego życia, ta z Alzheimerem, oraz koniec, który starannie zaplanowałaś, jest tragiczny, jednak wiedz, że twoje życie takie nie było. Kocham cię i jestem z ciebie dumna, z twojego życia i wszystkiego, co zrobiłaś.

A teraz idź do swojej sypialni. Podejdź do czarnego stolika obok łóżka, na którym stoi niebieska lampa. Otwórz szufladę. Z tyłu szuflady znajduje się buteleczka z pigułkami. Na butelce jest biała etykieta, na której

widnieje czarnymi literami napis: DLA ALICE. We-
wnątrz są pigułki. Połknij je, popijając szklanką wody.
Upewnij się, że połknęłaś wszystkie. Następnie idź do
łóżka i połóż się.
  Idź już, zanim zapomnisz. I nie mów nikomu, co
zamierzasz. Proszę, zaufaj mi.

Kocham cię,
Alice Howland

Przeczytała list ponownie. Nie pamiętała, żeby
go napisała. Nie znała odpowiedzi na żadne z pytań,
poza tym o liczbę jej dzieci. Jednak znała ją najwi-
doczniej dlatego, że sama zawarła ją w liście. Nie
była pewna, co do ich imion. Anna i chyba Charlie.
Nie pamiętała ostatniego.

Przeczytała list ponownie, tym razem wolniej, jeżeli to w ogóle było możliwe. Czytanie z ekranu monitora było o wiele trudniejsze od czytania z kartki,
wtedy mogła użyć markera i długopisu. Papier mogła wziąć ze sobą do sypialni i spokojnie przeczytać.
Chciała go wydrukować, jednak nie wiedziała, jak to
zrobić. Żałowała, że dawna Alice, ta, która żyła nim
Alzheimer zebrał swe żniwo, nie poinformowała jej,
jak się używa drukarki.

Przeczytała list ponownie. Był fascynujący i sur-
realistyczny jak pamiętnik, który napisała, będąc na-

stolatką – sekretne i serdeczne słowa napisane przez dziewczynę, którą słabo pamiętała. Żałowała, że nie napisała więcej. Jej słowa sprawiły, że poczuła się smutna i dumna, dodały sił i przyniosły ulgę. Wzięła głęboki wdech, wypuściła powietrze i poszła na górę.

Zanim dotarła do celu, zapomniała, po co tam poszła. Towarzyszyło jej poczucie wykonywania czegoś ważnego i pilnego, jednak nic poza tym. Zeszła z powrotem na dół w poszukiwaniu dowodów świadczących o tym, gdzie przed chwilą była. Znalazła włączony komputer i list zaadresowany do niej, wyświetlony na ekranie monitora. Przeczytała go i poszła z powrotem na górę.

Otworzyła szufladę w stoliku obok łóżka. Wyjęła ze środka stertę chusteczek, długopisów, lepkich kartek papieru, butelkę z płynem, kilka cukierków na kaszel, nici dentystyczne i parę monet. Rozrzuciła wszystko na łóżku i wzięła każdy z przedmiotów po kolei do ręki. Chusteczki, długopis, długopis, długopis, lepki papier, monety, cukierek, cukierek, nici, płyn.

– Alice?

– Co?

Obróciła się. John stał w drzwiach.

– Co ty wyprawiasz? – zapytał.

Spojrzała na porozrzucane przedmioty.

– Szukam czegoś.

– Muszę skoczyć na chwilę do biura po dokumenty. Pojadę autem, więc nie będzie mnie tylko chwilę.

– Okay.

– Proszę, już czas, weź je, zanim zapomnisz.

Podał jej szklankę wody i garść pigułek. Połknęła wszystkie.

– Dziękuję – powiedziała.

– Niedługo wrócę.

Wziął od niej pustą szklankę i wyszedł z pokoju. Położyła się na łóżku obok rozrzuconej zawartości szuflady i zamknęła oczy, odczuwając zarówno smutek i dumę, siłę i ulgę. Czekała.

– Proszę cię, Alice, załóż togę, narzutkę i biret, musimy już wychodzić.

– Gdzie idziemy? – zapytała Alice.

– Na ceremonię rozdania dyplomów.

Ponownie przyjrzała się swojemu odzieniu. Nadal nie rozumiała.

– Czym jest ceremonia rozdania dyplomów?

– To dzień ukończenia Harvardu. Ceremonia rozdania dyplomów jest dla studentów równocześnie końcem i początkiem czegoś nowego.

Ceremonia rozdania dyplomów. Początek. Przestawiła słowa w głowie. Uroczystość wręczenia dyplomów Harvardu oznacza początek dorosłości, początek zawodowego życia, początek życia po Harvardzie. *Ceremonia rozdania dyplomów.* Spodobało jej się to określenie i chciała je zapamiętać.

Szli zatłoczonym chodnikiem, ubrani w ciemne togi i pluszowe czarne birety. Czuła się śmiesznie, uważała, że zwraca na siebie uwagę i z początku nie była przekonana co do słuszności podjętej przez Johna decyzji odnośnie wyboru garderoby. Nagle krajobraz zlał się jej w oczach. Zobaczyła tłum ludzi odzianych w podobne, lecz różnokolorowe stroje, wylewający się na chodnik ze wszystkich stron, tłum, który otoczył ich kolorową paradą strojów.

Wkroczyli na pokryty trawą dziedziniec osłonięty wielkimi, starymi drzewami, otoczony ogromnymi, starymi budynkami, w akompaniamencie powolnych, ceremonialnych dźwięków dud. Poczuła, że ma gęsią skórkę. *Już w tym uczestniczyłam.* Parada doprowadziła ich do rzędu krzeseł, na których usiedli.

– To jest uroczystość ukończenia Harvardu – powiedziała Alice.

– Tak – potwierdził John.

– Ceremonia wręczenia dyplomów.

– Tak.

Uroczystość rozpoczęła się od przemówień. Wśród absolwentów znajdowało się wiele sławnych i wpływowych osób, głównie polityków.

– Kiedyś przemawiał tutaj król Hiszpanii – oznajmiła Alice.

– To prawda – powiedział John, uśmiechając się, rozbawiony.

– Kto to? – zapytała, wskazując na mężczyznę na podium.

– To aktor – odpowiedział John.

Teraz Alice uśmiechnęła się rozbawiona.

– W tym roku nie udało im się ściągnąć króla – mruknęła Alice.

– Twoja córka jest aktorką. Któregoś dnia i ona może tam stać – powiedział John.

Alice przysłuchiwała się przemówieniu aktora. Wysławiał się w sposób swobodny i dynamiczny. Mówił o powieści łotrzykowskiej.

– Co to jest powieść łotrzykowska? – zapytała.

– To długa przygoda, podczas której bohater czegoś się uczy.

Aktor opowiadał o swojej życiowej przygodzie. Mówił o doświadczeniu z własnej podróży, którym chciał się z nimi podzielić. Składało się na nie pięć rad: bądź twórczy, bądź użyteczny, bądź praktyczny, bądź szczodry i odejdź w wielkim stylu.

Dokładanie taka byłam, tak mi się przynajmniej wydaje. Z tą różnicą, że jeszcze nie odeszłam. Nie odeszłam w wielkim stylu.

– To dobra rada – powiedziała Alice.

– Zgadzam się – odpowiedział John.

Siedzieli i przysłuchiwali się, bili brawo, przysłuchiwali się i znowu bili brawo, wszystko to trwało dłużej, niż Alice była w stanie skupić uwagę. Następnie wszyscy wstali z miejsc i ruszyli przed siebie, tworząc niezorganizowaną grupę. Alice wraz Johnem oraz kilkoma innymi osobami weszła do pobliskiego budynku. Wspaniałe przejście, ze zdumiewająco wysokim sufitem z ciemnego drewna oraz wyniosłą ścianą ze skąpanym w promieniach słońca witrażem, wzbudziło w niej podziw. Ogromne, stare żyrandole, sprawiające wrażenie niezwykle ciężkich, wisiały nad ich głowami.

– Gdzie jesteśmy? – zapytała Alice.

– W Memorial Hall, to część Harvardu.

Ku jej rozczarowaniu, nie zabawili tam ani chwili dłużej, natychmiast przeszli do mniejszej, nijakiej sali, w której usiedli.

– Co się teraz wydarzy? – zapytała Alice.

– Absolwenci studiów doktoranckich nauk humanistycznych i ścisłych odbiorą swoje dyplomy. Przyszliśmy zobaczyć, jak Dan odbiera swój. To twój student.

Rozejrzała się po sali, spoglądając na twarze ludzi ubranych w ciemnoróżowe stroje. Nie wiedziała, który z nich to Dan. Nie potrafiła rozpoznać żadnej twarzy, jednak rozpoznawała emocje oraz energię wypełniające salę. Wszyscy byli szczęśliwi i optymistyczni, przepełnieni dumą i uczuciem ulgi. Byli gotowi i żądni nowych wyzwań, by odkrywać, tworzyć i uczyć, by stać się bohaterami własnych przygód.

To, co w nich dostrzegła, rozpoznała także u siebie. To było coś, co znała, to miejsce, to podekscytowanie i gotowość. Ten początek. To był początek także jej przygody i chociaż nie pamiętała szczegółów, miała absolutną pewność, że jej droga była równie niezwykła i fascynująca.

– Jest tam, na scenie – powiedział John.

– Kto?

– Twój student, Dan.

– Który to?

– Ten blondyn.

– Daniel Maloney – przemówił głos.

Dan zrobił krok do przodu i uścisnął dłoń mężczyzny, w zamian otrzymując czerwony papier. Następnie Dan uniósł czerwony papier wysoko nad głowę i uśmiechnął się w geście zwycięstwa. Z powodu jego radości, z powodu wszystkiego, czego z całą pewnością dokonał, by się tu znaleźć, z powodu przygody, która na niego czekała, Alice biła mu brawo. Studentowi, którego ani trochę nie pamiętała.

ALICE I JOHN STALI NA ZEWNĄTRZ, czekając pod ogromnym białym namiotem, pośród studentów ubranych w ciemnoróżowe stroje i ludzi, którzy cieszyli się ich szczęściem. Młody mężczyzna o blond włosach podszedł do niej, uśmiechając się szeroko. Bez jakichkolwiek oporów, uścisnął ją i pocałował w policzek.

– Nazywam się Dan Maloney, jestem twoim studentem.

– Moje gratulacje, Dan, tak bardzo się cieszę – powiedziała Alice.

– Bardzo ci dziękuję. Jestem taki szczęśliwy, że mogłaś tu przyjść i zobaczyć, jak odbieram dyplom. To dla mnie zaszczyt, że mogłem być twoim studentem. Chcę, abyś wiedziała, że to z twojego powodu wybrałem lingwistykę jako kierunek studiów. Twoja pasja i chęć zrozumienia funkcjonowania języka, twoje wnikliwe i angażujące studentów podejście do badań, twoja miłość do nauczania – to wszystko zainspirowało mnie do pracy. Dziękuję ci za twoją pomoc i mądrość, za to, że umieściłaś poprzeczkę tak wysoko i za to, że dałaś mi tak wiele swobody we wdrażaniu własnych pomysłów. Jesteś najlepszym nauczycielem, jakiego kiedykolwiek w życiu miałem. Jeżeli będzie mi dane osiągnąć choćby ułamek tego, co ty osiągnęłaś, uznam to za sukces.

– Miło mi to słyszeć. Dziękuję ci. Wiesz, nie pamiętam za dobrze tamtych dni. Cieszę się, że ty zapamiętasz mnie taką. Wręczył jej białą kopertę.

– Proszę, zapisałem to wszystko dla ciebie, wszystko, co właśnie powiedziałem, tak abyś mogła to przeczytać, kiedy tylko będziesz chciała i żebyś wiedziała, co ci zawdzięczam, nawet jeśli nie będziesz już o tym pamiętać.

– Dziękuję.

Każde z nich trzymało kopertę z dumą i szacunkiem – ona białą, on czerwoną.

Starsza, bardziej przysadzista wersja Dana oraz dwie kobiety, z których jedna była starsza od drugiej, podeszli do nich. Mężczyzna przyniósł tacę z białym musującym winem. Młoda kobieta wręczyła każdemu wąski kieliszek z trunkiem.

– Za Dana – powiedział mężczyzna, wznosząc kieliszek w górę.

– Za Dana – powtórzyli wszyscy, stukając się szkłem i wypijając łyk wina.

– Za dobry początek – dodała Alice – i koniec w wielkim stylu.

Zaczęli oddalać się od namiotów i starych, ceglanych budynków oraz ludzi w togach, udając się w mniej zatłoczone i nie tak głośne miejsce. Ktoś ubrany w czarny strój krzyknął do Johna i pomachał. John zatrzymał się i puścił dłoń Alice, by przywitać się z osobą, która go zawołała. Nabrawszy rozpędu, Alice nadal szła przed siebie.

Przez ułamek sekundy zatrzymała się i spojrzała w oczy kobiety. Była przekonana, że jej nie znała, jednak w jej spojrzeniu kryło się coś znajomego. Kobieta miała blond włosy, telefon przy uchu i okulary, za którymi skrywały się duże, niebieskie i przestraszone oczy. Kobieta prowadziła samochód.

Nagle narzutka Alice owinęła się ciasno wokół jej szyi i coś szarpnęło ją w tył. Bez żadnego uprzedzenia wylądowała twardo na plecach, głową uderzając o ziemię. Jej toga oraz pluszowy biret nie uchroniły jej przed zderzeniem z chodnikiem.

– Przepraszam, Ali, nic ci nie jest? – zapytał mężczyzna w ciemnoróżowej szacie, klękając przy niej.

– Nie – odpowiedziała, siadając i pocierając dłonią tył głowy. Spodziewała się ujrzeć krew na rękach, jednak nic takiego się nie stało.

– Przepraszam cię, ale szłaś wprost pod koła, ten samochód o mało cię nie rozjechał.

– Nic jej nie jest? – zapytała kobieta w samochodzie.

– Wydaje mi się, że nie – odpowiedział mężczyzna.

– Mój Boże, mogłam ją zabić. Gdybyś jej nie pociągnął, najpewniej bym ją przejechała.

– W porządku, nic jej nie jest.

Mężczyzna pomógł Alice wstać. Obejrzał ją i dotknął jej głowy.

– Nic ci nie będzie. Tylko się trochę potłukłaś. Możesz iść? – zapytał.

– Tak.

– Mogę was gdzieś podrzucić? – zapytała kobieta.

– Nie, nie trzeba, wszystko w porządku – odpowiedział mężczyzna.

Objął ją w talii, przytrzymując jej łokieć ręką, a ona ruszyła do domu z nieznajomym, który ocalił jej życie.

LATO 2005

Alice siedziała w dużym, wygodnym, białym fotelu i dumała nad zegarem ściennym. Miał wskazówki i cyfry, więc było jej o wiele trudniej odczytać godzinę niż w przypadku zegara, który posiadał wyłącznie cyfry.

Może piąta?

– Która jest godzina? – zapytała mężczyznę siedzącego w fotelu obok.

Spojrzał na przegub dłoni.

– Dochodzi w pół do czwartej.

– Myślę, że już pora, abym wróciła do domu.

– Jesteś w domu. To jest nasz dom w Cape.

Rozejrzała się po pokoju – białe meble, wiszące na ścianach zdjęcia latarni morskiej i plaży, olbrzymie okna, małe patykowate drzewa na zewnątrz.

– Nie, to nie jest mój dom. Ja tutaj nie mieszkam. Chcę iść w tej chwili do domu.

– Do Cambridge wrócimy za parę tygodni. Przyjechaliśmy tu na wakacje. Lubisz to miejsce.

Mężczyzna w fotelu wrócił do czytania książki i sączenia napoju. Książka była gruba, a napój z kostką lodu w środku żółtobrązowy, jak kolor jej oczu. Był pochłonięty obiema czynnościami, które wyraźnie sprawiały mu przyjemność.

Białe meble, zdjęcia latarni morskiej i plaży wiszące na ścianach, olbrzymie okna oraz małe patykowate drzewa na zewnątrz wcale nie wyglądały znajomo. Odgłosy, które do niej dochodziły z zewnątrz, również. Słyszała ptaki, te, które żyją nad oceanem, dźwięk lodu pobrzękującego w szklance, kiedy mężczyzna w fotelu pił swój napój, dźwięk wdychanego i wydychanego powietrza, jaki wydawał z siebie, czytając książkę, tykanie zegara.

– Wydaje mi się, że jestem tutaj wystarczająco długo. Chciałabym już wrócić do domu.

– Jesteś w domu. To jest twój domek letniskowy. Tutaj przyjeżdżamy się zrelaksować i odprężyć.

To miejsce nie wyglądało wcale jak jej dom, ani tym bardziej nie brzmiało jak jej dom, a ona nie czuła się odprężona. Mężczyzna, który czytał i pił, siedząc w dużym, białym fotelu, nie wiedział, o czym mówi. Może był pijany?

Mężczyzna oddychał, czytał i pił, a zegar tykał. Alice siedziała w dużym, białym fotelu, przysłuchując się upływowi czasu, wymierzanemu przez tykający zegar, mając nadzieję, że ktoś zabierze ją do domu.

Siedziała na jednym z białych, drewnianych foteli na tarasie, popijając mrożoną herbatę i przysłuchując się przenikliwym odgłosom ukrytych w trawie żab i nocnych insektów.

– Alice, znalazłem twój naszyjnik z motylem – powiedział mężczyzna, do którego należał dom, dyndając wysadzanym kamieniami motylem na srebrnym łańcuszku.

– To nie jest mój naszyjnik, tylko mojej matki. I jest wyjątkowy, więc lepiej odłóż go z powrotem na miejsce, bo nie wolno nam się nim bawić.

– Rozmawiałem z nią i powiedziała mi, że możesz go zatrzymać. Prosiła mnie, żebym ci go przekazał.

Spojrzała z uwagą w jego oczy, na jego usta i język ciała, szukając czegoś, co zdradziłoby jego motywy. Jednak zanim udało jej się dostrzec oznaki szczerości jego słów, piękno błyszczącego niebieskiego motyla uwiodło ją, spychając na dalszy plan jej obawy.

– Powiedziała, że mogę go zatrzymać?

– Mhm.

Nachylił się nad nią i zapiął jej go na szyi. Dotknęła pośpiesznie palcami niebieskich kamieni na skrzydłach, srebrnego tułowia i czułków wysadzanych diamencikami. Poczuła, jak przeszywa ją przyjemny dreszcz. *Anne będzie zazdrosna.*

SIEDZIAŁA NA PODŁODZE w sypialni przed sięgającym do podłogi lustrem, przypatrując się swojemu odbiciu. Kobieta w lustrze miała zapadnięte, podkrążone oczy. Skóra na jej twarzy stała się obwisła i pokryła się przebarwieniami, w kącikach jej oczu i wzdłuż czoła widoczne były zmarszczki. Jej grube, krzaczaste brwi wymagały depilacji. Jej kręcone ciemne włosy poprzetykane były siwizną. Kobieta w lustrze wyglądała staro i brzydko.

Dotknęła palcami policzków i czoła, czując twarz na palcach i palce na twarzy. *To nie mogę być ja. Co się stało z moją twarzą?* Kobieta w lustrze wzbudzała w niej odrazę.

Odnalazła łazienkę i zapaliła światło. W lustrze nad umywalką ukazał się jej ten sam widok. Były tam też brązowo-złote oczy, duży nos, usta w kształcie serca, jednak wszystko jakby inne, struktura rysów jej twarzy była groteskowo zniekształcona. Dotknęła palcami gładkiej, zimnej powierzchni szkła. *Co jest nie tak z tymi lustrami?*

W łazience nie pachniało również tak, jak powinno. Błyszczące białe taborety, pędzel oraz kubeł stały na stercie gazet tuż za nią. Przykucnęła, biorąc wdech swoim dużym nosem. Podważyła wieko kubła, zanurzyła pędzel i przyglądała się, jak biała farba ścieka na ziemię.

Zaczęła od tych, które uważała za uszkodzone, od tego w łazience oraz w sypialni. Zanim skończyła, znalazła jeszcze cztery lustra i wszystkie zamalowała na biało.

Siedziała w dużym, białym fotelu, a mężczyzna, do którego należał dom, siedział obok niej w drugim. Mężczyzna czytał książkę i pił napój. Książka była gruba, a napój żółtobrązowy z kostką lodu w środku.

Podniosła ze stolika książkę jeszcze grubszą od tej, którą czytał mężczyzna i przekartkowała ją. Jej oczy zatrzymały się na słowach i literach połączonych z innymi słowami i literami za pomocą strzałek, kresek i małych lizaków. Kartkując strony, utkwiła wzrok w pojedynczych słowach – rozhamowanie, fosforylacja, geny, acetylocholina, torowanie, przemijanie, demony, morfemy, fonologiczny.

– Wydaje mi się, że już to kiedyś czytałam – powiedziała Alice.

Mężczyzna spojrzał na książkę, którą trzymała, a następnie na nią.

– Zrobiłaś znacznie więcej. Napisałaś ją. Napisaliśmy ją wspólnie.

Niepewna tego, czy dać wiarę jego słowom, zamknęła książkę i spojrzała na błyszczącą niebieską okładkę. *Od molekuł do umysłu*, doktor John Howland i doktor Alice Howland. Spojrzała na mężczyznę w fotelu. *To John.* Przekartkowała pierwsze strony książki. Spis treści. „Nastrój i emocje", „Motywacja", „Pobudzenie i uwaga", „Pamięć", „Język". *Język.*

Otworzyła książkę gdzieś przy końcu.

„Niezliczona możliwość wyrazu, wyuczona acz instynktowna, poprzez semantykę, składnię, gramatykę przypadków, czasowniki nieregularne, naturalne i odruchowe, uniwersalna". Przeczytane słowa zdawały się przedzierać przez szlam i duszące chwasty zalegające w jej umyśle, docierając do wciąż nienaruszonego i nieskażonego miejsca.

– John – powiedziała Alice.

– Tak?

Odłożył książkę na bok i usiadł wyprostowany na krawędzi fotela.

– Napisałam tę książkę z tobą – powiedziała.

– Tak.

– Pamiętam. Pamiętam cię. Pamiętam, że kiedyś byłam bardzo mądra.

– Tak, byłaś najmądrzejszą osobą, jaką kiedykolwiek znałem.

Ta gruba książka z błyszczącą niebieską okładką reprezentowała tak wiele z tego, kim kiedyś była. *Kiedyś wiedziałam, w jaki sposób mózg przetwarzał język i mogłam przekazać swoją wiedzę. Byłam kimś, kto wiedział wiele. Teraz nikt już nie zwraca się do mnie po opinię czy poradę. Brakuje mi tego. Kiedyś byłam dociekliwa, niezależna i pewna siebie. Brakuje mi tego uczucia. Nie możesz odczuwać spokoju, kiedy nęka cię niepewność. Brakuje mi wykonywania czynności bez trudu. Braku-*

je mi uczestniczenia w teraźniejszości. Brakuje mi bycia
potrzebną. Tęsknię za moim życiem i za moją rodziną.
Kochałam swoją rodzinę i swoje życie.

Chciała mu powiedzieć wszystko, o czym pamiętała i pomyślała, jednak nie potrafiła wydobyć tych wszystkich wspomnień i myśli, złożonych z tak wielu słów, wyrażeń i zdań, z grubej warstwy chwastów i szlamu, i zamienić ich w słyszalny dźwięk. Zamiast tego włożyła cały swój wysiłek w to, co było dla niej najważniejsze. Reszta będzie musiała pozostać w jej sercu.

– Tęsknię za sobą.

– Ja też za tobą bardzo tęsknię, Ali.

– Nie chciałam tego.

– Wiem.

WRZESIEŃ 2005

John siedział na końcu długiego stołu, pijąc dużymi łykami czarną kawę. Była wyjątkowo mocna i gorzka, jednak nie przejmował się tym. Nie pił jej dla walorów smakowych. Wypiłby ją znacznie szybciej, gdyby nie była tak gorąca. Będzie musiał wypić jeszcze dwie lub trzy filiżanki, zanim postawi go w pełni na nogi.

Większość z osób, które tu przychodzą, bierze kawę na wynos i pędzi w pośpiechu dalej. W ciągu najbliżej godziny John nie miał w planach żadnego spotkania, nie odczuwał również większej presji, aby przyjść wcześniej do pracy. Był zadowolony, że nie musiał się nigdzie śpieszyć, że mógł spokojnie zjeść swoją cynamonową babeczkę, wypić kawę i przeczytać „New York Timesa".

Najpierw otworzył część poświęconą medycynie, jak to zwykł robić z każdą czytaną od ponad roku gazetą – zwyczaj, który już dawno zastąpił niemal całą nadzieję, która pierwotnie wpływała na jego czyny. Przeczytał pierwszy artykuł na stronie. Podczas gdy jego kawa stygła, z oczu płynęły mu łzy.

AMYLIX OBLEWA TEST

Według wyników III fazy badania, pacjenci od łagodnego do umiarkowanego stanu Alzheimera, którzy przyjmowali Amylix podczas piętnastomiesięcznego okresu testów, nie wykazali znaczącej stabilizacji objawów demencji w porównaniu do przyjmowania placebo.

Amylix to lek selektywnie obniżający poziom amyloidu-beta. Ten eksperymentalny środek ma za zadanie powstrzymać rozwój choroby, poprzez wiązanie amyloidu-beta, co odróżnia go od innych leków, które w najlepszym przypadku mogą jedynie opóźnić ostateczny przebieg choroby.

Lek został dobrze przyjęty przez środowisko lekarskie, przechodząc pomyślnie przez I i II fazę testów, co sprawiło, że giełda z uwagą obserwowała dalsze etapy badań. Jednak w nieco ponad rok od podania leku funkcjonowanie poznawcze pacjentów, którzy przyjmowali nawet zwiększoną dawkę Amylixu, nie wykazało poprawy lub stabilizacji mierzonej poprzez ADAS oraz ankietę czynności dnia codziennego, odnotowując znaczy spadek w porównaniu do I i II fazy testów.

EPILOG

Alice siedziała na ławce z kobietą, przyglądając się przechodzącym obok nich dzieciom. W sumie to nie do końca były dzieci. Nie były one małymi istotkami, które mieszkały z matką. Kim więc były? Średnimi dziećmi?

Przyglądała się twarzom średnich dzieci w ruchu. Były poważne, zatroskane i zamyślone. W drodze dokądś. W pobliżu znajdowały się inne ławki, jednak żadne ze średnich dzieci nie zatrzymało się, by na nich usiąść. Wszyscy przemieszczali się, zaabsorbowani w drodze do swojego celu.

Ona nie musiała nigdzie iść. Czuła się z tego powodu szczęśliwa. Ona oraz kobieta, z którą siedziała, przysłuchiwały się grającej i śpiewającej dziewczynce z długimi włosami. Dziewczynka miała cudowny głos, duże, zdrowe zęby oraz spódnicę całą w kwiatki, która spodobała się Alice.

Alice nuciła w rytm muzyki. Podobało jej się, jak dźwięki, które z siebie wydobywała, zlewały się z głosem śpiewającej dziewczynki.

– Alice, Lydia zaraz wróci do domu. Chcesz zapłacić Soni, zanim pójdziemy? – zapytała kobieta.

Kobieta stała, uśmiechając się i trzymając w ręku pieniądze. Alice poczuła się zachęcona, by do niej podejść. Wstała, a kobieta wręczyła jej pieniądze. Alice wrzuciła monety do czarnego kapelusza leżącego na ziemi pod stopami śpiewającej dziewczynki, która przerwała śpiew, by do nich przemówić.

– Dziękuję, Alice. Do zobaczenia wkrótce, Carole!

Gdy Alice szła z kobietą pośród grupy średnich dzieci, muzyka za nimi cichła. Tak naprawdę Alice nie chciała wracać, jednak kobieta wracała, a Alice wiedziała, że musi się trzymać blisko niej. Kobieta była pogodna i miła, i zawsze wiedziała, co należy zrobić. Alice ceniła sobie tę cechę, ponieważ sama jej nie posiadała.

Po jakimś czasie Alice zauważyła dwa pojazdy stojące na podjeździe – mały, czerwony samochód oraz drugi, wielki, lśniący.

– Już są – powiedziała kobieta na widok samochodów.

Alice poczuła się podekscytowana i popędziła do domu. Matka stała w przedpokoju.

– Spotkanie skończyło się wcześniej, niż sądziłam, więc przyjechałam. Dzięki za zastępstwo.

– Żaden problem. Zdjęłam pościel z jej łóżka, jednak nie miałam czasu jej przebrać. Wszystko jest jeszcze w suszarce – odparła kobieta.

– Dobrze, zajmę się tym.

– Miałyśmy udany dzień.

– Żadnych wędrówek?

– Żadnych. Trzyma się mnie niczym cień, taką mamy umowę. Prawda, Alice?

Kobieta uśmiechnęła się, dając jej znak entuzjastycznym skinieniem głowy. Alice odwzajemniła uśmiech i przytaknęła. Nie miała pojęcia, z czym się zgadzała, jednak najprawdopodobniej nie przeszkadzało jej to, skoro kobieta tak uważała.

Kobieta zaczęła podnosić książki i torby spod drzwi wejściowych.

– John przyjdzie jutro? – zapytała kobieta.

Dziecko, którego nie widziały, zaczęło płakać i matka zniknęła, wchodząc do drugiego pokoju.

– Nie, ale już to załatwiliśmy – odezwał się głos matki.

Wróciła matka, niosąc dziecko ubrane na niebiesko, całując je wielokrotnie w szyję. Maleństwo wciąż płakało, jednak coraz mniej pewnie. Szybkie całusy matki podziałały. Matka wsadziła jakiś przedmiot do ust dziecka, które natychmiast zaczęło go ssać.

– Już dobrze, maleńki. Stokrotne dzięki, Carole. Jesteś darem niebios. Przyjemnego weekendu i do zobaczenia w poniedziałek.

– Do poniedziałku. Pa, pa, Lydio! – krzyknęła kobieta.

– Pa! Carole, dziękuję! – odkrzyknął głos z wnętrza domu.

Duże, okrągłe oczy dziecka spotkały się z oczami Alice i na twarzy chłopczyka pojawił się uśmiech. Alice odwzajemniła uprzejmość i dziecko roześmiało się. Przedmiot do ssania upadł na ziemię. Matka przykucnęła i podniosła go.

– Mamo, możesz go na chwilę potrzymać?

Matka podała Alice dziecko i chłopczyk ułożył się wygodnie w jej ramionach, oparty o jej biodro. Zaczął obmacywać jej twarz jedną z mokrych rączek. Podobało mu się to, a Alice mu nie przeszkadzała. Chwycił ją za dolną wargę. Udawała, że ją gryzie i zjada, wydając z siebie dzikie, zwierzęce odgłosy. Roześmiał się i chwycił ją za nos. Pociągnęła nosem raz, pociągnęła drugi, udając, że kicha. Przesunął rączkę w kierunku jej oczu. Zmrużyła je, żeby nie dźgnął jej palcem i mrugnęła, starając się połaskotać rzęsami jego rączkę. Przesunął maleńką dłoń po jej czole, następnie zacisnął piąstkę i szarpnął babcię za włosy. Delikatnie otworzyła jego dłoń i wymieniła włosy na palec wskazujący. Zwrócił uwagę na jej naszyjnik.

– Znalazłeś ładnego motylka?

– Nie pozwól mu, aby wsadził go do ust! – zawołała matka, która przebywała w innym pokoju, lecz nadal nie w zasięgu wzroku.

Alice nie zamierzała pozwolić, aby dziecko wzięło naszyjnik do ust i poczuła się urażona tą uwagą. Weszła do pokoju, w którym znajdowała się matka. Wewnątrz zobaczyła mnóstwo siedzonek dla niemowlaków, które bzyczały, brzęczały i mówiły, kiedy niemowlaki w nie uderzały. Alice zapomniała, że to był pokój, w którym znajdowały się głośne siedzonka. Chciała wyjść, zanim matka każe jej umieścić dziecko w jednym z nich. Jednak w pokoju była również aktorka, a Alice chciała przebywać w jej towarzystwie.

– Czy tata przyjedzie w weekend? – zapytała aktorka.

– Nie, nie może. Powiedział, że przyjedzie w przyszłym tygodniu. Mogę je na chwilę z wami zostawić? Muszę wyskoczyć do sklepu. Allison powinna spać jeszcze przez godzinę.

– Pewnie.

– Uwinę się szybko. Potrzebujecie czegoś? – zapytała matka, wychodząc z pokoju.

– Więcej lodów, jakieś czekoladowe – krzyknęła aktorka.

Alice usiadła, gdy znalazła mięciutką zabawkę pozbawioną piszczących guzików, którą to niemowlę, siedząc na jej kolanach, zaczęło natychmiast badać. Powąchała czubek jego niemal pozbawionej włosów główki, przyglądając się czytającej coś aktorce, a ona podniosła wzrok i spojrzała na nią.

– Mamo, posłuchaj monologu, nad którym właśnie pracuję i powiedz mi, czego dotyczy. Nie chodzi o treść, jest dość długa. Nie musisz zapamiętywać słów, po prostu powiedz mi, czego dotyczy w kwestii uczuć. Kiedy skończę, powiesz, co czułaś, słuchając mnie, dobrze?

Alice przytaknęła i aktorka rozpoczęła monolog. Alice obserwowała, słuchała i skupiała się na tym, co kryło się poza słowami wymawianymi przez aktorkę. Zobaczyła, że w jej oczach zagościła rozpacz, że były badawcze, błagały o prawdę. Zobaczyła, jak delikatnie opadały i że wyrażały wdzięczność. Jej głos z początku wydawał się niepewny i przestraszony. Powoli, nie zmieniając tembru na głośniejszy, stawał się coraz bardziej pewny, a w końcu radosny, rozbrzmiewając niczym piosenka. Jej brwi, ramiona oraz ręce złagodniały i otworzyły się, prosząc o akceptację i oferując przebaczenie. Jej głos i ciało wytworzyły energię, która przepełniała i poruszyła Alice do łez. Przytuliła niemowlę na kolanach i pocałowała jego słodko pachnącą główkę.

Aktorka skończyła monolog i spojrzała na Alice w oczekiwaniu.

– Co poczułaś, mamo?

– Poczułam miłość. Wyrażałaś miłość.

Aktorka zapiszczała, rzuciła się na Alice, pocałowała ją w policzek i uśmiechnęła się. Każda linia na jej twarzy wyrażała radość.

– Dobrze zrozumiałam?

– Tak, mamo. Doskonale to zrozumiałaś.

POSŁOWIE

Opisany w niniejszej książce testowany klinicznie lek Amylix nie istnieje. Są jednak podobne, prawdziwe medykamenty, które selektywnie obniżają poziomy amyloidu-beta 42. W odróżnieniu od obecnie dostępnych leków, które jedynie opóźniają ostateczny przebieg choroby, naukowcy wyrażają nadzieję, że leki te zatrzymają rozwój Alzheimera. Wszystkie pozostałe wspomniane w książce preparaty są prawdziwe, a sposób ich użycia oraz skuteczność w leczeniu choroby Alzheimera były potwierdzone w chwili pisania tej książki.

Więcej informacji na temat choroby Alzheimera oraz danych o próbach klinicznych znajduje się na stronie:

http://www.alz.org/research/clinical_trials/find_clinical_trials_trialmatch.asp.

PODZIĘKOWANIA

Jestem niezmiernie wdzięczna ludziom, których poznałam poprzez Dementia Advocacy and Support Network International i DementiaUSA. Na szczególne podziękowania zasłużyli Peter Ashley, Alan Benson, Christine Bryden, Bill Carey, Lynne Culipher, Morris Friedell, Shirley Garnett, Candy Harrison, Chuck Jackson, Lynn Jackson, Sylvia Johnston, Jenny Knauss, Jaye Lander, Jeanne Lee, Mary Lockhart, Mary McKinlay, Tracey Mobley, Don Moyer, Carole Mulliken, Jean Opalka, Charley Schneider, James Smith, Jay Smith, Ben Stevens, Richard Taylor, Diane Thornton oraz John Willis. Wasza inteligencja, odwaga, humor, empatia oraz chęć podzielenia się tym, co sprawiało, że czuliście się bezbronni, przerażeni i pełni nadziei, nauczyły mnie bardzo wiele. Dzięki Waszym historiom, wizerunek Alice stał się bogatszy i bardziej ludzki.

Chciałabym szczególnie podziękować Jamesowi i Jayowi, których pomoc pozwoliła mi spojrzeć z o wiele szerszej perspektywy zarówno na chorobę Alzheimera, jak i na tę książkę. To błogosławieństwo, że was spotkałam.

Składam również podziękowania na ręce poniższych przedstawicieli środowiska lekarskiego, którzy wspaniałomyślnie poświęcili mi swój czas, wiedzę oraz wyobraźnię, pomagając mi w uzyskaniu prawdziwego i dokładnego obrazu tego, jaki może być realny scenariusz wydarzeń po tym, jak u Alice wykryto demencję, a jej stan stopniowo ulegał pogorszeniu. Osoby, ku którym kieruję podziękowania:

Dr Rudy Tanzi oraz dr Dennis Selkoe – za pomoc w głębokim zrozumieniu biologii molekularnej tej choroby.

Dr Alireza Atri – za to, że przez dwa dni pozwolił mi obserwować swoją pracę na Oddziale Zaburzeń Pamięci w szpitalu Massachusetts General Hospital oraz za to, że pokazał mi swoją błyskotliwość i pasję.

Dr Doug Cole oraz dr Martin Samuelss – za dodatkowe zrozumienie diagnozy i leczenia Alzheimera.

Sara Smith – za to, iż pozwoliła mi wziąć udział w testach neuropsychologicznych.

Barbara Hawley Maxam – za wyjaśnienie roli pracownika społecznego oraz działania Grupy Wsparcia dla Opiekunów szpitala Mass General.

Erin Linnenbringer – za to, iż stała się dla Alice specjalistą z poradni genetycznej.

Dr Joe Maloneyowi oraz dr Jessica Wieselquist – za odgrywanie roli lekarzy ogólnych Alice.

Podziękowania należą się również dr. Stevenowi Pinkerowi – za to, iż pokazał mi, na czym polega życie wykładowcy psychologii na Harvardzie oraz dla dra Neda Sahina i dr Elizabeth Chua – za ukazanie punktu widzenia studentów.

Podziękowania dla dr. Steve'a Hymana, dr. Johna Kelseya oraz dla dr. Todda Kahana – za udzielenie odpowiedzi na pytania na temat Harvardu i życia wykładowcy.

Dziękuję Dougowi Coupe'owi – za podzielenie się wiedzą na temat aktorstwa w Los Angeles.

Na wyrazy uznania i wdzięczności zasłużyli: Martha Brown, Anne Carey, Laurel Daly, Kim Howland, Mary MacGregor oraz Chris O'Connor – za przeczytanie każdego rozdziału, za wasze komentarze, za zachętę oraz za szalony entuzjazm.

Dziękuję Diane Bartoli, Lyralen Kaye, Rose O'Donnell oraz Richardowi Peppowi – za wsparcie redakcyjne.

Dziękuję Jocelyn Kelley z Kelley & Hall – za to, iż jest fenomenalną specjalistką od reklamy.

Olbrzymie podziękowania należą się Beverly Beckham, która napisała najlepszą recenzję, o jakiej autor publikujący własnym nakładem mógłby marzyć i za to, że wskazałaś mi drogę do Juli Fox Garrison.

Julia, nie jestem w stanie ci wystarczająco podziękować. Twoja szczodrość odmieniła moje życie.

Dziękuję Vicky Bijur – za reprezentowanie mnie i za to, iż upierała się, abym zmieniła zakończenie. Jesteś genialna.

Dziękuję Louise Burke, Johnowi Hardy'emu, Kathy Sagan oraz Anthony'emu Ziccardi'emu za wiarę w tą historię.

Muszę również podziękować wielkiej i głośniej rodzinie Genova za bezwstydne namawianie wszystkich znajomych do zakupu książki ich córki/siostrzenicy/kuzynki/siostry. Jesteście najlepszymi specjalistami od marketingu partyzanckiego na świecie!

Podziękowania należą się również, wprawdzie nie tak wielkiej, jednak równie głośnej, rodzinie Seufert, za rozgłaszanie informacji o książce.

Na końcu pragnę podziękować Christopherowi Seufertowi za wsparcie techniczne w tworzeniu strony internetowej, za oryginalny projekt okładki, za pomoc w uchwyceniu abstraktu oraz za wiele, wiele więcej. Najbardziej jednak jestem wdzięczna za to, że dzięki niemu mogłam poczuć dreszczyk emocji.

Rozmowa
z Lisą Genová

O czym jest książka?

Motyl jest opowieścią o kobiecie, która stacza się w otchłań demencji, zostaje dotknięta przez chorobę Alzheimera o wczesnym początku. Alice ma pięćdziesiąt lat, wykłada na Harvardzie, kiedy zaczyna doświadczać zaników pamięci i dezorientacji. Jednak jak większość zajętych, czynnych zawodowo ludzi, początkowo uważa to za objaw normalnego starzenia się, stresu, zbyt małej ilości snu itd. Jednak kiedy te symptomy nasilają się, idzie w końcu do neurologa i dowiaduje się, że ma chorobę Alzheimera o wczesnym początku.

W miarę jak Alice traci zdolność do polegania na własnych myślach i wspomnieniach, zaprzepaściła swoje życie zawodowe na Harvardzie, życie, które kosztowało ją wiele wysiłku, określające jej wartość w społeczeństwie. Musi odnaleźć się w tej nowej sytuacji i odpowiedzieć sobie na pytania: „Kim teraz jestem?" i „Jakie znaczenie ma teraz moje życie?". Kiedy stan jej zdrowia pogarsza się, a choroba zaczyna odbierać jej *własne ja*, obserwujemy, jak Alice zaczyna odkrywać, że jest czymś znacznie więcej niż tym, co jest w stanie zapamiętać.

Co było dla ciebie inspiracją do napisania *Motyla*?

Było kilka inspiracji, jednak główną z nich było to, że moja babcia zachorowała na Alzheimera w wieku osiemdziesięciu lat. Kiedy przypominam sobie te wydarzenia, jestem pewna, że chorowała od lat, zanim nasza rodzina zorientowała się, co się tak naprawdę dzieje. Zapominanie uznaje się za normalny objaw u starszych osób, więc przymyka się na to oko. Kiedy zaczęliśmy się nią opiekować, choroba była już bardzo zaawansowana. To był szok. Zawsze była inteligentną, niezależną, żywiołową i aktywną kobietą. Patrzyliśmy, jak choroba systematycznie zamienia ją w osobę niepełnosprawną. Nie znała imion swoich dzieci, nie wiedziała, że w ogóle je ma (miała ich dziewięcioro), nie wiedziała, gdzie mieszka, nie pamiętała, by korzystać z toalety, nie rozpoznawała własnego odbicia w lustrze. Patrzyłam, jak opiekuje się plastikowymi lalkami, jak gdyby były prawdziwymi dziećmi. To rozdzierało mi serce. Z drugiej strony było to dziwnie fascynujące. W tamtym czasie odbierałam doktorat z neurobiologii na Harvardzie. Byliśmy świadkami destrukcyjnych skutków choroby widzianych od zewnątrz. Mnie zastanawiał łańcuch wydarzeń, który powodował zniszczenie od wewnątrz. Zastanawiałam się także, jak to jest, kiedy części mózgu, odpowiedzialne za twoją własną świadomość i tożsamość, ulegają zanikowi. Pomyślałam: co choroba Alzheimera oznacza z punktu widzenia osoby, u której ją zdiagnozowano? Moja babcia nie była w stanie odpowiedzieć na to pytanie, jednak ktoś we wczesnym stadium choroby owszem. Tak zrodził się pomysł napisania książki.

Czy twoje wykształcenie pomogło ci w napisaniu książki?

Tak. Dzięki niemu miałam dostęp do właściwych ludzi, z którymi mogłam porozmawiać na ten temat. Doktorat z neurobiologii na Harvardzie był niczym przepustka – umożliwił mi kontakt z ordynatorem neurologii szpitala w Brigham i w Bostonie. Dzięki niemu miałam dostęp do najnowszych badań, do osób zajmujących się genetyką, do grupy wsparcia dla osób opiekujących się chorymi, a także do światowej sławy lekarzy badających chorobę Alzheimera, jak również umożliwił mi kontakt z ludźmi żyjącymi z tą chorobą oraz z ich opiekunami. Moje wykształcenie i kwalifikacje dawały ludziom pewność, że mogą się czuć bezpiecznie, ujawniając mi informacje, o które pytałam.

Dzięki zrozumieniu biologii molekularnej tej choroby w rozmowach z lekarzami i naukowcami dysponowałam odpowiednią wiedzą oraz słownictwem, tak by móc zadawać odpowiednie pytania oraz właściwie zrozumieć ich odpowiedzi.

Kiedy związałaś się ze stowarzyszeniem National Alzheimer Association?

Zanim książka została opublikowana, wydawało mi się, że stworzyłam historię, która jest realnym i pełnym szacunku obrazem choroby Alzheimera. Książka jest również wyjątkowa z tego powodu, że została opowiedziana z punktu widzenia pacjenta, nie opiekuna. Natomiast lwia część informacji, dostępnych na temat choroby Alzheimera, opowiedziana jest z punktu widzenia opiekuna.

Pomyślałam więc, że to stowarzyszenie w jakiś sposób będzie zainteresowane moją książką, być może polecą ją lub zamieszczą do niej link na swojej stronie. Skontaktowałam się z ich działem marketingu i podałam im namiary do strony książki, którą stworzyłam, zanim została opublikowana. Odpowiedzieli, że zwykle nie rozważają „patronowania" książkom, jednak poprosili mnie o kopię manuskryptu. Wkrótce potem ich przedstawiciel skontaktował się ze mną, mówiąc, że są nią zachwyceni. Chcieli ją oficjalnie zarekomendować i zapytali, czy mogłabym pisać bloga na potrzeby kampanii, która miała się odbyć pod koniec miesiąca.

To skłoniło mnie do podjęcia decyzji w sprawie książki. *Motyl* nie był jeszcze opublikowany. Znalezienie wydawnictwa, które udostępniłoby książkę czytelnikom, mogło potrwać całe lata. Mając na uwadze fakt, że stworzyłam coś, co Stowarzyszenie uważało za wartościowe, coś, co mogło pomóc uświadomić i pocieszyć miliony ludzi mających do czynienia z chorobą Alzheimera, poczułam palącą potrzebę natychmiastowego opublikowania książki. Tak więc zgodziłam się na pisanie bloga i przyłączyłam się do Stowarzyszenia. Następnie, własnym nakładem opublikowałam *Motyla*. To była szansa, której nie mogłam przegapić.

Jak dobierałaś informacje, które twoim zdaniem powinny znaleźć się w książce?

Od samego początku wiedziałam, że nie będę w stanie zawrzeć w książce doświadczeń *wszystkich* ludzi, którzy zetknęli się z chorobą Alzheimera. Jednak pewne było, że będę mogła ukazać jej sedno. Regularnie spotykałam się z ludźmi chorującymi na Alzheimera o wczesnym początku, aby upewnić się, że wszystko, co do tej pory napisałam, było zgodne z prawdą. Oni byli dla mnie niczym papierek lakmusowy. Bardzo ważne było ukazanie wczesnych symptomów, zobrazowanie tego, jak są one lekceważone i nie przyjmowane do wiadomości. Czułam, że moim obowiązkiem jest pokazanie, jak powinien wyglądać proces postawienia właściwej diagnozy. Dla wielu ludzi z Alzheimerem o wczesnym początku droga do zdiagnozowania u nich tej choroby jest długa i niezwykle żmudna, a przez lata objawy często mylone są z tymi, które występują przy innych chorobach, na przykład przy depresji. Prawdopodobnie jest to jedyny aspekt książki, który znacząco odbiega od rzeczywistości, z którą wielu ludzi musi się zmierzyć. Dałam Alice prostą i szybką drogę do diagnozy, po części po to, by pokazać, jak ona powinna wyglądać, a po części dlatego, że nie chciałam napisać książki liczącej sobie pięćset stron. Czułam także, że bardzo ważne było pokazanie, że Alice rozważała popełnienie samobójstwa. Bardzo długo i intensywnie o tym myślałam. Tak jak w przypadku kary śmierci czy aborcji, ludzie mają podzielone zdania na temat prawa odebrania własnego życia w obliczu śmiertelnej choroby, a ja nie chciałam alienować żadnego z czytelników. Dowiedziałam się, że każdy chory na Alzheimera w wieku poniżej sześćdziesięciu pięciu lat, którego znałam, rozważał popełnienie samobójstwa. To naprawdę niezwykłe. Przeciętny pięćdziesięciolatek nie myśli o tym, by się zabić, jednak każdy pięćdziesięciolatek z chorobą Alzheimera – tak. Oto do czego doprowadza ta choroba. Poczułam, że Alice też musi tego doświadczyć.

Czy w tej chwili pracujesz nad nową książką?

Właśnie rozpoczęłam pracę nad swoją nową książką *Left Neglected*. Jest to opowieść o trzydziestoletniej kobiecie, która nie różni się od większości współczesnych kobiet – jest zajęta przez cały dzień, w pracy oraz w domu, wciąż jest na najwyższych obrotach, co w rezultacie powoduje u niej znaczną utratę wagi. Któregoś zwyczajnego poranka, po tym jak odwiozła dzieci do szkoły, pędzi samochodem spóźniona do pracy, próbując wykonać telefon w sprawie spotkania, na którym już dawno powinna być, nie patrząc przez chwilę na drogę. Właśnie wtedy jej rozpędzone życie zatrzymuje się z piskiem opon. Doznaje traumatycznego urazu głowy. Jej pamięć i intelekt pozostają nienaruszone. Wciąż może mówić i liczyć. Jednak traci zainteresowanie oraz zdolność postrzegania i rejestrowania informacji dochodzących do niej z lewej strony ciała.

Lewa cześć świata zniknęła. Ma zespół nieuwagi stronnej. Zaczyna żyć w dziwnej pół-przestrzeni, w której jada wyłącznie z prawej strony talerza, czyta tylko prawą stronę książki i bez trudu zapomina, że jej lewe ramię i dłoń należą do niej. Podczas rehabilitacji nie tylko próbuje odzyskać świadomość istnienia swojej lewej strony, ale także odzyskać swoje życie. To, które zawsze chciała wieść.

Współpracując z organizacją Dementia Advocacy and Support Network, codziennie rozmawiałaś z ludźmi cierpiącymi na chorobę Alzheimera. Jak oceniasz to doświadczenie? Jakie były najczęstsze problemy, z którymi musieli się zmagać ci ludzie?

To było niesamowite doświadczenie. Ludzie chorujący na Alzheimera nie są powierzchowni ani też nie owijają w bawełnę. Oni nie mają czasu do stracenia. Wspieramy siebie nawzajem i rozmawiamy o rzeczach, które mają znaczenie, więc często nasze konwersacje są pełne wrażliwości i odwagi, miłości i humoru, frustracji i podniecenia. A kiedy w ten sposób dzielisz się sobą z kimś innym, prowadzi to do głębokiej i bardzo bliskiej przyjaźni. Naprawdę kocham i podziwiam swoich przyjaciół, których poznałam dzięki tej organizacji. Wielu z nich znam wyłącznie z e-maili. Niektórych miałam okazję poznać osobiście podczas konferencji poświęconych chorobie Alzheimera, co okazało się wspaniałym doświadczeniem. Jesteśmy kolegami, którzy wspierają się nawzajem.

Ludzie z Alzheimerem stąpają po gruncie, który nieustannie zapada się pod ich stopami. Znane już objawy pogarszają się (przybierają na sile i są coraz częstsze) lub pojawiają się nowe, tak więc kiedy chorzy myślą, że przystosowali się już do nowych warunków, przygotowali i ułożyli wszystko tak, aby móc dalej żyć, pojawiają się nowe problemy. To bardzo frustrujące, wyczerpujące i demobilizujące.

Myślę jednak, że najczęstszym problemem, z jakim stykają się ludzie, jest izolacja i samotność, ponieważ choroba ta odbiera im ich niegdyś szybkie, wypełnione osobistymi sukcesami życie. Ludzie z Alzheimerem muszą zwolnić; z powodu ogromnego piętna, jakie na nich ciąży, gdy doświadczają wczesnych objawów tej choroby, dostrzegają, że zostają zupełnie sami. To dlatego internetowe grupy wsparcia są tak bardzo ważne. Zrzeszają one chorych na całym świecie, sprawiają, że dzielą się ze sobą swoimi problemami i przełamują izolację.

Czy uważasz, że potrzeba większej edukacji na temat choroby Alzheimera?

Tak, szczególnie jeśli mówimy o chorobie Alzheimera o wczesnym początku. W Stanach jest ponad pół miliona ludzi poniżej sześćdziesiątego piątego roku życia, u których zdiagnozowano demencję, a nie wlicza się ich do statystyk dotyczących Alzheimera. Powszechnie każdy wie, jak brzmi i wygląda osiemdziesięciopięciolatek w późnym stadium tej choroby. Najwyższy czas, by i ta grupa miała swoją twarz i głos.

Bardzo ważna jest świadomość wczesnych objawów i symptomów, ponieważ im wcześniejsza będzie diagnoza, tym wcześniej chorzy otrzymają właściwe leki. To naprawdę ważne, bo osoby z Alzheimerem o wczesnym początku potrzebują dostępu do odpowiednich informacji (na przykład dostępu do grup wsparcia), które obecnie przeznaczone są przede wszystkim tylko dla osób opiekujących się chorymi. Najwyższy czas, aby producenci leków zaczęli dostrzegać tę olbrzymią grupę i uwzględnili ją podczas wprowadzania na rynek nowych środków. Wielu chorych z Alzheimerem o wczesnym początku nie może zgłaszać się do prób klinicznych z powodu zbyt młodego wieku. Ich rodziny także mają prawo do właściwego zaplanowania przyszłości pod względem finansowym i emocjonalnym. W moim odczuciu większa świadomość zmniejszy piętno ciążące na osobach żyjących z tą chorobą.

Którzy pisarze są dla ciebie inspiracją?

Oliver Sacks jest moją największą inspiracją. Książka *Mężczyzna, który pomylił swoją żonę z kapeluszem* była iskrą, która rozpaliła moje zainteresowanie neurobiologią. Oto jeden z cytatów:

„W procesie diagnozowania choroby zyskujemy mądrość w dziedzinie anatomii, fizjologii i biologii.

W procesie diagnozowania osoby cierpiącej na tę chorobę zyskujemy mądrość w dziedzinie życia".

To wszystko prawda. To jest to, czego chcę dokonać, jeśli chodzi o moje pisanie.

Co w tej chwili czytasz?

To może wydawać się dziwne, ale czytam powieść Eckharta Tolle *Nowa Ziemia*, ale nie dlatego, że powiedziała mi o niej Oprah Winfrey. Zarekomendował mi ją w sierpniu przyjaciel, który choruje na Alzheimera. Przeprowadzałam z nim wywiad do mojej kolejnej książki, a on z podekscytowaniem opowiedział mi o swoich nowych, niesamowitych odkryciach dotyczących medytacji, diety i ćwiczenia samoświadomości. Powiedział, że koniecznie muszę przeczytać książkę *Nowa Ziemia* i że ona zmieni moje życie. Miał rację.

Czytam także powieść autorstwa Brunonii Barry *Wróżby z koronek*. Jest niesamowita!

Czy masz jakieś rady dla początkujących pisarzy?

Znam wielu początkujących pisarzy, którzy tkwią w miejscu z ukończonymi książkami i czekają, aż pojawi się jakiś wydawca. Nie idą do przodu, nie będąc w stanie napisać kolejnego tekstu, ponieważ czekają, aż ktoś powie, że ich książka jest „wystarczająco dobra", a oni sami są „prawdziwymi pisarzami". To najgorszy stan, w jaki pisarz może popaść. Oto moja rada: jeśli na horyzoncie nie pojawia się żaden wydawca, a ty czujesz, że chcesz się podzielić swoją pracą ze światem, sam ją wydaj. Daj swoje dzieło światu, opublikuj je i nie przestawaj pisać. Bądź wolny! Ostatnio jechałam samochodem i wsłuchiwałam się w słowa Diablo Cody, która napisała scenariusz do filmu *Juno*. Kiedy została zapytania o radę dla początkujących scenarzystów, powiedziała: *Samopublikowanie*. Krzyknęłam: Łuuuhuuu!, Diablo Cody zgadza się ze mną, a na dodatek dopiero co została nominowana do Oskara!

Opowiedz, jaki masz system pisania.

Niedawno urodziłam dziecko, więc obecnie nie mam żadnego systemu. Jednak kiedy pracowałam nad *Motylem*, pisałam w Starbucks każdego dnia, podczas gdy moja sześcioletnia córka szła do szkoły. Pisanie w domu było dla mnie zbyt trudne. Zbyt wiele rzeczy mnie rozpraszało – telefony, które trzeba było wykonać, posiłki, które trzeba było przygotować, pranie, które trzeba było zrobić, rachunki, które trzeba było zapłacić. Płacąc rachunki, masz świadomość, że zamiast pisać kolejną scenę, zwlekasz! W Starbucks nie było wymówek. Nie było nic innego do roboty, prócz pisania. Nie możesz się nawet rozmarzyć, inaczej wyglądasz na dziwaka. Opuszczasz więc głowę i piszesz. Zawsze uświadamiałam sobie, że muszę nagle przerwać, by odebrać swoją córkę ze szkoły. Mogłam być w środku świetnej sceny, mieć świetny pomysł, kiedy akurat nadchodził czas, aby pojechać po moją córkę. I to był koniec pisania. Tego dnia nie wracałam już do pracy. Trzymałam się tego. Mój czas na pisanie był moim czasem na pisanie, a czas z moją córką należał do nas. Myślę, że ograniczona ilość czasu każdego dnia, przeznaczona na pisanie, sprawiała, że kolejnego dnia wracałam do tego z jeszcze większym zapałem. Nigdy nie bałam się ani nie doświadczyłam blokady. Każdego dnia nie mogłam doczekać się, aż wrócę do Starbucks, zamówię herbatę i usiądę do pisania.

Czy widzisz jakieś znaczące postępy w walce z chorobą Alzheimera?

Ważna jest świadomość prowadząca do wcześniejszej diagnozy. Chociaż leki na Alzheimera dostępne obecnie nie zmieniają biegu choroby, mogą zatrzymać jej postęp przez długi czas, pozwalając choremu wieść bardziej ustabilizowane życie i cieszyć się nim przez dłuższy czas. Im wcześniej choroba zostanie zdiagnozowana, tym szybciej chory będzie mógł przyjmować leki stabilizujące. Dzięki temu istnieje większe prawdopodobieństwo, że skorzysta z lepszych form leczenia, gdy tylko będą one dostępne.

Innym postępem, który można zauważyć, jest to, że kolejna generacja leków na Alzheimera będzie zmieniała przebieg choroby – zatrzymają one jej postęp. Kiedyś uważano, że blaszki amyloidowe i splątki neurofibrylarne odkładają się w mózgu, powodując „zapychanie" neuronów i doprowadzając do ich śmierci. A ta śmierć neuronów to właśnie Alzheimer.

Oto nowe myślenie.

Kognitywne deficyty – objawy demencji – pojawiają się *przed* odkładaniem się blaszek, przed śmiercią neuronów. W mózgu osoby, która cierpi na Alzheimera, jest zbyt wiele enzymu zwanego beta -amyloidem 42. Albo występuje jego nadprodukcja, albo zbyt mała jego ilość jest usuwana z organizmu. Kiedy występuje jego nadmiar, te małe pojedyncze peptydy łączą się, tworząc małe oligomery złożone z beta-amyloidu formując złogi w synapsach – łączeniach pomiędzy neuronami – zaburzając synaptyczną transmisję i tym samym uniemożliwiając neuronom komunikowanie się ze sobą. Kiedy tak się dzieje, nowa informacja nie jest przyswajana lub uniemożliwiony jest dostęp do starych informacji. Plastyczność synapsy cierpi na tym, ponieważ ona nie działa prawidłowo i z powodu stanu zapalnego oraz innych problemów, terminal łączący ze sobą wypustki neuronów, aksony, zamyka się. W końcu niezdolne do dalszego funkcjonowania neurony umierają, pozostawiając pustą przestrzeń (zanik mózgu widoczny na tomografie) oraz złogi beta-amyloidu 42 i płytki amyloidowe.

Tak więc wszystko zaczyna się od zaatakowania synaps. Stopień demencji koreluje tylko i wyłącznie z dysfunkcją synaps, a nie z utratą neuronów, nie z ilością płytek czy też z zanikiem mózgu widocznym na tomografie.

Lekarstwo na demencję, takie, które zmieni przebieg choroby będzie:

- hamowało produkcję beta-amyloidu 42,
- zwiększało wydalanie już wyprodukowanego beta-amyloidu 42,
- uniemożliwiało łączenie się beta-amyloidu 42, aby powstrzymać formowanie się oligomerów,
- rozdzielało już utworzone oligomery.

Piękno i nadzieja tych leków polega na tym, że ludzie, u których występują objawy demencji, mogą być leczeni, *zanim* nastąpi śmierć neuronów. Jeśli synapsy zostaną naprawione, impulsy nerwowe znów będą przekazywane. Dana funkcja znów może zostać przywrócona!

Kiedy zdecydowałaś się na napisanie historii o kobiecie z chorobą Alzheimera, dlaczego ukazałaś Alice jako pięćdziesięcioletnią kobietę, wykładowcę na Harvardzie, a nie osiemdziesięcioletnią staruszkę na emeryturze?

Jednym z powodów było to, że pięćdziesięcioletnia kobieta szybciej zauważy, że coś się z nią dzieje i będzie zaniepokojona objawami tej choroby. W naszej kulturze zakładamy, iż ludzie starsi mają problemy z pamięcią, ponieważ emeryci nie liczą się już dla szefów korporacji, nie muszą każdego dnia błyszczeć nowymi pomysłami, ponieważ mogą żyć w samotności, nie mając nikogo, kto by ich odwiedzał i widział, co się dzieje, ponieważ dużo łatwiej jest zaprzeczyć temu, co podejrzewamy, toteż zwykle nie zauważamy choroby Alzheimera od razu. U kogoś, kto ma pięćdziesiąt lat, kto jest u szczytu swojej kariery, kogo status społeczny i tożsamość zależy od umysłu, u kogoś pracującego na wysokich obrotach, początek choroby będzie zauważalny natychmiast. A kiedy ziemia osunie się im spod nóg, to będzie długi i przerażający upadek.

W książce jest takie zdanie, kiedy lekarz Alice mówi do niej: „(…) możesz nie być wiarygodnym źródłem informacji o samej sobie". Ty jednak postanowiłaś opowiedzieć historię z punku widzenia

Alice. Czy to nie było trudne, w miarę jak objawy choroby nasilają się i jej zmysły rzeczywiście zaczynają ją zawodzić?

Na pewno było to trudne, jednak pomyślałam, że to był najważniejszy wybór, jakiego dokonałam. Opowiadając historię z punktu widzenia Alice, zmuszam czytelnika do bezpośredniej konfrontacji z chorobą Alzheimera. Momentami to uczucie bliskości z chorobą powinno budzić niepokój. Czytelnik powinien czuć jej zagubienie i frustrację, a także przerażenie. I tak, wybór ten sprawia, że tracimy wiedzę na temat tego, co się dzieje w głowie jej męża i innych postaci, ale zyskujemy dokładną wiedzę na temat tego, co się dzieje w umyśle osoby chorej. Większość ludzi, którzy nie mają do czynienia z Alzheimerem, nigdy nie miało okazji tego doświadczyć.

Jaka jest twoja ulubiona scena w książce?

Są dwie. Pierwsza to krótka scena z Alice i jej trójką dzieci. One kłócą się, czy ich matka powinna spróbować coś zapamiętać, czy też nie. Alice pyta, o której jutro idą obejrzeć sztukę. Jej syn mówi jej, żeby się o to nie martwiła, że nie musi próbować zapamiętać czegoś, co nie jest ważne, bo i tak nie pójdą bez niej. Jej najstarsza córka uważa, że powinna ćwiczyć swoją pamięć, kiedy tylko to możliwe, coś w rodzaju *trening czyni mistrza*. Najmłodsza córka twierdzi, że powinni podać swojej mamie tę informację, a ona zrobi z nią to, co uważa za stosowne. To bardzo częsta sytuacja w rodzinach, gdy ktoś choruje na Alzheimera. Często pojawiają się kłótnie, ludzie ranią się i obrażają wzajemnie. Konflikt narasta. W tej scenie wszyscy spierają się, ranią i nie zgadzają ze sobą, i to wszystko dzieje się w obecności Alice. Ludzie mówią o osobach mających Alzheimera, jak gdyby nie były obecne.

Moją drugą ulubioną sceną jest pierwszy akapit. Uwielbiam w nim każde słowo. Wciąż czuję dreszcze na swoim ciele, mogłabym go czytać tysiąc razy.

Jaka była reakcja na książkę osób z Alzheimerem, a jaka ludzi, którzy nigdy wcześniej nie mieli kontaktu z chorobą?

Reakcja na książkę była niezwykle pozytywna. Nawet nie jestem w stanie wyrazić, ile to dla mnie znaczy. Jeżeli osoba z Alzheimerem lub jego opiekun, który ją kocha, mówi mi, że wykonałam kawał dobrej roboty i że to niesamowite, że książka jest tak prawdziwa oraz że widzą w niej siebie, to jest to dla mnie największy komplement. Opowiedziałam prawdę o tej chorobie. To był dla mnie najważniejszy cel do osiągnięcia, kiedy zbierałam informacje do książki. Poznałam też wiele osób żyjących z Alzheimerem. To było trudne zadanie, by nie ukazywać nadmiernego dramatyzmu oraz romantyzmu w tej chorobie ani też jej nie bagatelizować.

Książka ma poparcie stowarzyszenia National Alzheimer's Association. Z wszystkich publikacji dostępnych na rynku na temat Alzheimera, z tego co wiem, moja jest jedyną, która została przez nich zatwierdzona.

Są też ludzie, którzy czytali książkę i osobiście nie są dotknięci tą chorobą i wyrazili o niej pozytywną opinię. To wzruszająca historia i myślę, że jest świetna ze względu na to, że opowiada nie tylko o Alzheimerze. Książka nie poucza ani też nie zagłębia się zbytnio w medyczne szczegóły. Opowiada o tożsamości, o skupianiu się w życiu na tym, co ważne oraz o tym, jak kryzys może wpłynąć na związek. Czuję olbrzymią satysfakcję wiedząc, że książka dała czytelnikom nową wrażliwość i świadomość rzeczywistości, w jakiej żyją osoby z Alzheimerem.

KOMENTARZ DO POLSKIEGO WYDANIA

Wiedza o chorobie Alzheimera jest coraz powszechniejsza, choć ciągle jeszcze najczęściej ogranicza się do przekonania, że choroba ta pozbawia człowieka pamięci. A prawda o chorobie Alzheimera jest dużo bardziej okrutna. W książce *Motyl* Lisa Genova pokazuje całą złożoność choroby Alzheimera i spustoszenie, jakie czyni ona w życiu intelektualnym, emocjonalnym i społecznym osoby nią dotkniętej. Pokazuje też, czym jest ona dla rodziny chorego, jak ją zmienia, przewartościowuje i scala. Ogromnym walorem książki jest pokazanie procesu tworzenia przez chorą Alice obrazu samej siebie w jej zmieniającym się na skutek choroby, coraz mniej zrozumiałym świecie. Alice nie jest samotna – ma kochającą rodzinę, której członkowie podejmują próbę wejścia w świat chorej, pomocy jej i sobie nawzajem. W dyskretny sposób, nie zatracając uroku powieści obyczajowej, Lisa Genova przekazuje wiele cennych informacji o chorobie. *Motyl* to ciepła, poruszająca, bez wątpienia najlepsza powieść o chorobie Alzheimera.

Bohaterka powieści i jej rodzina, poszukując pomocy i wsparcia, trafiają do organizacji alzheimerowskiej. Od 1978 r. na całym świecie powstają stowarzyszenia dla opiekunów osób z chorobą Alzheimera. Pomagają one chorym i ich opiekunom zrozumieć chorobę i jej liczne uciążliwe objawy, opiekunów uczą sposobów radzenia sobie ze stresem i negatywnymi emocjami pojawiającymi się jako efekt wieloletniego, często samotnego zajmowania się chorym. W takich organizacjach mogą oni spotkać osoby w podobnej sytuacji, które także zmagają się z niełatwą opieką nad chorym. Od nich można nauczyć się najwięcej. Stowarzyszenia oferują także wsparcie psychologiczne i profesjonalną pomoc oraz materiały edukacyjne.

W Polsce na chorobę Alzheimera cierpi ok. 300 tysięcy osób. Opiekunowie chorych mogą zwracać się o pomoc do 35 organizacji alzheimerowskich. Ich wykaz można znaleźć na stronie www.alzheimer-waw.pl (tutaj też praktyczne porady dla opiekunów chorych) i www.alzheimer-porozumienie.org oraz pod numerem alzheimerowskiego telefonu zaufania 22 622 11 22 (wtorki i czwartki 15.00–17.00).

Alicja Sadowska
prezes Polskiego Stowarzyszenia
Pomocy Osobom z Chorobą Alzheimera

Lisa Genova

Amerykańska pisarka, doktor nauk medycznych,
specjalizuje się w neurobiologii.
Jej debiut powieściowy - *Motyl* - okazał się wielkim sukcesem.
Przez ponad 40 tygodni utrzymywał się na liście
bestsellerów *New York Timesa*.
Równie gorąco została przyjęta jej druga powieść - *Lewa strona życia*.
Wkrótce nakładem wydawnictwa FILIA ukaże się
najnowsza książka tej autorki - *Kochając syna*.
Lisa Genova mieszka wraz z rodziną w Cape Cod,
gdzie pracuje nad kolejną powieścią.

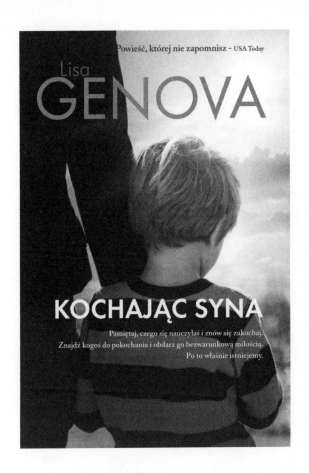

Lisa Genova

KOCHAJĄC SYNA

Pamiętaj, czego się nauczyłaś i znów się zakochaj.
Znajdź kogoś do pokochania i obdarz go bezwarunkową miłością.
Po to właśnie istniejemy.